D0636272

La « Madame » du Mayflower

Sydney BIDDLE BARROWS

La « Madame » du Mayflower

FRANCE LOISIRS
123, Boulevard de Grenelle, Paris

Titre original :
Mayflower Madam

Traduit de l'anglais par Pierre Tranier

Edition du Club France Loisirs, Paris
avec l'autorisation des Presses de la Cité

ISBN 2-7242-4095-2

A Risa,
pour tout ce qu'elle a fait – et plus encore.

« Je ne me destinais pas à être une Madame... Ce rôle, pour ainsi dire, vous échoit comme un brevet d'officier ou la charge de doyenne des étudiants à l'Université de Stanford. »

Sally STANFORD
La Dame de la maison

Préface

Ce soir du 11 octobre 1984, à l'âge de trente-deux ans, je devais affronter l'une des épreuves rituelles les plus redoutables, dans notre société, pour une femme célibataire : j'avais rendez-vous, par personne interposée, avec un inconnu.

J'étais en veine ce soir-là car Barry était beau et intelligent. Le premier moment de gêne passé, nos appréhensions mutuelles se dissipèrent, et nous ne manquâmes pas de sujets de conversation. Nous commençâmes par parler travail : il était dans l'édition et, à mon tour, je lui débitai ma petite histoire habituelle concernant la prétendue affaire d'articles de mode que je dirigeais. Au bout de quelques instants, nous découvrîmes que sa famille avait une ferme toute proche d'une maison de campagne appartenant à certains de mes parents et qu'il connaissait ma cousine Élodie et sa fille, Muffin.

Une semaine auparavant, il m'avait appelée au téléphone sur la suggestion de mon amie Susan, que je connaissais depuis le pensionnat, et nous nous étions mis d'accord pour dîner chez Zinno, un restaurant italien de Greenwich Village. Le repas fut agréablement détendu, et Barry me raccompagna ensuite jusqu'à la porte de mon immeuble, où nous nous souhaitâmes le bonsoir après avoir parlé de nous revoir.

Dans le hall, je fis halte à ma boîte aux lettres où j'eus le plaisir de trouver deux missives personnelles au milieu des factures, des magazines et des publicités habituelles. Je me dirigeais vers l'escalier lorsque j'entendis Raul, le portier, m'appeler.

– Mlle Barrows – il parlait avec un fort accent hispanique –, vous avez eu de la visite. Des messieurs voulaient vous voir.

Tout en essayant de lire une de mes lettres, je laissai tomber d'un ton négligent :

– Désolée de les avoir manqués. Combien étaient-ils?

– Une dizaine.

– Une dizaine?

C'était louche. Je repliai la lettre et, le scrutant, lui demandai :

– Savez-vous qui ils étaient?

– Des policiers.

Un frisson me parcourut.

– Ah vraiment? dis-je, essayant de garder mon sang-froid. Que voulaient-ils?

– Ils voulaient vous voir. Ils sont montés. Quand ils ont vu que vous n'étiez pas chez vous, ils sont repartis.

Je restai là, plantée, cherchant à rassembler mes esprits.

– Raul, lui dis-je doucement, soyez gentil, rendez-moi un service. Si des gens de la police reviennent, dites-leur que vous ne m'avez pas vue de toute la nuit.

– D'accord, Mlle Barrows.

Le cœur battant, je gravis quatre à quatre les escaliers jusqu'à mon appartement. Je fourrai la clef dans la serrure, ouvris la porte et me précipitai sur le téléphone. Je parvins à composer le numéro de « Cachet », l'agence d'hôtesses-accompagnatrices dont j'étais la propriétaire et la directrice. Huit sonneries... pas de réponse. Me mordillant les lèvres, je raccrochai et essayai à nouveau, plus lentement cette fois, espérant en dépit de tout que, dans ma hâte, j'avais appelé un mauvais numéro. Mais cet espoir était vain : la chance avait tourné.

Mais pourquoi ne me fichent-ils pas la paix? pensai-je. Je ne savais pas exactement ce qui se passait, mais j'étais sûre que ce devait être grave. Je me demandais combien de temps il nous faudrait, cette fois, pour amortir le coup.

Je ne soupçonnais pas que le secret dont j'avais entouré si soigneusement ma vie depuis cinq ans et demi était sur le point d'être percé à jour.

1

L'assemblée annuelle de la Société des descendants du *Mayflower* commence invariablement par la lecture de la liste des premiers colons de la Nouvelle-Angleterre arrivés à bord de ce navire. Quiconque, dans la salle, appartient à la lignée de celui dont le nom est appelé se lève pour être compté au nombre des présents.

Si je m'en tenais à la tradition qui court dans ma famille paternelle, je pourrais fort bien me lever à l'appel du nom de John Howland, un domestique sous contrat qui réussit l'exploit de tomber par-dessus bord juste au moment où le navire arrivait à Plymouth Rock et qui, repêché au moyen d'une gaffe, survécut pour narrer cet épisode. Cependant, personne dans cette branche de la famille n'a eu le courage d'entreprendre de rigoureuses recherches ni de remplir la paperasserie nécessaire pour officialiser la chose, si bien que je reste assise lorsque j'entends le nom de Howland. L'idée que je descends peut-être de ce type tombé à la mer du *Mayflower* n'est tout de même pas pour me déplaire.

Par contre, la famille de ma mère a établi, documents à l'appui, que nous descendions directement d'Elder William Brewster, le pasteur qui était le chef spirituel du petit groupe courageux arrivé à Plymouth Rock le 21 décembre 1620. Peut-être n'est-ce pas un personnage aussi pittoresque que John Howland, mais c'est avec fierté que je me lève quand il est nommé.

Quinze générations se sont succédé depuis le débarquement des pèlerins, et j'ai réussi, à la longue, à rassembler une collection fascinante des ancêtres que comptent les deux branches de ma famille. Venant d'Écosse, mon arrière-arrière-arrière-grand-père maternel, Peter Ballantine, arriva en 1820 dans notre pays où il fonda la brasserie qui porte toujours son nom. A l'instar de John Howland, il avait fait trempette plus qu'à son goût en mettant le pied sur notre rivage. Quand j'étais gamine, l'un de mes grands-oncles aimait à nous narrer les circonstances dans lesquelles Peter Ballatine débarqua : démuni des moyens nécessaires pour acquitter la taxe d'entrée, il trouva assistance auprès du capitaine du navire qui le fit partir dans une petite barque à la faveur de l'obscurité. Comme celle-ci chavira avant de toucher terre, Peter dut patauger dans la mer pour gagner la côte. La Bible de la famille qu'il serrait contre lui porte, depuis, les traces de cette arrivée malencontreuse.

Du côté paternel, je suis une Biddle, c'est-à-dire que j'appartiens à l'une des premières familles de Philadelphie dont le patriarche était William Biddle, un quaker, fabricant de chaussures à Londres, venu s'établir dans le New Jersey en 1681. Il avait servi en Angleterre avec le grade de commandant dans l'armée de Cromwell mais, après la mort de celui-ci et le rétablissement de la monarchie, il avait été arrêté avec d'autres quakers et jeté dans la prison de Newgate pour s'être rendu coupable de schisme. Aussi avait-il dû se féliciter d'avoir eu la chance d'atteindre ce que les siens considéraient comme la Terre Promise.

Clement Biddle, l'arrière-petit-fils de William, était un ami de George Washington qui lui fit cadeau d'une douzaine de chaises en acajou, toujours dans la famille. On ne sait pas grand-chose de Clement, mais les historiens s'accordent tous à dire qu'il avait un petit faible pour les bains parfumés à l'eau de Cologne. A en juger par la façon dont ses contemporains décrivaient cette lubie, je ne peux que conclure qu'elle a dû être jugée assez extravagante à l'époque. Il est amusant de penser que les gènes de la famille m'ont peut-être transmis, à travers les siècles, ce même penchant.

Charles Biddle, un autre descendant de William, était un ami d'Aaron Burr. Lorsque celui-ci tua Hamilton au cours de leur duel célèbre, c'est dans la maison de Charles, à Philadelphie, qu'il chercha refuge. Edward, frère de Charles, était censé signer la Déclaration d'indépendance, mais il était trop malade pour assister à la cérémonie, qui se déroula sans lui. Nicholas, un troisième frère, devint le premier héros de la Marine américaine : il fut tué lorsque les Britanniques coulèrent son navire.

S'il m'était donné de rencontrer un seul de mes ancêtres, mon choix se porterait sur l'autre Nicholas Biddle, neveu du premier de ce nom. C'était, entre autres, un juriste, un poète, un scientifique et un journaliste qui, de plus, faisait autorité dans les domaines de l'art, de l'horticulture et de la Grèce antique et occupait ses loisirs à publier *Port Folio,* premier magazine culturel en Amérique.

D'après tous les témoignages, Nicholas Biddle était un personnage haut en couleur : affable, sûr de soi et un tantinet condescendant. Les longues boucles soyeuses qui encadraient son visage ajoutaient à son élégance vestimentaire. Il avait fait construire, sur les berges de la Delaware, un manoir raffiné appelé « Andalousie » où il élevait des vers à soie et cultivait des plants rares de raisin.

Ce fut cependant en qualité de banquier que Nicholas Biddle devint célèbre – et connut, plus tard, l'infamie. En 1822, le président James Monroe le nomma à la tête de la Banque des États-Unis, faisant ainsi de mon ancêtre l'homme le plus puissant du pays après lui-même, mais la banqueroute de 1841 brisa sa réputation. Lorsque j'étais enfant, on m'expliqua que notre branche des Biddle se trouvait fort désargentée parce que Nicholas avait tenu, après la déconfiture de la Banque, à rembourser ses amis de ses propres deniers.

Après sa disgrâce, cet homme, qui avait été quasiment adulé par ses contemporains, fut mis à l'écart de la société. On en parlait avec mépris, et la plupart de ses anciennes connaissances ne voulaient plus avoir affaire à lui, mais il réagit avec un grand courage et une grande maîtrise de soi. On adopta l'expression « serein comme une matinée estivale » après l'avoir inventée pour décrire comment il traversa avec équanimité les remous politiques et juridiques qu'il avait soulevés.

Nicholas était de loin le plus connu et le plus intéressant des Biddle, mais certains autres de mes ancêtres sont tout aussi fascinants, notamment Thomas Biddle, le frère de Nicholas, qui connut une fin prématurée au cours d'un duel avec un parlementaire du Missouri. A la suite d'une violente discussion au sujet de Nicholas et de la Banque, les deux adversaires s'affrontèrent sur une île située au milieu du Mississippi. Thomas, qui était myope, demanda que le combat fût livré au pistolet à une distance de cinq pas, et les deux hommes s'expédièrent promptement dans l'autre monde sous le regard de centaines de spectateurs.

Il faut mentionner aussi Anthony Drexel Biddle, contemporain de notre siècle, qui gardait comme animaux de compagnie une collection d'alligators. Il était déjà dans la soixantaine lorsqu'il enseigna aux marines, pendant la Seconde Guerre mondiale, le combat au corps à corps : on disait que personne n'avait jamais connu mieux que lui les mille et une manières de trucider son prochain.

Son fils, Anthony Joseph Drexel Biddle, qui était ambassadeur en Pologne lorsque les hostilités éclatèrent, passa les années de guerre à secourir de nombreux innocents en les aidant à échapper aux nazis. Tout à fait dans le style des Biddle, il réussit, par la suite, à remporter le championnat de France de tennis.

Également dans notre siècle, il y eut un groupe de quatre frères

Biddle qui se firent un nom dans la société : Francis, ministre de la Justice sous Roosevelt (et, ultérieurement, l'un des juges au procès de Nuremberg); George, un artiste remarqué qui joua un rôle actif dans la WPA [1]; Sydney, éminent psychanalyste, qui étudia avec Anna Freud à Vienne; Moncure, banquier d'affaires et bibliophile.

Toutefois, lorsque j'étais enfant, Grand-Maman Sydney, ma grand-mère paternelle, était la seule Biddle qui comptait vraiment pour moi. L'histoire n'a peut-être pas retenu son nom, mais elle a mené une vie passablement agitée tout au long du vingtième siècle. Adolescente, elle était l'une des rares personnes de Philadelphie à posséder une automobile et elle avait fait jaser toute la ville pour avoir effectué, avec deux amies, un périple en voiture sans chaperon. Plus tard, elle fut l'une des premières Américaines à monter dans un aéroplane.

Nous avions coutume de lui rendre visite à Lancaster, en Pennsylvanie, où elle vivait, avec Bapaw, dans une grande maison rustique, en haut d'une colline. A son heure, Grand-Maman avait été une débutante très en vogue, et j'aimais feuilleter les carnets qu'elle conservait depuis cette époque. Elle avait gardé les invitations à tous les bals où elle s'était rendue, ainsi que des notes sur sa toilette et sur les invités. « Ce soir, j'ai rencontré Dan Barrows », écrivait-elle à un certain moment, faisant ainsi allusion à son premier mari, mon grand-père paternel. Autre notation, deux bals plus tard : « J'ai dansé trois fois avec Dan Barrows. » Quelques mois après, ils étaient mariés.

Elle le quitta – je n'ai jamais su pourquoi – alors qu'elle attendait leur second enfant. Elle me raconta une fois que, le moment venu, elle prit sa voiture pour aller à l'hôpital, accoucha, et ne se soucia jamais d'en informer Dan. Plus tard, elle épousa Bapaw, un être doux et affectueux, avec qui elle parcourut le monde. Enfant, j'écoutais, avec un respect mêlé de crainte, Grand-Maman me narrer leur voyage en Chine – il y a de cela bien longtemps, avant que ce pays mystérieux soit pratiquement fermé aux étrangers.

Bapaw est mort il y a quelques années et Grand-Maman n'est plus très active. Cependant, elle égrène toujours ses souvenirs, et j'ai compris, après avoir parcouru ses carnets et écouté ses histoires pendant toutes ces années, que notre vie est un condensé de nos expériences – les lieux où nous nous sommes rendus, les personnes que nous avons rencontrées, les choses que nous avons

1. *Works Progress Administration :* organisme fédéral créé par l'administration de Roosevelt pendant la grande dépression des années 30 pour venir en aide à tous ceux – ouvriers spécialisés, techniciens, artistes – dont la créativité et les compétences étaient menacées par la longue inactivité que leur imposait le chômage. (*N.d.T.*)

faites. Grand-Maman Sydney étant pour moi le modèle à suivre, je décidai que l'un de mes buts dans la vie serait de tenter l'aventure, de savoir prendre des risques à l'occasion. Or les riches expériences permettent d'engranger de riches souvenirs, qui sont tout ce qui nous reste en fin de compte.

Dan Barrows se remaria également. Il vivait, lorsque j'étais jeune, avec sa deuxième femme, à Edgemont, une magnifique propriété sur le Main Line[1] de Philadelphie qui se composait d'une énorme maison de pierre, de plusieurs écuries et d'une remise. L'allée, qui semblait s'étirer sur des kilomètres, m'impressionnait particulièrement, mais le poney Tonio, que mon grand-père avait acheté pour ses petits-enfants, était ce qui m'attirait vraiment à Edgemont. Chaque fois que mon jeune frère, Andrew, et moi-même venions en visite, George, le valet de chambre de mon grand-père, nous emmenait faire de l'équitation.

A Edgemont, on dînait à la lueur des bougies sur une table d'un demi-kilomètre de longueur. Nous mangions dans de la porcelaine fine, servis attentivement par un couple qui avait passé sa vie à travailler pour mes grands-parents. Cependant, nous n'avons jamais considéré ces deux personnes comme des domestiques car, pour nous, elles faisaient depuis longtemps partie de la famille.

Avant nos visites à Edgemont, mes parents redoutaient toujours d'être embarrassés par la façon dont leurs enfants se tiendraient à table. Ils avaient tort de se faire du souci car leurs recommandations étaient plus que suffisantes. Enfants bien élevés et obéissants, nous restions patiemment assis pendant le défilé des nombreux plats, utilisions comme il fallait nos rince-doigts et nous comportions comme des adultes. Je n'ai jamais eu, depuis ces dîners, à me préoccuper de ma tenue à table. Les leçons de maintien destinées à Edgemont sont restées gravées.

Des années plus tard, Edgemont fut vendu et transformé en country-club, ce qui ne fut pas une conversion difficile. Je m'y arrêtai un jour pour voir ce qu'on en avait fait, et la vision du grand bar installé dans l'ancienne salle à manger majestueuse et de la moquette orange recouvrant les magnifiques parquets anciens où étaient autrefois étalés de beaux tapis d'Orient me brisa le cœur.

J'ai toujours été consciente de mon ascendance sans pour autant en avoir une idée très précise. A part quelques brèves allusions à Nicholas Biddle, personne ou presque ne mentionnait nos illustres ancêtres – ce qui, il est vrai, ne s'imposait pas. Je savais néanmoins que je descendais d'une famille privilégiée dont l'histoire était intimement mêlée à celle de l'Amérique. Lorsque

1. Quartier résidentiel dans la banlieue de Philadelphie, desservi par une ligne de chemin de fer qui lui donna son nom. (*N.d.T.*)

j'allais à Edgemont, je m'émerveillais devant les antiquités et les meubles précieux, et j'écoutais avidement raconter dans quelles circonstances ils avaient été acquis par la famille. J'aurais voulu être née un siècle plus tôt.

Certains membres de ma famille menaient grand train, mais nous vivions, nous, de façon beaucoup plus modeste. Pourtant, même dans notre maison, on pouvait voir des tapis d'Orient et des antiquités, et je grandis dans l'idée qu'il était bon pour les autres seulement d'acheter du mobilier dans un magasin. Nous avions très peu d'argent, mais profitions encore des somptueux reliquats de la magnificence passée.

Il y a peu, je tombai sur une phrase merveilleuse de John Ciardi, le poète américain, qui résume fort bien la situation de ma famille : « Du legs de riches ancêtres, écrit-il, subsiste encore la distinction lorsque la fortune a disparu. »

2

Je suis née le 14 janvier 1952, dans le New Jersey, non loin de Rumson où vivaient mes grands-parents maternels. J'avais quatre ans lorsque mon père nous quitta pour épouser une femme qui travaillait avec lui. Ce fut un coup terrible pour ma mère. Elle ne parlait jamais du divorce, sujet devenu tabou dans notre famille. Même aujourd'hui, je n'en connais toujours pas les détails. Tout ce dont je me souviens est que ma mère nous dit un jour, à mon jeune frère et à moi, que Papa ne reviendrait plus à la maison.

J'idéalisais et adorais mon père et, pendant des années après le divorce, je rendis ma mère responsable de son absence – c'était, bien sûr, à *lui* que j'en voulais, mais comme il n'était plus là, c'est à elle que je m'en pris. J'étais en outre jalouse du petit Andrew, qui n'était encore qu'un bébé lorsque Papa partit. Ma mère – ce qui est bien compréhensible – lui accordait beaucoup plus d'attention qu'à moi, du moins à ce qu'il me semblait. Je me sentais donc négligée et réagissais en me montrant désagréable à leur encontre.

Avec le recul, je comprends combien ma mère a dû se sentir angoissée et esseulée et je ne suis pas très fière de moi. Après tout, Maman n'avait que vingt-trois ans lorsque mon père la quitta. Elle avait grandi dans une maison où la domesticité était abondante, épousé un gentil garçon et cru que nous devrions, tous les quatre, vivre toujours heureux. Au lieu de cela, elle se retrouva seule, avec la charge de deux enfants en bas âge et, pour toute perspective, les corvées du ménage. Elle fit face de son mieux à la situation, et je l'admire vraiment depuis que je sais ce qu'elle a enduré.

Mon père alla s'installer à New York et prit l'habitude, pendant les trois années suivantes, de venir en voiture à notre maison, à Hopewell, une ou deux fois par mois le samedi, pour nous voir, Andrew et moi. Je vivais pour ces week-ends, et lorsque je me réveillais le samedi matin, je pouvais à peine maîtriser mon impatience : habillée dès l'aube, j'étais dehors à sept heures et attendais anxieusement, assise sur les marches, de le voir apparaître dans sa voiture, bien qu'il n'arrivât jamais avant dix heures. Il n'était pas question que je rentre, même pour prendre mon petit déjeuner, que ma mère m'apportait alors sur un plateau.

Cependant, lorsque j'atteignis l'âge de sept ou huit ans, les visites de mon père s'espacèrent au point que nous perdîmes pratiquement tout contact avec lui. Il ne nous téléphonait plus pour nos anniversaires ou pour Noël et nous envoyait des chèques au lieu de présents. Tout d'abord, ma mère s'efforça de nous cacher la vérité : elle achetait des cadeaux qu'elle emballait et nous remettait en disant que Papa les avait envoyés, mais elle finit par abandonner cette mise en scène et se contenta de nous donner simplement l'argent reçu.

Blessée dans mes sentiments, je me repliai sur moi-même. Les livres devinrent mes principaux compagnons et la lecture fut mon passe-temps favori. A l'école, je me sentais différente des autres enfants qui vivaient dans des foyers « normaux », avec deux parents à la maison. Une fois, nous nous mîmes à parler de nos familles. La deuxième femme de mon père venait d'avoir une petite fille et, bien que je ne l'eusse jamais vue, j'annonçai à la classe que j'avais un frère et une sœur.

Paul Cranston me décocha un regard de l'autre bout de la classe et me dit :

– C'est pas vrai, Sydney. Tu n'as pas de sœur!

– Si, j'en ai une, répondis-je.

– Non, tu n'en as pas, et d'abord, si tu en as une, où est-elle?

– C'est un bébé. Elle vit avec mon père et ma belle-mère à New York.

Il faut dire qu'à cette époque, les familles étaient encore *très* unies. L'idée qu'une belle-mère puisse exister ailleurs que dans les contes de fées ne venait pas à l'esprit des autres enfants, qui pensaient sans doute que tout cela était le fruit de mon imagination.

L'affaire se termina dans la salle des professeurs où je fondis en larmes. On convoqua ma mère à l'école où on l'informa que sa fille supportait mal le divorce et que « l'assistance d'un spécialiste » lui ferait peut-être du bien.

Ma mère n'avait pas les moyens de m'envoyer chez un psychiatre pour enfants, mais plus tard, lorsque nous allâmes vivre chez ses parents, ceux-ci payèrent les consultations d'un « conseiller », nom que l'on donnait à l'époque aux psychothérapeutes. Je le haïssais et lui étais si hostile que les séances ne furent d'aucune aide. En fait, elles ne firent qu'aggraver la situation car, en plus de tout, je détenais maintenant un secret embarrassant.

Après le départ de mon père, je savais très bien que nous n'avions de l'argent que pour le strict nécessaire. Ma mère ne recevait pas de pension pour elle – probablement parce qu'elle n'en voulait pas –, aussi survivions-nous grâce aux deux cents dollars mensuels versés pour les enfants. Même à la fin des années 50, cette somme suffisait à peine à faire vivre une famille de trois personnes, cette situation étant encore plus difficile pour une femme qui avait grandi dans l'opulence. Ma mère n'avait pu trouver qu'un emploi à temps partiel, chichement rémunéré. L'argent était pour elle un problème constant.

Jusqu'à l'âge de neuf ans, je vécus dans le New Jersey, à une heure environ de Princeton, à Hopewell, petite localité qui évoque tout à fait les thèmes favoris des tableaux de Norman Rockwell [1]. C'était un endroit idyllique, où les gens ne verrouillaient pas la porte de leur maison et laissaient les clefs sur leur voiture. C'était également un endroit merveilleux pour les enfants, et ce fut pour moi un coup dur lorsque ma mère, lasse finalement de se débattre toute seule, accepta l'offre de ses parents de venir vivre avec eux à Rumson, sur la côte du New Jersey.

Mes grands-parents vivaient dans une vaste demeure et étaient propriétaires d'un beau magasin, où on vendait de la vaisselle fine et de l'argenterie d'un goût exquis ainsi que tout un choix d'articles de luxe. Tous deux avaient une prestance aristocratique et étaient suprêmement élégants : lui était grand et beau, elle était l'incarnation d'une lady. Chaque matin, Estelle, la bonne, leur servait au lit un petit déjeuner raffiné sur des plateaux d'osier.

Le souvenir le plus vivace que j'ai de leur maison est celui des réceptions magnifiques qu'ils donnaient dans la grande salle de séjour. Estelle m'avait confectionné un petit tablier, et je l'aidais à présenter les hors-d'œuvre. Tout le monde était aux petits soins pour moi et complimentait mes grands-parents des « belles manières de Sydney ». J'aimais ces soirées et je rêvais au jour où, moi aussi, je pourrais recevoir de cette façon.

Apparemment, « personne » à Rumson n'allait à l'école publique, et l'on m'inscrivit donc dans l'école privée où étaient allés ma mère et ses deux frères. Les élèves de cet établissement se connaissaient depuis des années : ils fréquentaient non seulement la même école mais également le même club nautique, le même club de plage, le même club de tennis et le même country-club car leurs parents en étaient tous membres.

1. Artiste peintre américain qui connut une très grande vogue dans la première moitié de ce siècle pour la façon à la fois réaliste, idyllique et humoristique dont son œuvre dépeint la vie quotidienne des petites agglomérations rurales. *(N.d.T.)*

Je n'avais encore jamais fait de voile, et personne chez nous n'avait jamais tenu une raquette de tennis.

Le premier jour d'école, j'attendis avec impatience la récréation. A Hopewell, j'étais une vraie championne de corde à sauter, et je brûlais maintenant de faire étalage de ma technique devant mes nouvelles camarades de classe. Partout dans le pays, les enfants sautent à la corde – ils ont au moins *ça* en commun – mais, à ma grande consternation, les gamines de l'école privée de Rumson préféraient jouer « au cheval », c'est-à-dire qu'elles couraient sur le terrain en faisant semblant d'être des chevaux. Je les regardais avec stupéfaction imiter les divers pas et sauts que leurs animaux favoris savent si bien exécuter. En fait, nombre de ces petites filles possédaient vraiment un cheval, ce que j'avais peine à concevoir.

Circonstance aggravante, la vision de mon œil gauche étant faible, l'ophtalmologue avait décrété que la seule façon de l'améliorer était de me faire porter un bandeau sur l'œil droit. Je me trouvais donc là, dans une nouvelle école, éprouvant déjà le sentiment d'être différente et m'apercevant, de surcroît, que j'avais un aspect différent. J'étais sûre que personne ne voudrait de moi pour amie.

Rétrospectivement, je pense que les gamines de ma nouvelle école nourrissaient sans doute à mon égard les mêmes sentiments que toutes les élèves qui voient débarquer soudainement une nouvelle dans leur classe. Cela aurait, bien sûr, arrangé les choses si j'avais été sociable et chaleureuse, mais je manquais d'assurance et j'étais trop timide pour me faire de nouvelles amies. Au lieu de jouer avec les autres, je consacrais la plupart de mes loisirs à la lecture au point que je réussis, en quelques années, à lire toute la collection enfantine de la bibliothèque municipale.

Mon amour de la lecture était encouragé par le fait que ma mère était très stricte en ce qui concernait la télévision. Nous n'avions, Andrew et moi, le droit de ne regarder qu'une heure par jour – et seulement après avoir terminé nos devoirs – les émissions qui, en outre, devaient échapper à sa censure. « Le Club Mickey Mouse » et « Lassie » entraient dans cette catégorie, mais presque toutes les autres étaient exclues. « Docteur Kildare » était une émission frappée d'interdit parce que j'aurais pu découvrir qu'il existait de nouvelles maladies terribles et présenter ainsi, par la suite, des symptômes psychosomatiques; les films d'Alfred Hitchcock étaient proscrits parce qu'ils auraient pu me donner des cauchemars, et ainsi de suite. Pour la plupart des enfants de ma génération, la télévision était le grand dénominateur commun, mais elle ne faisait, dans mon cas, que me rappeler combien j'étais différente des autres.

Peut-être que, dans mon for intérieur, je me sentais esseulée et malheureuse mais, extérieurement, j'étais l'enfant comme il faut, qui faisait toujours ce qu'on lui disait de faire et s'efforçait de plaire aux adultes. Pourtant, lorsque j'atteignis l'adolescence, je commençai à me quereller davantage avec ma mère : comme la plupart des filles à cet âge, j'avais l'impression qu'elle voulait me dominer, et je lui en gardais rancune. De son côté, elle me disait que j'étais égoïste et peu attentionnée. Lorsque le moment vint pour moi des études au lycée, nous décidâmes d'un commun accord que j'irais en pension. Mon choix se porta sur Stoneleigh, petit établissement scolaire de Greenfield, qui est une agglomération nichée au milieu des collines du Berkshire, dans le Massachusetts. Grand-Maman Sydney et Bapaw prirent à leur charge les frais de scolarité.

L'été précédant mon départ pour Stoneleigh fut l'époque la plus heureuse de ma vie car je connus ma première amourette. Comme moi, Geoff faisait bande à part mais, dans son cas, cela tenait au fait qu'il était fils unique et que ses parents le couvaient et lui laissaient peu de liberté. Ils aimaient leur fils et s'efforçaient d'agir uniquement dans son intérêt, mais Geoff se sentait étouffé.

Nous étions deux gosses esseulés qui tombâmes amoureux l'un de l'autre, et je me remémore toujours avec étonnement l'ardeur passionnée de nos relations. Nous bavardions pendant des heures et c'était une amitié autant qu'un flirt. Nous étions toujours très francs l'un vis-à-vis de l'autre – d'ailleurs, nous sommes encore bons amis aujourd'hui. Nous ne manquions pas, non plus, de nous divertir – nous allions à la plage, faisions une virée dans son hors-bord jaune aux lignes effilées, ou nous rendions en voiture à Asbury Park pour nous y promener.

La mère de Geoff était la première femme vraiment élégante que j'eusse jamais rencontrée. Son mari, qui l'adorait, lui offrait toujours des fleurs et la comblait de bijoux magnifiques. Elle portait les dernières créations de chez Bonwit Teller, Saks, Bergdorf Goodman et autres magasins de luxe de New York. Elle me donnait toujours l'impression de sortir tout droit d'une page de *Vogue,* magazine auquel j'étais abonnée depuis l'âge de douze ans.

Mes relations avec Geoff se poursuivirent pendant tout mon séjour à Stoneleigh. Nous nous écrivions tous les jours, nous nous téléphonions au moins deux fois par semaine et nous nous rendions visite chaque fois que possible, ce qui, malheureusement, n'était pas souvent le cas.

Bien que Geoff me manquât, j'aimais bien le pensionnat. Chaque jeune fille devait pratiquer un sport : je choisis l'équitation, que j'adorais, et où je devins assez experte. Je n'ai d'ailleurs jamais compris l'intérêt des sports de compétition, préférant, je crois, libérer mes instincts de battante dans le monde des affaires.

Ce fut un grand soulagement pour moi que d'être séparée de ma mère – sentiment qui fut, j'en suis sûre, également partagé. Sur le plan de la vie sociale, Stoneleigh était une bénédiction. Pour la première fois de ma vie, j'avais mon petit groupe d'amies, et nous nous payions pas mal de bon temps. Il s'agissait surtout de blagues de pensionnaires qui ne tirent pas à conséquence, comme le barbouillage des toilettes à la bombe de couleur or ou la dispersion de *Rice Krispies* sur le sol afin d'être averties de la venue de la surveillante générale.

Pendant mes deux premières années à Stoneleigh, ces frasques n'étaient pas assez graves pour m'attirer des ennuis, mais la chance m'abandonna en dernière année et je fus punie pour quelques infractions mineures. Une fois, par exemple, la surveillante générale mit la main sur un cendrier que j'avais étourdiment fourré dans le tiroir de mon bureau. Je n'avais moi-même jamais touché à une cigarette, mais j'étais amie avec des compagnes qui fumaient. Comme je refusais de donner le nom des autres filles, je fus consignée pendant deux semaines.

Quelques semaines plus tard, je fus consignée à nouveau, avec ma meilleure amie, Nancy Love, pour avoir fait le guet pour Maria, une fille de notre étage qui avait réussi à faire entrer en catimini un garçon dans sa chambre. Le faire repartir se révéla toutefois beaucoup plus difficile, et Maria fut menacée d'expulsion si elle ne dévoilait pas le nom de ses deux complices, ce qu'elle s'empressa de faire.

Nous risquions, Nancy et moi, d'être exclues temporairement, perspective qui nous semblait bien préférable à celle d'être consignées pendant des semaines interminables. En outre, Nancy étant du Connecticut et moi du New Jersey, il nous fallait toutes deux prendre le train jusqu'à Manhattan pour regagner notre domicile. L'État de New York avait récemment ramené à dix-huit ans l'âge auquel on pouvait consommer des boissons alcooliques, et nous brûlions toutes deux d'impatience à l'idée de lever quelques verres de Maï Taï au Trader Vic's du Plaza. Mais lorsque la direction de l'école eut vent de ce projet que nous n'avions pas su garder secret, elle rapporta sa décision et nous consigna pendant deux longs mois.

A peu près à la même époque, Geoff, qui était alors étudiant de première année au Franklin and Marshall College, de Lancaster, en Pennsylvanie, m'invita aux festivités d'hiver que cet établissement organisait pendant un week-end. La formation annoncée était celle de *Boold, Sweat and Tears*. Pour une turbulente élève de terminale d'une école privée exclusivement féminine, ce week-end apparaissait terriblement excitant et fascinant. Consignée ou pas, je décidai qu'aucune force sur terre ne pourrait me le faire manquer.

Grâce à l'aide éclairée de Nancy, qui se taillait une solide réputation de complice des éléments criminels de Stoneleigh, je parvins à sortir en cachette pour gagner Lancaster. (Entre autres astuces, Nancy camoufla mon absence en se fourrant dans mon lit juste avant la ronde de nuit pour rejoindre ensuite précipitamment sa chambre.) La fête répondit entièrement à tous mes vœux : je rencontrai les amis de Geoff, fis le tour du campus et assistai au concert. Inutile de dire que nous saisîmes aussi cette occasion pour nous ménager quelque intimité à The Sauce House, l'hôtel local où j'avais loué une chambre. Nous étions toujours amoureux l'un de l'autre, et c'était vraiment merveilleux d'être à nouveau réunis.

Lorsque je revins à Stoneleigh, la surveillance générale et le doyen m'attendaient et me traînèrent jusqu'au bureau du directeur. Ils me cuisinèrent pendant des heures pour savoir où j'étais allée, et bien que je leur fisse des aveux presque complets, ils ne cessèrent de me bombarder de questions. Outre leur hostilité, j'eus à supporter les insinuations patelines du fils du directeur, qui s'était arrogé le droit d'assister à l'interrogatoire bien qu'il n'eût rien à y faire. Lorsque je reconnus que, ma foi oui, j'avais séjourné avec mon petit ami à The Sauce House, il ricana :

– The Sauce House? Ah oui, comme son nom l'indique [1]!

C'en était trop, j'en avais soupé de ce type. Le foudroyant du regard, je lui jetai :

– Allez vous faire foutre!

Ce qui mit un point final à notre petite réunion car je fus exclue sur-le-champ. Lorsque je partis, les filles m'acclamèrent de leurs fenêtres.

Je n'avais encore jamais dit à personne « Allez vous faire foutre! », et l'exclusion de l'école était vraiment la première chose grave qui me fût jamais arrivée.

Ma mère le prit fort bien. Elle savait que j'étais probablement plus affectée qu'elle et qu'il ne servirait à rien de me punir davantage. Quant à mon père, que je ne voyais plus, il aurait été malvenu à me faire des remontrances puisqu'il avait été lui-même flanqué à la porte du pensionnat Saint-George vingt-cinq ans auparavant.

Il s'en fallait encore de quelques mois avant que je termine mes études secondaires. Le lycée local étant en proie à des tensions

1. Double allusion : 1) au sens argotique du terme *sauce*, qui signifie, aux États-Unis, « boisson alcoolique », et à l'association de l'alcool avec le sexe que fait très souvent l'américain moyen; 2) au sens familier de l'adjectif *saucy*, qui signifie « culotté », « olé olé ». *(N.d.T.)*

raciales, il n'était donc pas question que j'y aille. Ma mère et mon père, qui continuaient à demeurer en relations pour régler les problèmes d'enfants, envisagèrent plusieurs possibilités. Ils décidèrent qu'il vaudrait mieux, en définitive, que j'aille vivre avec mon père et sa famille à Old Lyme, dans le Connecticut, où je pourrais m'inscrire au lycée et obtenir le diplôme de fin d'études.

A cette époque, je voyais rarement mon père plus d'une fois par an et nos rapports étaient distendus. Vivre chez lui n'était cependant pas aussi pénible que je l'avais cru car il ignorait totalement mon existence. Ma mère me posait toujours une foule de questions : Où vas-tu? Avec qui sors-tu? A quelle heure rentreras-tu? Dans la maison de mon père, par contre, il n'y avait pas d'heure limite et personne ne se souciait de ce que je faisais. J'avais dix-huit ans, j'aspirais avidement à l'indépendance et je découvrais que, chez mon père, je disposais d'une grande liberté de mouvement.

Au lycée de Old Lyme, le niveau des études était plutôt bas, surtout si on le comparait à celui de Stoneleigh. Sur un autre plan, cependant, l'ambiance y était beaucoup plus accueillante et détendue. Pour la première fois de ma vie, je jouissais d'une grande popularité auprès de mes compagnes, et cela faisait pour moi une sacrée différence. J'avais peine à croire qu'il ne restait plus que quatre mois avant le diplôme de fin d'études, et je commençais à regretter de ne pas avoir été exclue de Stoneleigh trois ans plus tôt.

Au mois d'octobre précédent, avant de quitter Stoneleigh, j'avais été tout exaltée d'apprendre que j'étais acceptée à Elmira College dans le nord de l'État de New York, l'un des rares établissements exclusivement réservés aux jeunes filles, qui avait ma préférence parce qu'on pouvait y acquérir une bonne culture générale. Toutefois, après avoir obtenu mon diplôme de fin d'études secondaires, mon père m'informa que le fonds de dotation que Grand-Maman Sydney avait constitué pour payer mes études était à sec car il avait été entièrement utilisé pour régler mes frais de scolarité à Stoneleigh.

– Je sais bien qu'aujourd'hui beaucoup de filles vont au collège, me dit-il, mais je ne crois vraiment pas que ce soit nécessaire. Tu es jolie fille, tu te marieras et ton mari prendra soin de toi. Si tu tiens vraiment à aller au collège, rien ne t'empêche de gagner de l'argent et de payer toi-même tes études.

Et il avait attendu *ce moment* pour me dire ça!

Ne pas aller au collège [1]? Je croyais que *tout le monde* allait au

1. Dans le système éducatif aux États-Unis le collège est un établissement d'enseignement supérieur.

collège, de même que tout le monde habite une maison et avale trois bons repas par jour. Et voilà que mon père prenait une décision précipitée et apparemment irréfléchie quelques semaines seulement avant le début de l'année universitaire!

J'étais furieuse contre lui. De toute évidence, il n'avait guère réfléchi à la question. J'accusai le coup, mais il me fallait réagir : mon père se souciait peut-être fort peu de la poursuite de mes études, mais moi j'y attachais beaucoup d'importance. Je ne pensais pas à une carrière particulière, mais je m'étais toujours intéressée à la mode, l'élégance de la mère de Geoff m'ayant fait entrevoir combien le domaine du vêtement pouvait être passionnant. Je décidai qu'en raison de mes maigres ressources, le mieux pour moi serait de suivre un programme de deux ans au Fashion Institute of Technology (FIT) [1], à Manhattan. Après avoir obtenu un prêt étudiant de la banque de ma mère, je m'inscrivis pour le semestre d'automne de 1971, et choisis deux matières principales : achat d'articles de mode et merchandising.

Pour contribuer à payer mes études, je travaillai le reste de l'année comme réceptionniste dans la société de services éducatifs de mon père. C'était un job horriblement ennuyeux mais, au moins, j'avais un salaire – soixante-dix dollars tout ronds par semaine. Lorsque je me résolus à demander une augmentation à mon père, il me la refusa net car, selon ses dires, cela aurait pu passer pour du favoritisme. Il accorda pourtant cent dollars par semaine à celle qui me succéda.

Cette année-là, mes grands-parents suggérèrent qu'il me serait peut-être agréable d'être présentée au bal annuel de la Société du Mayflower, qui devait avoir lieu en novembre. Je n'avais jamais beaucoup réfléchi à l'idée d'être une débutante, mais cela me semblait à la fois amusant et prestigieux, et j'acceptai immédiatement. L'un des grands moments de toute cette affaire est certainement celui qui est consacré à l'achat d'une robe. Je me rendis avec ma mère chez Saks, où les toilettes habillées et les robes de couturiers sont présentées dans l'élégant Salon Adam, qui baigne dans une fastueuse atmosphère française avec son lustre de cristal impressionnant, ses chaises Louis XVI et ses vastes vestiaires. Aucun vêtement n'y est exposé : toutes les toilettes sont gardées dans la réserve et sont amenées une à une ou, dans certains cas, présentées par un mannequin. Après avoir hésité entre plusieurs articles tous aussi magnifiques, nous arrêtâmes notre choix sur une somptueuse robe de satin blanc, agrémentée d'un col montant et d'un corsage pailleté. Avant notre

1. Établissement d'enseignement professionnel de New York qui dispense une formation pratique dans tous les domaines relevant de la mode. *(N.d.T.)*

départ, la vendeuse prit note de mon nom et du bal où je devais aller, précaution habituellement prise pour éviter que deux jeunes filles – tout au moins clientes de ce magasin – ne fassent leur entrée dans les mêmes atours.

Le bal avait lieu dans la grande salle de danse de l'hôtel Plaza. Les lustres étincelaient, l'orchestre jouait, les verres tintaient, et j'avais l'impression d'être sur un plateau de cinéma. On me présenta, avec les autres débutantes, après le dîner. Lorsque ce fut mon tour, une voix appela : « Sydney Biddle Barrows, descendante de William Brewster. » Mon grand-père m'accompagna en me donnant le bras, et je fis une profonde révérence au gouverneur de la Société. Je vécus toute la nuit un rêve dont j'espérais qu'il ne prît jamais fin.

Au mois de septembre suivant, je m'installai à New York pour commencer mes études au FIT. J'habitais dans la résidence des étudiants et suivais des cours de technologie des matériaux textiles, de commercialisation, de drapé, de mathématiques commerciales, de publicité et d'histoire de l'art. Ces cours n'étaient pas très passionnants, mais le FIT dispensait un excellent enseignement pratique, tout ce que nous y apprenions correspondant réellement à ce qui se passait dans les salons d'exposition et les bureaux des alentours.

Le FIT grouillait de toutes sortes de gens que je n'avais jamais approchés auparavant. Bon nombre d'étudiants étaient des New-Yorkais au fort accent de Brooklyn ou de Long Island, dont certains étaient pédérastes, ce qui heurta vivement ma sensibilité. La première fois que je vis deux hommes enlacés, je ne pus me défendre de les regarder plus que de raison.

Pour pouvoir payer mes études et joindre les deux bouts, j'occupai une série d'emplois à temps partiel dans le quartier de la confection. Pendant un bout de temps, je servis de mannequin type dans une entreprise qui fabriquait une ligne de vêtements sportswear pour adolescents. C'était alors la mode des pantalons patte d'éléphant et des chaussures à semelle compensée. Je travaillai aussi pour une boîte qui faisait un malheur avec les pantalons pour adolescents parce qu'elle était la seule à les faire assez longs pour aller avec les semelles compensées.

Pendant la période de Noël, je dénichai un petit boulot chez Macy's [1] où je travaillais le soir et le samedi. J'espérais être affectée au rez-de-chaussée – là où l'ambiance est la plus animée – au rayon des parfums, des cosmétiques et des cadeaux mais, à

1. Un des grands magasins de New York, « le plus grand du monde » selon ce que proclame sa publicité. *(N.d.T.)*

ma grande déception, je fus reléguée à celui des gaines et des soutiens-gorge, et je me lamentai à l'idée de vendre, à l'époque de Noël, des sous-vêtements aux dondons dodues.

A ma grande surprise, je constatai que ce travail me plaisait vraiment. C'était la première fois que j'aidais des femmes à se montrer plus pimpantes et à se sentir mieux dans leur peau, ce pour quoi je semblais vraiment avoir le chic. Il m'était agréable aussi de constater que mes initiatives ou mes conseils pouvaient vraiment amener la cliente à se voir avec un autre regard.

Je fus bientôt transférée au rayon de la lingerie féminine où il était amusant d'observer tous les messieurs fort embarrassés qui venaient en ce lieu avant Noël à la recherche d'une chemise de nuit ou d'un autre article dont ils n'osaient prononcer le nom.

Quand je leur demandais : « Quelle est sa taille? », presque invariablement ils réfléchissaient pendant quelques instants avant de répondre : « Ma foi, elle est à peu près de la vôtre. »

– A-t-elle beaucoup de poitrine?

Nouveau moment de réflexion.

– A peu près comme vous.

Peu importait la question que je leur posais, la réponse était toujours : « A peu près comme vous. » C'était à croire qu'un grand nombre de femmes me ressemblaient ou bien que beaucoup d'hommes étaient remarquablement dépourvus de tout don d'observation en ce qui concernait leur épouse.

Lorsqu'un client venait, je lui posais quelques questions et lui montrais ensuite deux articles qui, à mon sens, pouvaient lui plaire. Avec toute la délicatesse possible, j'en soulignais les diverses particularités en lui faisant remarquer, par exemple, le décolleté ou le charmant effet que donnaient à une chemise de nuit les petites fentes pratiquées sur les côtés. Lorsque je lui suggérais de faire un choix, il finissait souvent par acheter les deux articles. J'étais réellement une très bonne vendeuse de lingerie féminine, et mon seul regret était de ne pas travailler à la guelte.

Ces messieurs arrivaient à mon rayon confus et rougissants. Vingt minutes plus tard, ils repartaient tout heureux et certains d'emporter un cadeau qui allait vraiment faire plaisir à leur femme ou à leur petite amie (dans certains cas, à leur femme *et* à leur petite amie). C'était la première fois de ma vie que je traitais avec des hommes – presque aucune femme ne venait au rayon de lingerie au mois de décembre – et j'en tirais une intense satisfaction.

Bien entendu, à ce moment-là, je ne soupçonnais nullement qu'en vendant de la lingerie féminine à des messieurs, il ne me restait qu'un pas à faire pour remplir mon dernier office, qui consistait à leur présenter également du linge fin mais mis en valeur, cette fois, sur le corps d'une jeune et jolie dame.

Au FIT, je fus reçue première aux épreuves de merchandising et d'achat d'articles de mode et remportai le Prix Bergdorf Goodman, qui était décerné à l'étudiant ayant obtenu les meilleures notes. Je fus également acceptée chez Abraham & Straus, grand magasin bien connu à New York, pour un stage de formation qui devait commencer au mois de septembre suivant.

Le Prix Bergdorf Goodman comprenait la remise d'une somme de mille dollars que le bénéficiaire devait utiliser pour aller assister aux présentations de haute couture à Paris au mois de juillet. Ne voulant pas partir seule, j'invitai le jeune homme avec qui je sortais à m'accompagner.

Steve Rozansky, qui étudiait la photographie au FIT, était si différent de moi que je ne peux expliquer nos relations que par l'attirance des contraires. Steve était juif et avait grandi dans un grand ensemble du Bronx. Son père avait passé sa vie derrière le comptoir d'une épicerie fine. Plusieurs années avant que les lofts ne deviennent à la mode il en avait occupé un au bas de la Cinquième Avenue. Ses amis étaient des photographes et des artistes. Leur style différait tout à fait des descendants de bourgeois bon chic bon genre qui peuplent les établissements privés.

Puisque nous allions à Paris, nous décidâmes, Steve et moi, de passer tout l'été en Europe. Je mourais d'envie de partir : j'étais la meilleure de ma classe, j'avais gagné un prix prestigieux, et un travail intéressant m'attendait à mon retour à l'automne. J'étais résolument décidée à bien marquer le coup.

Nous étions en 1973, l'esprit des années 60 régnait encore, et nous faisions partie d'un contingent de milliers de jeunes Américains qui se rassemblaient, dans chaque ville, devant les bureaux de l'American Express pour prendre leur courrier, organiser des randonnées et échanger des tuyaux. Nous partîmes de Copenhague en direction d'Amsterdam à bord du *Blue Goose* [1], un autocar privé conduit par un jeune Américain qui gagnait sa vie en prenant des passagers pour le trajet Copenhague-Amsterdam-Paris et retour. Il avait démonté tous les sièges de son véhicule, recouvert le sol de matelas et installé un magnétophone stéréo. Le voyage jusqu'à Amsterdam fut une partie de rigolade ambulante.

Amsterdam était un spectacle permanent. J'aimais particulièrement baguenauder dans le quartier réservé où les prostituées locales s'exhibaient dans des devantures et tiraient discrètement les rideaux chaque fois qu'elles avaient un client. Quel étonne-

1. L'Oie Bleue.

ment pour moi de voir ces femmes, au commerce avoué et légitime, faire ainsi étalage de leurs charmes dans des vitrines'

Peu de temps après notre arrivée à Amsterdam, alors que nous attendions avec Steve dans une blanchisserie que notre linge eût fini de sécher, nous liâmes conversation avec un Américain qui vivait sur une péniche. Nous fûmes ravis de son invitation à venir à bord pour fumer du haschich, pratiquement légalisé à Amsterdam. Je n'avais encore jamais touché à aucun stupéfiant, mais dans l'atmosphère étourdissante de cet été sans entraves, j'étais plus que prête à faire cette expérience.

Nous allâmes sur la péniche où notre nouvel ami nous fit goûter son haschich, qui était excellent. Au bout de quelques instants, il s'éclipsa discrètement, nous laissant tous les deux sous les feux miroitants du soleil de l'après-midi.

– La lumière est maintenant parfaite pour la photo, dit Steve.

Je consentis donc, avec plaisir, à poser pour qu'il me photographie dans ma légère tenue estivale.

Sans perdre de temps, il se mit à me baratiner :

– Tu as l'air tellement super, et la lumière est juste comme il faut. Pourquoi ne pas te déshabiller et me laisser prendre de toi quelques photos de nu?

Je refusai en lui disant que ça ne m'intéressait pas. Mais Steve avait un grand pouvoir de persuasion. Et puis, j'étais un peu dans les vapes, c'étaient les vacances, le soleil brillait sur l'eau et, après tout, nous étions à Amsterdam, où on ne s'embarrassait pas de règles aussi strictes que chez nous, dans le New Jersey. Quel mal pouvait-il y avoir à cela?

Steve prit quelques clichés de fort bon goût et nullement indiscrets, mais dès qu'il eut terminé, je fus envahie par un sentiment de malaise car je n'avais jamais rien fait de semblable auparavant (et je ne devais plus jamais le faire à l'avenir). Sans doute ne devais-je pas éprouver un profond attrait pour ma nouvelle vie de bohème. J'aurais voulu pouvoir revenir en arrière, et me souviens même m'être dit à ce moment-là : « Sydney, tu le regretteras un jour. »

L'étape suivante était Paris, où j'assistai à toutes les présentations de haute couture, soupirant d'envie à la vue de certains des modèles les plus élégants et les plus chers du monde. Une ancienne vendeuse de chez Dior me servait de guide, et je savourais intensément le fait d'avoir un meilleur siège que la journaliste du *New York Times.* En ma qualité de titulaire du Prix Bergdorf Goodman, je figurais sur la liste des invités à la plupart des défilés de mode et, me comportant comme si j'étais de la maison, je pus les voir presque tous. Pour la première fois, je compris que l'assurance et l'aplomb peuvent mener fort loin.

Peu après notre retour, alors que les souvenirs d'Europe commençaient à s'estomper, Steve et moi nous vîmes moins souvent. Nous avions eu une aventure de vacances, mais il était bien évident que c'était fini entre nous. Avant de nous séparer, je demandai vainement à Steve les négatifs des photos qu'il avait prises à Amsterdam car il m'affirma ne pouvoir les retrouver. Je n'en fus guère convaincue, mais que pouvais-je y faire? D'ailleurs, j'avais d'autres sujets en tête, dont mon nouvel emploi chez Abraham & Straus. En ce qui me concernait, mon éducation théorique était achevée et c'était maintenant, enfin, que ma vraie vie allait commencer.

3

Au FIT, on ne cessait de nous répéter que la meilleure formation possible, c'était le travail dans un grand magasin, où nous pourrions acquérir des compétences dans divers domaines : achats, merchandising, mode, étalage, publicité, relations avec les clients et design. Le stage de formation des cadres d'Abraham & Straus (A & S) avait la réputation d'être le meilleur dans son genre, et je brûlais du désir de commencer.

Ce stage était organisé à Brooklyn où A & S avait son plus beau magasin. Je m'y rendis le premier jour vêtue d'une robe Ellen Tracy de couleurs vives, cintrée à la taille, et chaussée d'escarpins plats marron Papagallo. Avec mes cheveux lisses et un maquillage très léger, j'avais la dégaine d'une immigrante de la cambrousse débarquant de son train. Il ne me fallut pas plus de deux minutes pour me rendre compte que je faisais tache au milieu de toutes ces New-Yorkaises dans le vent, dont la plupart portaient des pantalons patte d'éléphant et des chaussures à semelle compensée et arboraient des coupes de cheveux dernier cri. Aussi, le lendemain, grâce à ma carte de crédit d'A & S et à la ristourne de vingt pour cent consentie aux employés, commençai-je à me constituer une garde-robe plus à la mode.

J'aimais le commerce de détail et me passionnais pour l'achat et la vente, mais j'étais encore plus attirée par toute l'organisation annexe – zones de réception de la marchandise, de stockage, d'étiquetage des prix –, ainsi que par les diverses activités qui, dans les coulisses, font que tout marche sur des roulettes.

A la même époque, je rencontrai un nouveau compagnon, un type merveilleux du nom de Steve Winer, avec qui je finis par vivre pendant quatre ans. Steve était aussi juif, et je fus tout d'abord terrifiée à la pensée de rencontrer ses parents. J'avais entendu dire que si un juif ne prend pas un conjoint de la même religion, les parents prennent le deuil et font comme si leur enfant n'était plus vraiment de ce monde – j'appris par la suite que cette réaction extrême ne se manifestait que rarement.

Les parents de Steve n'étaient pas du tout intolérants, bien au contraire : ils se mettaient en quatre pour m'être agréables. Dans les réunions familiales, ils me traitaient plus comme une parente que comme une étrangère. Nous leur rendions habituellement visite à l'occasion des grandes fêtes juives qu'ils célébraient toujours en invitant parents et amis à un dîner. Une atmosphère réellement chaleureuse régnait dans ce foyer, ce qui m'impressionnait fort. Je décidai que si je devais choisir une autre religion, je penserais sérieusement au judaïsme, non seulement parce que les juifs que je connaissais avaient un sens aigu de la famille, mais aussi parce qu'ils étaient profondément attachés à leur communauté.

La première fois que j'entendis *Hava Nagila* à un mariage juif, je remplis Steve et ses parents de stupéfaction lorsque je me mis à chanter avec l'orchestre – j'en avais appris les paroles des années auparavant en écoutant un vieux disque d'Harry Belafonte.

– Sydney, me demanda la mère de Steve, comment se fait-il que vous connaissiez ce chant juif?

– Mme Winer, répondis-je étourdiment, j'*adore* le calypso!

Chez Abraham & Straus, je commençai mon stage au rayon de la lingerie pour adolescentes et devins ensuite l'assistante de l'acheteuse du rayon des articles pour salles de bains. Ma patronne, Mary, avait un don pédagogique extraordinaire : elle prenait le temps de me montrer comment tout marchait et m'expliquait pourquoi on procédait d'une façon plutôt que d'une autre. Elle était, en outre, l'une des rares acheteuses d'A & S à laisser ses assistantes faire une partie des achats, ce qui me permit d'acquérir une certaine expérience pratique.

En me faisant participer aux décisions, Mary me donnait toujours l'impression que, même au poste modeste que j'occupais, j'avais un rôle à jouer dans le magasin. Elle me traitait si bien que je travaillais encore plus dur pour lui plaire. Grâce à elle, je retins dans mon subconscient une leçon pour l'avenir : un patron doit toujours s'efforcer de donner à ses employés le sentiment qu'ils sont davantage des collègues que des subordonnés.

A & S offrait une vaste sélection de marchandises à prix modéré, ainsi que certaines à prix élevé. Ce magasin était fort bien adapté à une clientèle urbaine composite qui recherchait les articles à la dernière mode et savait faire le rapport entre le prix et la qualité.

L'œil aux aguets, j'appris de précieuses leçons sur les affaires et la commercialisation. C'est ainsi que, quel que soit le domaine dans lequel on travaille, on doit connaître les goûts du client et lui offrir la marchandise qui lui plaît – même si on la trouve soi-même affreuse. Lorsque nous choisissions, Mary et moi, des rideaux de douche, je frémissais d'horreur à la vue des couleurs et des motifs qu'elle retenait et que je n'aurais jamais achetés pour moi-même. Mais Mary savait ce que voulait la clientèle, et elle avait habituellement raison.

Peu de temps après avoir commencé le stage, j'eus l'occasion d'observer sur place ce qui se passe lorsqu'une entreprise ne suit pas cette règle et commence à méconnaître les préférences de ses clients. Quelques mois après mon arrivée, les Federated Department Stores [1], qui possèdent A & S, décidèrent en effet d'élever le standing du magasin au niveau de celui de Bloomingdale's, une autre de leurs divisions.

Dans le cadre de cette transformation, il fallut nous débarrasser des tables O (« O » voulait dire omnibus) où nous étalions des marchandises dont le prix avait été fortement réduit. Ces tables avaient eu un succès fou, et tous ceux d'entre nous qui étaient vraiment en rapport avec la clientèle pouvaient se rendre compte que leur retrait était une grave erreur, d'autant plus que les acheteurs qui marquaient un intérêt pour nos marchandises plus en vogue, plus récentes et plus onéreuses étaient fort peu nombreux. D'ailleurs, ceux qui recherchaient ces articles allaient directement chez Bloomingdale's.

Mais les directeurs de la société ignoraient tout de la clientèle et ne comprenaient pas ce principe clef de toute affaire bien menée : rester étroitement en contact avec le public et prêter attention à ses desiderata. Et dire qu'au début des années 1980, un tas d'ouvrages où étaient exposés en long et en large des principes commerciaux aussi simples et aussi évidents que celui-ci se vendirent à des milliers d'exemplaires!

Les responsables d'A & S commirent une autre erreur grave lorsque, pour restreindre les dépenses, ils encouragèrent les vendeurs les plus anciens à prendre leur retraite anticipée. Il s'agissait d'hommes et de femmes dévoués, honnêtes et durs à la tâche, qui étaient la cheville ouvrière du magasin. Qui plus est, ils arrivaient toujours à l'heure et manquaient rarement une journée de travail alors que la plupart d'entre eux habitaient à plus d'une heure de métro.

Ils furent remplacés quand A & S voulut améliorer son image de marque par des jeunes moins bien payés pour faire le même travail. Cette initiative, destinée à réduire les coûts, manquait incontestablement de largeur de vue. Les anciens vendaient beaucoup, rangeaient correctement les stocks, informaient les

1. Les grands magasins fédérés. *(N.d.T.)*

acheteurs des demandes des clients et, plus important encore, avaient vraiment à cœur la bonne marche de leur entreprise.

En revanche, les jeunes qui les remplacèrent pour un salaire minimum se moquaient comme d'une guigne d'Abraham & Straus et de ce que leur magasin représentait. Ils arrivaient toujours en retard, s'absentaient plus longuement que permis à l'heure du déjeuner, ne connaissaient rien aux stocks et n'entendaient rien à la vente. J'ai ainsi appris une autre leçon sur le tas : lorsqu'il s'agit de recruter du personnel, il ne faut pas lésiner, mais plutôt trouver des gens compétents et les payer à leur juste valeur.

Cependant, pour être juste envers Abraham & Straus, je dois dire que je tirai quelque enseignement positif de leur gestion. Je n'ai pas oublié Sandy Zimmerman, le directeur du magasin, qui, de temps à autre, surgissait dans notre rayon et m'emmenait faire le tour de l'étage en sa compagnie. Il ne s'agissait d'ailleurs pas simplement de moi : Sandy connaissait le nom de tous les employés, jusqu'à celui des aides-magasiniers. Dans l'emploi subalterne que j'occupais, cela me galvanisait de savoir que le patron s'intéressait personnellement à ce que je faisais, et je travaillais encore davantage pour lui plaire. Nouvelle leçon apprise pour l'avenir : un patron doit faire savoir à ses employés que leur labeur assidu est reconnu et apprécié. Plus ils se sentiront estimés et plus ils travailleront pour gagner sa considération.

Je restai pendant deux ans assistante aux achats et fus ensuite promue au poste de chef de rayon Bijouterie et Horlogerie du magasin de Paramus, dans le New Jersey. Un an après, j'obtins un emploi dans la division Articles de mode du bureau d'achats de la Company May qui, tout comme les Federated Department Stores, possède plusieurs grands magasins.

En 1978, j'entrai chez The Cutting Edge, une petite société de Manhattan qui faisait fonction de bureau d'achats pour des boutiques indépendantes de l'ensemble du pays. J'étais chargée des achats d'articles de mode dont la gamme comprenait les sacs à main, les ceintures, les foulards, la bijouterie et les articles de bonneterie. Je travaillais régulièrement dix heures par jour tant j'aimais cet emploi. Grâce à la formation que j'avais reçue chez A & S, j'avais des kilomètres d'avance sur les autres acheteurs, dont la plupart n'avait aucune expérience du commerce de détail.

Je m'attachai aussi à me faire une bonne réputation auprès des fabricants. Il faut dire que les acheteurs sont bien connus pour « échantillonner » les articles – surtout ceux qui sont chers – c'est-à-dire qu'ils les empruntent pour les montrer à des clients potentiels et qu'ils « oublient » ensuite de les retourner. Je mettais, quant à moi, un point d'honneur à tout restituer, même une paire de chaussettes à douze dollars la douzaine, et lorsque je tombais sur un article auquel je ne pouvais résister, je l'achetais au prix de gros. Dès que les fabricants s'apercevaient qu'ils pouvaient me faire confiance, ils me prêtaient pratiquement tous leurs articles – même s'ils n'en avaient qu'un seul exemplaire et même si l'acheteur de l'Associated Merchandising Corporation devait venir le lendemain. J'avais ainsi toujours d'excellents échantillons à montrer aux clients qui me rendaient visite.

Les commerçants me faisaient, eux aussi, confiance. « Sydney, me disaient-ils, vous savez combien de sacs à main il me faut pour le printemps. Achetez-moi tout ce qui vous paraît le mieux. » Mais ce qui était le mieux pour un magasin ne convenait pas toujours pour un autre, et je devais m'adapter à chaque cas. Pour telle boutique, il fallait des sacs à main avec bandoulière; pour telle autre, des sacs à main avec fermeture à glissière. Telle boutique vendait de longues écharpes, telle autre n'en vendait que des carrées.

La leçon à tirer? Un magasin n'est pas autre chose que la composante des clients qui le fréquentent, l'astuce étant de faire très attention à ce qu'ils veulent et non pas d'essayer de leur imposer ce qui est du dernier cri à New York. L'affaire prenant de l'extension, les trois propriétaires associés de The Cutting Edge décidèrent de faire venir un directeur pour superviser tous les acheteurs. Carmela était une grande fille mince, à la chevelure rousse, que j'avais à peine entrevue quand, deux semaines après son arrivée, elle me convoqua dans son bureau.

– Tenez, dit-elle, en me tendant quelques exemplaires de commande. Répartissez-les entre vos magasins.

Je la regardai sans comprendre. En examinant ces documents, je remarquai qu'elle avait commandé un nombre impressionnant de sacs à main. Pourquoi diable avait-elle pris cette initiative sans m'avoir consultée? Quand je me rendis à la salle d'exposition de la fabrique pour examiner la marchandise, je fus épouvantée. Dans le monde de la confection, on appelle ce genre de produit des nanars. Comment pourrais-je faire accepter cette camelote par mes magasins?

Je devais faire comprendre à Carmela, sans l'offenser, que sa sélection était tout à fait mauvaise.

– Je suis allée voir les sacs à main, mais je crains que nous ayons déjà tout acheté dans cette catégorie, dis-je avec diplomatie. Voyons s'ils ne peuvent pas nous fabriquer quelque chose de différent à la place de cet article.

Elle me lança un drôle de regard.

– Inutile de vous fatiguer avec moi. Je sais que vous pouvez fourguer ces sacs à main si vous le voulez. Vous savez bien que c'est vous qui avez « la plus grosse signature » de tout le bureau.

Dans l'argot de métier, cette expression veut dire que j'étais autorisée à faire de gros achats.

– Vous ne comprenez pas, répondis-je. J'achète pour des magasins qui font dans le haut de gamme. Nous n'avons pas encore eu l'occasion de voir à nous deux ce qui les intéresse vraiment.

Mais elle ne m'écoutait pas. Elle se leva en me toisant et me dit sur un ton menaçant :

– C'est moi le patron, et vous ferez ce que je vous dis.

Tout à coup, la lumière se fit dans mon esprit : bien sûr, Carmela se faisait graisser la patte! Elle avait acheté une grande quantité de sacs à main dont le fabricant ne pouvait se débarrasser. Il lui refilait un pot-de-vin, pardi! A bien y réfléchir, elle s'attendait probablement à ce que je demande ma part du gâteau. Je ne m'étais encore jamais trouvée dans cette situation, mais je savais que ce genre de combine était assez courant dans le monde de la confection.

J'étais horrifiée et effrayée car j'avais à faire face à un véritable dilemme : si je ne prenais pas les sacs à main, je perdais mon emploi, et si je les prenais, je perdais ma réputation. En moins de temps qu'il ne faut pour le dire, ma décision fut prise.

– Libre à vous d'établir les commandes et de les signer de votre nom, lui dis-je d'un ton ferme, mais ne comptez pas sur moi.

– Ah oui? Dans ce cas, il faudra que vous partiez, répliqua-t-elle froidement. Cela m'étonnerait que je puisse travailler avec des gens comme vous.

– Vous ne trouvez pas que vous faites un peu acte de despotisme?

J'aurais voulu ravaler ce dernier mot dès qu'il me sortit de la bouche, car je voyais bien qu'elle fouillait dans sa mémoire pour en retrouver le sens – ce qui ne faisait que l'irriter davantage.

– Hors d'ici tout de suite! s'écria-t-elle, et pas un mot de tout ça à personne. Je dirai aux associés que nous avons eu un conflit de personnalité et que c'est vous qui avez décidé de partir.

– Ils ne vont pas le croire.

– Bien sûr que si, ils le croiront, répliqua Carmela. Vous serez bien obligée de leur dire également que vous êtes partie de vous-même si vous voulez un jour revenir travailler dans cette maison.

J'avais vingt-sept ans, j'étais encore bien naïve quant à certains procédés en vigueur dans le monde des affaires et j'avais surtout peur de faire des vagues. Bien sûr, quand j'y repense, je me dis que j'aurais dû aller aussi sec voir les associés et tout leur raconter, mais au lieu de faire cette démarche, je sortis du bâtiment en rasant les murs.

Les autres filles du bureau me promirent d'ouvrir l'œil au cas où se présenterait un travail à temps partiel me permettant de tenir le coup jusqu'à ce que je trouve un autre emploi, mais cela se passait juste avant Thanksgiving [1], qui est le plus mauvais moment de l'année pour cela. En effet, en décembre et en janvier, les deux seuls mots qui hantent l'esprit des commerçants sont Noël et l'inventaire.

Évidemment je ne gagnais plus d'argent, mais le chômage temporaire n'était pas pour me déplaire. J'aimais ne plus avoir à pointer chaque jour au bureau et j'appréciais d'être déchargée pour un temps de lourdes responsabilités. En outre, j'étais sûre que je trouverais bien quelque chose d'autre avant peu.

J'avais beau avoir « la plus grosse signature » à The Cutting Edge, mon salaire ne dépassait pas cent soixante-quatorze dollars et vingt-cinq cents par semaine, et je n'avais pratiquement pas d'économies. Pour compléter mes allocations de chômage, je me débrouillai pour trouver quelque occupation, plusieurs jours par semaine, dans diverses entreprises où je passais des écritures, répondais au téléphone ou faisais du classement. Naviguant ainsi d'une boîte à l'autre, je tombai sur une autre fille qui se trouvait dans la même situation. Lucy avait travaillé dans une chemiserie qui avait fermé ses portes et butinait, comme moi, d'un petit boulot à l'autre dans l'attente d'un emploi stable. Comme nous disposions de pas mal de temps libre alors que nos diverses connaissances travaillaient selon un horaire normal, nous nous liâmes bien vite d'amitié. Chaque semaine, nous passions une journée, ou tout au moins plusieurs heures, à bavarder, à nous promener dans Greenwich Village – où vivait Lucy –, ou à regarder tout simplement dans son appartement « All my Children [2] » ou d'autres émissions à la télé.

Un après-midi, j'entrai chez elle et la trouvai en train de déballer une chaîne stéréo toute neuve.

– D'où sors-tu ça? m'exclamai-je. Tu ne l'as certainement pas acheté avec tes allocations de chômage!

Pas de réponse.

– Tu ne vas pas me dire que cette chaîne t'est tombée du ciel? Alors quoi?

Elle bredouilla.

– C'est que, dit-elle d'un ton gêné, j'avais quelques dollars de côté.

Mais je savais que Lucy n'avait pas d'argent « de côté », et que,

1. Jour d'action de grâces : fête américaine chômée célébrée le quatrième jeudi de novembre pour commémorer l'arrivée des premiers colons en Nouvelle-Angleterre. *(N.d.T.)*

2. Tous mes enfants. Série télévisée.

si elle en avait eu, elle ne l'aurait pas employé à l'achat d'une chaîne stéréo neuve.

– Allons, dis-le-moi, comment l'as-tu eue?

– Tu jures que tu ne le diras à personne?

– Je te le jure.

Baissant la voix, elle me dit :

– Je me fais cinquante dollars par nuit en répondant au téléphone dans une agence d'hôtesses-accompagnatrices.

– Sans blague! Qu'est-ce que c'est qu'une agence d'hôtesses-accompagnatrices?

– Hum, c'est plutôt difficile à expliquer. Je suis installée dans un bureau où je réponds au téléphone. Des hommes appellent, et nous envoyons des filles les rejoindre.

– Est-ce que ces filles sont là, au bureau, à attendre tout simplement avec vous jusqu'au moment où elles s'en vont?

– Oh non! dit Lucy. Elles partent de leur appartement pour aller travailler. Lorsque je reçois un appel, je dois décider quelle est la fille qui convient le mieux au client. Je lui téléphone chez elle, et elle part le retrouver dans son hôtel.

– Et combien elles se font, ces filles?

– Les clients les paient cent vingt-cinq dollars de l'heure, et elles en gardent à peu près la moitié.

Je réfléchis quelques instants avant de demander :

– Est-ce qu'elles doivent coucher avec ces types?

– Allons, allons, Sydney, pour cent vingt-cinq dollars de l'heure, qu'est-ce que tu crois? Personne n'applique un tel tarif simplement pour faire du baratin, pas même les psychiatres!

J'étais stupéfaite.

– Et tout ce que tu as à faire, c'est répondre au téléphone?

– Ben oui, c'est ça.

– Et tu te fais cinquante dollars par nuit?

– Sans être déclarée, en plus.

– C'est vraiment incroyable! S'ils ont besoin d'un coup de main, dans ta boîte, fais-moi signe.

– Certainement, dit Lucy.

Et cette conversation en resta là.

Tout cela était si étrange pour moi que je n'arrivais pas à le prendre au sérieux. J'avais, bien sûr, entendu parler des call-girls, mais l'image de mon amie répondant au téléphone pour une agence d'hôtesses ne collait pas avec l'idée que je me faisais d'une belle de nuit sophistiquée aux faveurs hautement rémunérées.

J'aurais sans doute dû être choquée par ce que faisait Lucy, mais non. Après tout, elle répondait au téléphone mais n'allait pas aux rendez-vous. Et puis, s'il s'agissait de clients qui pouvaient débourser cent vingt-cinq dollars pour une heure, ce n'était peut-être pas aussi sordide que je le croyais.

Cinquante dollars par nuit pour répondre au téléphone ne me semblait pas une mauvaise affaire, mais je ne pensais pas que la question reviendrait sur le tapis. Pour moi, la promesse faite par Lucy de me prévenir si une place devenait vacante me faisait penser à ce genre de conversation que l'on a avec une invitée à une soirée : elle promet de vous envoyer la photo qu'elle vient de prendre mais, naturellement, vous n'entendez plus jamais parler d'elle.

Eh bien, je me trompais. Deux semaines plus tard, Lucy m'appela et me dit :

– Tu te souviens de cet endroit dont je t'ai parlé? Une des téléphonistes s'en va, et le patron cherche une remplaçante. Est-ce que ça t'intéresse toujours?

Je réfléchis un bon moment.

– Tu es sûre que je ne vais pas avoir d'ennuis? Je ne tiens pas à être arrêtée ou à tremper dans des histoires comme ça.

– Eddie fait très attention, m'assura-t-elle. Ça fait des années qu'Executive Escorts marche sans aucun problème.

Je respirai profondément.

– Je ne sais pas, dis-je, je suppose qu'il n'y a aucun mal à le rencontrer.

J'étais décidément troublée. La paie était bonne et, au point où j'en étais, j'en avais grand besoin, mais est-ce que je tenais vraiment à mener ce genre d'activités? D'un autre côté, Lucy n'avait rien d'une délinquante, et si *elle* travaillait dans cette boîte, ça ne pouvait pas être si répréhensible que ça. Et puis, j'étais poussée par la curiosité : qui était cet Eddie? En quoi consistait son affaire? Je décidai de considérer cette entrevue comme une aventure. Après tout, parler à Eddie ne voulait pas dire que je devais accepter cet emploi – à supposer même qu'il me l'offrît.

Lucy fixa le rendez-vous pour la soirée suivante, mais que porter pour une entrevue concernant un emploi de téléphoniste dans une agence d'hôtesses? Je voulais paraître bien, mais surtout pas *trop* bien car je ne tenais pas à ce qu'Eddie s'imaginât que je puisse travailler comme hôtesse. Je décidai finalement de porter une tenue peu habillée, mais correcte : j'enfilai un pantalon et un gros chandail et chaussai mes lunettes.

Eddie menait son affaire depuis son appartement situé dans un grand immeuble de briques blanches de l'Upper East Side. Je donnai mon nom au portier, qui l'appela et me montra où se trouvait l'ascenseur. Arrivée au huitième étage, je cherchai l'appartement d'Eddie en m'attendant à trouver la porte verrouillée avec sept serrures différentes, mais je faisais erreur. A ma grande surprise, sa porte était entrebâillée. Je frappai, et comme personne ne répondit, j'entrai dans l'appartement.

– Y a-t-il quelqu'un? fis-je.
– Par ici, grogna une voix d'homme. Je suis au téléphone.

Me guidant au son de cette voix, je traversai une salle de séjour vide pour arriver à une pièce aménagée en bureau, meublée de deux tables de travail avec deux téléphones. Lorsqu'il me vit, Eddie me fit signe d'entrer.

Il semblait avoir franchi le cap de la cinquantaine. Petit, la chevelure noire et lisse, il portait des jeans et une chemise grise froissée ouverte presque jusqu'au nombril. A cette époque, les chaînes en or connaissaient une très grande vogue, et Eddie en portait une aussi large que celle d'un sommelier. D'après ce que je pouvais entendre, il avait une vive discussion avec l'une des hôtesses, et je remarquai, avec un petit pincement de cœur, qu'il ne semblait pas du genre aimable.

Après avoir raccroché, il me posa quelques questions : Comment avais-je connu Lucy? Que savais-je de ses activités? Il était bien évident qu'il ne tenait pas à ce que je sois trop curieuse, et je ne fus guère bavarde, peut-être aussi parce que je ne savais quelles questions lui poser. De toute façon, il a dû penser que je ferais l'affaire puisqu'il me demanda quand je pouvais commencer à travailler.

Cela semblait maintenant si facile! La crainte d'être un jour appréhendée m'avait surtout retenue jusqu'alors, mais après avoir vu le bureau d'Eddie, j'avais peine à imaginer qu'il puisse y avoir du danger. De plus, je n'allais certainement pas me laisser arrêter par des scrupules de conscience, les filles qui travaillaient pour Eddie le faisant parce qu'elles le voulaient bien et qu'elles gagnaient beaucoup d'argent. D'après Lucy et Eddie, les clients étaient des messieurs tout à fait bien, respectables, pour la plupart des diplomates étrangers ou des hommes d'affaires en déplacement. Lucy m'avait même raconté en riant qu'elle appelait par leur prénom – tout au moins au téléphone – le duc de ceci ou l'ambassadeur de cela. Je ne voyais vraiment pas ce qu'il y avait de mal dans toute cette affaire, j'avais besoin d'argent, et puis, zut! après tout : je dis oui.

Eddie m'expliqua que je travaillerais trois nuits par semaine, de sept heures du soir jusqu'à minuit ou deux heures du matin, selon son horaire personnel. Mon travail consistait à répondre aux appels téléphoniques et à expliquer comment nous procédions. Je commençais par indiquer les tarifs et faisais ensuite la description des hôtesses disponibles cette nuit-là. Si le client donnait suite, je procédais à tous les arrangements nécessaires, le plus important étant d'appeler la fille chez elle pour lui indiquer le nom de l'intéressé, l'adresse de son hôtel et l'heure du rendez-vous. Les nuits où Eddie était absent, j'étais également chargée de tenir la comptabilité et de régler les comptes avec les hôtesses.

Eddie confia à Lucy la mission de me mettre au courant. Je passai les deux premières nuits à l'écouteur et à prendre des notes et, la troisième, je commençai à répondre aux appels moi-même sous son contrôle. Au début, je ne faisais rien de bien et j'étais si nerveuse que ma langue n'arrêtait pas de fourcher. Finalement, je demandai à Lucy de revoir avec elle tout le baratin, dont je pris note par écrit, et que je lus à nos clients tant que je ne le sus pas par cœur.

Il faut dire que, auparavant, je n'avais jamais vraiment beaucoup réfléchi à la question. Je m'imaginais que les call-girls de New York étaient élégantes, réservées, distinguées et probablement quelque peu distantes. Mais les filles qui travaillaient pour Executive Escorts étaient fort différentes de ce stéréotype. Si je les avais rencontrées dans un autre milieu, je n'aurais jamais deviné comment elles passaient leurs soirées.

La plupart avaient un physique plutôt avenant, mais aucune n'était une vraie beauté. Aucune, non plus, n'avait l'allure d'une fille facile ou d'une professionnelle. Aucune, enfin, n'était particulièrement sophistiquée. Beaucoup avaient fait des études supérieures, et la plupart occupaient un emploi dans la journée : Alva était photographe, Maria, enseignante, Nancy, infirmière, et deux ou trois autres préparaient une maîtrise. A part deux exceptions, les hôtesses d'Eddie étaient des filles réellement sympathiques qui avaient en commun le moyen secret de se faire quelques dollars supplémentaires – et *une bonne poignée*, dans certains cas.

Elles avaient quelque chose d'autre en commun : toutes haïssaient Eddie. Comme il les faisait travailler sept nuits par semaine sans jamais leur accorder une soirée de libre, elles n'avaient pour ainsi dire aucune vie sociale. Aussi avançaient-elles constamment une foule d'excuses pour justifier leur défaillance telle ou telle nuit, ce qui n'avait rien de surprenant. Les grand-mères de certaines d'entre elles ont bien dû décéder deux ou trois fois pendant les trois mois que je passai à travailler pour Executive Escorts!

Il me souvient qu'une hôtesse dont le père était *bel et bien* passé de vie à trépas annonça un mercredi à Eddie qu'elle devait retourner pendant quelque temps chez sa mère au Texas. Eddie lui dit alors :

– Dans ce cas, je vous verrai lundi prochain.

– Ce n'est pas possible, ma mère veut que je reste auprès d'elle pendant deux semaines.

Cette réponse eut le don d'irriter Eddie qui demanda :

– A quoi bon moisir là-bas si longtemps?

Elle se mit à pleurer.

– Je vous l'ai déjà dit, mon *père* vient de mourir.

– Et alors, vous n'allez pas en faire une maladie? répliqua-t-il. Je parie même qu'il vous a laissé un tas de fric!

Un type vraiment sympa, cet Eddie!

Pour chaque heure passée en compagnie d'un client, les hôtesses encaissaient cent vingt-cinq dollars, en espèces ou par chèques seulement, sur lesquels elles devaient reverser soixante dollars à l'agence – c'était ainsi, comme je l'appris plus tard, que les gains étaient habituellement répartis dans ce genre d'affaires. Eddie ne faisant confiance à personne, les hôtesses devaient apporter le pourcentage revenant à l'agence la même nuit, aussi tardive que fût l'heure. Même si elles travaillaient pour Eddie depuis deux ans et même si, à quatre heures du matin, elles se trouvaient prises dans une tempête de neige, il ne les autorisait pas à garder l'argent jusqu'au lendemain.

Quand elles allaient voir un nouveau client, elles devaient d'abord s'arrêter à l'agence d'Eddie pour prendre l'une de ses brochures. Il aurait été évidemment beaucoup plus simple de leur en donner une pile et de leur laisser le soin d'en remettre un exemplaire aux nouveaux clients mais, à ce moment-là, Eddie craignait que les autres agences, qui, elles, ne distribuaient pas de dépliants publicitaires, ne lui piquent son idée.

Il faisait tout pour empêcher que les filles se rencontrent et nous obligeait à échelonner les heures de leur retour : sans doute redoutait-il qu'elles disent entre elles que c'était un beau dégueulasse. Une seule exception à cette règle : lorsqu'il fallait que deux ou plusieurs hôtesses partent ensemble pour rejoindre deux ou plusieurs messieurs pour une partie en groupe.

Eddie avait, par ailleurs, un goût affreux pour les vêtements. Il emmenait les filles faire leurs achats chez Alexander's [1], perspective aussi reluisante qu'une invitation à dîner dans un Burger King. Invariablement, elles rentraient fagotées de ces expéditions. L'une d'elles revint même un jour d'une de ces tournées revêtue d'un accoutrement de mousseline rouge qui lui donnait l'air d'une grue de la Quarante-Deuxième Rue.

Comme Lucy me l'expliqua, le but d'Eddie était de maintenir les hôtesses dans l'endettement pour les inciter à continuer de travailler pour lui. Ainsi pouvait-on comprendre pourquoi il tenait à ce qu'elles achètent toutes des robes longues de soirée qu'elles n'avaient aucune raison de porter. S'il fallait vraiment pousser les filles à dépenser de l'argent, il aurait été plus simple, à mon sens, de leur faire traverser la rue pour aller chez Bloomingdale's.

Bien entendu, je ne rencontrais aucun des clients de l'agence, mais je conversais avec eux au téléphone. Nombre d'entre eux

1. Grand magasin de New York fréquenté surtout par une clientèle aux moyens restreints. (*N.d.T.*)

avaient des postes importants dans leur société ou étaient des chefs d'entreprises ou encore des diplomates étrangers. A quelques exceptions près, ils donnaient l'impression d'être des hommes intelligents, à l'élocution aisée, qui avaient, de toute évidence, réussi dans la vie.

Quelques mois avant que je rencontre Eddie, Lucy lui avait suggéré de faire paraître une annonce dans l'*International Herald Tribune*, le quotidien de langue anglaise publié en Europe, en Extrême-Orient et au Moyen-Orient. Aucune autre agence d'hôtesses n'y faisait de la publicité, et comme le *Tribune* était fréquemment distribué aux passagers des vols internationaux arrivant à l'aéroport de Kennedy, l'occasion était bonne de se faire connaître par l'intermédiaire d'un journal de haute tenue. A vrai dire, l'annonce d'Eddie ne provoqua pas un déluge d'appels téléphoniques, mais les clients qu'elle attirait étaient invariablement des messieurs arrivés, pleins aux as, qui aimaient se payer du bon temps.

Je me rappelle qu'une fois, une hôtesse revint au bureau toute rayonnante après avoir passé six heures avec le directeur d'une société de chocolats suisses.

– Tu m'as tout l'air de ne pas t'être ennuyée, lui dis-je.

– A qui le dis-tu! répondit-elle. Il était absolument fascinant! J'ai passé la majeure partie de la nuit à boire du champagne avec cet homme charmant pendant qu'il m'expliquait comment les chocolats de luxe sont fabriqués. Il en avait apporté tout un assortiment et me décrivait chaque variété avant de me la laisser goûter. C'était si agréable que je me suis sentie coupable de prendre son argent.

Les nuits où Eddie n'était pas là, je bavardais avec les filles et les écoutais dévider leurs histoires. Autant elles exécraient leurs relations avec le patron, autant elles semblaient avoir vraiment du goût pour leurs activités nocturnes! A écouter leurs confidences, j'en vins à comprendre que si la bagatelle jouait un rôle essentiel, ce n'était pas nécessairement le plus grand. Les clients qui faisaient appel à l'agence d'hôtesses d'Eddie bourlinguaient du matin au soir. Vivant, pour la plupart, en dehors de New York, ils ne cessaient, pendant leur séjour en ville, de courir d'un rendez-vous à un autre, d'une réunion à une autre, sans compter les petits déjeuners, déjeuners d'affaires, cocktails et dîners officiels.

Une heure ou une soirée passée avec une hôtesse était, pour certains de ces messieurs, l'unique occasion de la semaine de jeter le masque, d'être eux-mêmes, de se détendre et de découvrir ainsi un autre personnage qu'un simple partenaire sexuel : une amie, une confidente, une compagne, voire même une thérapeute.

En travaillant pour Eddie, je fus frappée de constater que son affaire marchait bien, même s'il violait sans cesse toutes les règles d'une saine gestion et agissait en dépit du bon sens. En forçant les filles à travailler chaque nuit, il suscitait leur rancune et les encourageait à inventer des excuses. En ne fixant jamais de limites au comportement – ou à l'intempérance – de ses clients, il leur donnait le sentiment qu'elles étaient sans défense et, à l'occasion, qu'elles s'avilissaient. En ne leur accordant pas sa confiance et en ne leur permettant pas de lui verser l'argent le lendemain, il créait une atmosphère de suspicion qui les faisait se tenir sur leurs gardes.

Je me rappelle qu'un soir, à l'occasion d'une réception qu'un client avait organisée avec quelques amis dans sa résidence, à Westchester, celui-ci demanda cinq hôtesses qu'il fit chercher en voiture. L'un des messieurs n'étant pas venu, une fille passa le plus clair de la soirée à lire dans la salle de séjour, et reçut cent dollars à titre de compensation. Quand il l'apprit, Eddie eut le front de réclamer à l'hôtesse la moitié de cette somme au lieu d'exiger du client le paiement du plein tarif!

Il n'eut pas non plus de scrupule à décréter un beau jour que la moitié de tous les pourboires dépassant cent dollars devait lui revenir, mais les hôtesses ne s'en laissèrent pas conter : elles se gardaient bien de piper mot lorsque les clients se montraient très généreux, sachant d'ailleurs que le patron n'en était pas à une mesquinerie près. Ne s'était-il pas fait remettre, en une circonstance, la moitié d'une caisse de vin dont un des clients avait gratifié sa compagne d'un moment, alors qu'il n'en buvait jamais? Une autre fois, une hôtesse étant revenue à l'agence avec une boîte de confiserie, n'avait-il pas eu le toupet de dire au client, quand celui-ci appela de nouveau, de ne pas l'oublier à l'avenir car lui aussi aimait les douceurs?

Le comportement d'Eddie faisait incontestablement du tort à son affaire, et je me mis à m'imaginer une sorte de jeu de la concurrence pour servir d'exutoire à mon irritation. Que ferais-je en pareille situation? Comment réglerais-je la question des pourboires? Comment traiterais-je les hôtesses? Les réponses à ces questions ne me paraissaient pas particulièrement difficiles : je savais que je m'en tirerais beaucoup mieux en prenant délibérément le contre-pied de tout ce que faisait Eddie, si bien qu'en peu de temps, l'idée de diriger une agence d'hôtesses – et de la diriger *comme il fallait* – devint pour moi fort séduisante.

Plus je travaillais pour Eddie et plus je discernais qu'il ne fallait nullement mettre sur le même plan ce genre d'affaire et la façon dont il la menait. Il était manifeste, si on dépouillait la société conventionnelle de son moralisme et de son hypocrisie, que cette entreprise était une entreprise de services comme une autre et que la pitoyable gestion d'Eddie ne signifiait pas qu'il fût impossible de bien l'administrer. Les courtisanes et les call-girls avaient un passé ancien et honorable : leur faire correctement exercer leur industrie pouvait constituer une façon fort intéressante de gagner sa vie, d'autant que les sommes rondelettes entassées par Eddie ne pouvaient que me renforcer dans l'idée de monter ma propre agence.

Une nuit, en l'absence d'Eddie, Janice, une de nos hôtesses les plus loyales, vint au bureau pour faire un versement. Elle attendit que les téléphones s'arrêtent de sonner pour me demander ce qu'il était advenu d'un chèque qu'elle avait apporté trois semaines auparavant et sur le montant duquel elle n'avait toujours pas reçu sa part. Comme Eddie n'avait pas laissé d'enveloppe pour elle, je lui dis que je vérifierais auprès de lui et la rappellerais le lendemain.

La nuit suivante, je demandai à Eddie son accord pour verser les deux cent cinquante dollars qui revenaient à Janice.

– Dites-lui que le chèque n'a pas été accepté, répondit-il.

La même chose s'était déjà produite à deux reprises, et j'avais eu alors des soupçons. Cette fois, j'étais sûre qu'il mentait.

– Allons, allons, Eddie. Elle a besoin de cet argent.

– Vous m'avez bien entendu, fit-il, sur un ton irrité. Dites-lui que c'était un chèque en bois.

Appliquer les principes d'Eddie était une chose, mais rouler les filles en était une autre que je ne pouvais tout simplement tolérer. C'est à ce moment-là que je décidai de lui tirer ma révérence.

Dès le lendemain, j'appelai Lucy pour lui parler des magouilles d'Eddie.

– C'est vraiment moche, tu ne trouves pas? s'écria-t-elle avec indignation.

– Pas besoin de me le dire. Je ne remettrai jamais les pieds chez lui. Tu sais, on pourrait mener cette affaire beaucoup mieux que lui... Pourquoi ne pas essayer? Qu'en penses-tu? fis-je étourdiment, révélant ainsi l'idée que je caressais en secret.

Il y eut un petit moment de silence, puis Lucy me répondit :

– Si tu crois que je n'y ai pas déjà pensé! En fait, il faut que je te le dise : Deborah et moi avons parlé plusieurs fois de monter notre propre agence.

Je savais que Deborah, l'une des hôtesses d'Eddie, était en termes amicaux avec Lucy, mais je fus sidérée d'apprendre que toutes deux avaient envisagé de se lancer dans une entreprise commune car, si Deborah ne manquait certes pas d'allure, elle n'entendait en revanche absolument rien aux affaires.

– Je crois que c'est moi et non pas elle que tu aurais intérêt à prendre pour associée, proposai-je à Lucy, à qui je fis immédiatement l'article en lui racontant que j'avais étudié au FIT et que j'avais obtenu le Prix Bergdorf Goodman. Je soulignai que j'avais suivi un stage chez Abraham & Straus et que mon court séjour à

The Cutting Edge avait été marqué par une réussite commerciale. Dans la foulée, je lui dis ce que je pensais d'Eddie, non pas sur le plan personnel – ce qui se passait de commentaire – mais sur celui des affaires, où il ne cessait de prendre des décisions déplorables. Et puis, dis-je pour terminer, je me sens toute prête à sauter le pas et à en discuter avec toi dès cet après-midi.

Ma cause avait dû être bien plaidée, car Lucy m'annonça qu'elle venait chez moi sur-le-champ pour poursuivre cette conversation. Je raccrochai le combiné du téléphone et me regardai dans un miroir. « Sydney, me dis-je, je sais que tu ne détestes pas prendre des risques, mais es-tu bien sûre de vouloir te lancer dans une affaire pareille? »

Presque aussitôt, mon image me répondit : « Et comment! »

Nous décidâmes avec Lucy qu'elle continuerait à travailler pour Eddie pendant quelques semaines encore, le temps de faire rapidement ma petite enquête sur la façon dont opéraient les agences d'hôtesses à Manhattan. Je me mis en rapport avec deux des anciennes hôtesses d'Eddie qui, touchées par le vif intérêt que je manifestais en écoutant leurs récits, m'adressèrent à certaines de leurs amies dont je connus ainsi, de fil en aiguille, les relations.

Chose incroyable, il s'avéra très vite que l'agence d'Eddie était l'une des meilleures sur la place! Il est vrai que jamais Eddie n'envoyait ses hôtesses à des rendez-vous en dehors de Manhattan, jamais il ne les obligeait à se rendre dans des hôtels borgnes et jamais il ne leur faisait rencontrer une deuxième fois un client dont elles avaient eu lieu de se plaindre. La plupart des agences de New York n'avaient pas de tels égards pour leur personnel, ni même pour leurs habitués. Lorsqu'un nouveau client précisait au téléphone qu'il voulait rencontrer une fille grande, blonde et forte en gorge, il s'entendait invariablement répondre qu'elle serait chez lui dans une heure... Deux heures plus tard, il voyait généralement apparaître devant lui une petite boulotte brune.

Sauf exception, le client ne se plaignait pas : l'hôtesse n'était en définitive pas trop mal, et puis, à quoi bon attendre encore deux heures de plus? Il savait d'ailleurs, s'il avait déjà eu affaire à ce genre d'agences, qu'il ne devait pas s'attendre à mieux, et acquittait le tarif horaire en se promettant de s'adresser ailleurs la prochaine fois.

Je découvris que de nombreuses agences envoyaient leur personnel non seulement en dehors de Manhattan, mais aussi dans le bureau du client. Apparemment, il n'y avait pas de limites au rayon d'action des hôtesses. L'une d'elles me raconta dans les détails comment, une fois, un client avait insisté pour qu'elle le rencontrât, à deux heures de l'après-midi, à Bryant Park. Il avait tout prévu : elle devait arriver dans une limousine, vêtue en tout et pour tout d'un imperméable noir en plastique, et aller ensuite directement s'asseoir sur un certain banc du parc où le client la rejoindrait dix minutes plus tard. C'est alors, sans prononcer un mot et sans attirer indûment l'attention, qu'elle lui rendrait oralement son office.

Pour cette faveur inhabituelle, il avait été convenu que le client lui verserait mille dollars en coupures. Il lui remit une enveloppe, et tout se passa fort bien. Mais après son départ, elle constata que l'enveloppe ne contenait que dix billets de un dollar au lieu des dix billets de cent dollars promis. Elle revint en larmes se plaindre au propriétaire de l'agence, qui lui dit : « Je suis vraiment navré, mon petit. Que voulez-vous, ce sont les risques du métier! »

Eddie ayant toujours procédé lui-même au recrutement, nous n'avions, Lucy et moi, aucune idée de la façon dont il fallait mener une entrevue avec des candidates. Nous décidâmes que je lirais des annonces et que je me rendrais à deux entrevues pour voir un peu comment les choses se passaient.

Joan, la première personne à qui je rendis visite, m'accueillit dans la salle de séjour de son appartement. A ma grande surprise, elle ne me demanda même pas une pièce d'identité avant de me parler de son affaire. Elle avait pris la précaution élémentaire d'utiliser un faux nom, mais sa véritable identité figurait en toutes lettres sur un flacon de médicaments qui traînait dans la salle de bains, où elle me permit d'aller.

L'entrevue fut décontractée. « Joan » jugeait qu'un bavardage anodin d'une demi-heure lui suffisait amplement pour procéder à mon recrutement et m'apprendre ce que, selon elle, je devais savoir. Elle ne fit aucun effort pour me préparer à mes nouvelles activités et m'expliquer comment elle entendait que les hôtesses représentent son agence. J'estimais, quant à moi, que ces deux points très importants devaient être précisés à une nouvelle hôtesse avant son entrée en fonction. Cependant, et cette procédure contrastait fortement avec celle d'Eddie, Joan laissait à ses filles le soin de déposer directement les chèques des clients au compte en banque de son agence.

– Très bien, dit-elle, pouvez-vous commencer ce soir?

– C'est que, bredouillai-je, ça me semble un peu tôt... Je vous rappellerai dans le courant de la semaine.

Je me souviens qu'en quittant l'appartement de Joan, je me pris à penser que son agence ne tiendrait probablement pas plus de quelques mois. Les faits montrent que je me suis bien trompée : six ans plus tard, alors que j'écris ces lignes, Joan fait toujours marcher sa petite affaire.

Je me rendis dans une autre agence où le propriétaire, qui se targuait d'être un thérapeute, me reçut dans son bureau, où trônait un divan. De la façon la plus aimable et la plus polie qui se puisse concevoir, il m'expliqua que je devais « auditionner » pour obtenir un engagement éventuel.

– Non, merci, dis-je en souriant, je ne fais pas de galop d'essai.

Deux jours plus tard, j'entrai dans le bureau d'une grande agence qui faisait beaucoup de publicité. L'homme qui m'accueillit ne se présenta même pas. Il se contenta de me tendre un préservatif, de baisser son pantalon, et de me dire : « Bon, eh bien voyons si vous savez comment mettre cet article en place. »

Je fus si choquée que je restai sans voix. Je n'eus que le réflexe de tourner les talons et de partir en courant si vite que je ne crois pas avoir songé à reprendre mon souffle avant de me retrouver dans la rue.

Un après-midi que je feuilletais le magazine *Show Business*, je tombai sur une annonce qui m'intrigua : « Cherche hôtesses pour travail à temps partiel. Gain : 1 000 dollars et plus par semaine. »

Je la montrai immédiatement à Lucy.

– Mille dollars par semaine? dit-elle, allons, ce n'est pas possible!

A cette époque, les filles d'Eddie ne gagnaient que soixante-cinq dollars de l'heure, et les plus demandées n'arrivaient même pas à se faire mille dollars par semaine. J'en avais déjà trop vu, mais je décidai de faire une tentative de plus, car cette annonce me semblait masquer quelque chose de louche.

Je téléphonai pour demander une entrevue, et fus priée de me présenter le lendemain matin, à onze heures, dans un petit immeuble de briques brunâtres, à Greenwich Village. Une soubrette m'accueillit et m'introduisit dans un salon obscur, décoré de statues et de masques africains étrangers. Je m'assis et essayai mollement de lire un magazine tandis que deux autres soubrettes faisaient le ménage autour de moi. En les regardant de plus près, je m'aperçus qu' « elles » étaient des hommes travestis, mais comme ce genre de spectacle n'était pas rare au Village, je fis comme si je ne le remarquais pas.

Au bout d'une demi-heure environ, la soubrette fit entrer une fille vêtue d'un pantalon-collant noir et d'un bustier assorti, qui se présenta sous le nom de Linda. Ses cheveux de couleur orange flamboyant, ses yeux lourdement soulignés de mascara noir et ses paupières fardées d'une épaisse couche de pâte verdâtre me donnèrent le sentiment très net qu'elle était beaucoup mieux que moi en harmonie avec le décor. Elle aussi avait lu l'annonce dans *Show Business* et était venue pour en savoir davantage.

Après une longue attente, une femme rondelette en survêtement, qui, manifestement, venait à peine de sortir du lit, apparut enfin et nous souhaita la bienvenue. Olga – c'est ainsi qu'elle se dénommait – avait le teint terreux, de petits yeux bouffis, et était dépourvue de la moindre parcelle d'énergie. Entrecoupant son discours de bâillements, elle se mit à nous parler de l'emploi vacant, mais elle donnait des explications si imprécises et égrenait des propos si incohérents que ni Linda ni moi-même ne pouvions comprendre exactement de quoi il retournait. Il était question de fantasmes, de rôles à .enir et d'ordres à donner aux clients, mais nous ne parvenions pas à saisir, dans le fatras de ses paroles, ce qu'elle attendait exactement de nous – si, toutefois, elle décidait de nous engager...

Une chose était cependant certaine : il ne s'agissait pas, contrairement à ce que laissait entendre le libellé de l'annonce, d'une agence d'hôtesses, mais bien d'une sorte de bordel. Olga en était donc la tenancière, encore qu'il fût difficile de concevoir une personne aussi peu taillée pour le rôle. D'après ses dires, cependant, les filles qui travaillaient pour elle n'étaient pas obligées de « coucher » avec les clients.

Nous fûmes interrompues par l'arrivée d'un visiteur, qui était l'un des clients habituels d'Olga – comme elle nous l'apprit pendant qu'elle le faisait attendre à l'étage.

– Je suis contente qu'il soit venu, dit-elle, car vous pourrez vous faire maintenant une meilleure idée de ce qu'est vraiment cette maison. Accordez-nous dix minutes, puis montez l'escalier en faisant le moins de bruit possible. Allez jusqu'à la deuxième porte à droite, qui est celle de la chambre où nous nous trouverons, et glissez un coup d'œil par-dessous. Joseph, qui est médecin, adore être humilié. Je lui ordonnerai de ramper sur le plancher en se tortillant et je lui ferai bien sentir qu'il n'est qu'un répugnant petit ver de terre, même pas digne de me lécher les bottes.

Tout cela me semblait peu affriolant. J'avais de la peine à croire que l'on pouvait payer pour une chose pareille, et je pensais que cette bonne femme devait être un peu piquée.

J'aurais voulu partir, mais comme j'avais déjà consacré deux heures de mon temps sans parvenir à bien comprendre ce qui se passait, je voulais en avoir le cœur net. Dix minutes plus tard, Linda et moi gravîmes l'escalier sur la pointe des pieds, et nous vîmes, en regardant dans la chambre par-dessous la porte, Joseph qui gisait, nu, sur le plancher, le crâne sous la botte d'Olga. Comme l'écartement de la « fente » sous la porte mesurait bien dix centimètres, il nous remarqua aussitôt, et s'en plaignit à Olga qui, apparemment furieuse, nous somma de décamper. Je redescendis précipitamment avec Linda, tout en étant convaincue que cet éclat de colère n'était que de la frime à l'intention de Joseph.

Lorsque Joseph fut enfin parti, Olga revint vers nous pour s'excuser de son mouvement d'humeur et nous révéler alors le fin mot de l'histoire. La maison qu'elle dirigeait sous son nom professionnel – Baronne von Stern – (j'eus du mal à garder mon sérieux lorsque je l'entendis nous le décliner) était spécialisée uniquement dans le masochisme. Comme elle nous l'expliqua, la plupart de ses clients voulaient seulement être couverts par des tombereaux d'insultes, certains arrivant même avec un texte dont les « maîtresses » – ainsi étaient dénommées les filles – étaient priées de s'inspirer. Apparemment, les clients d'Olga avaient des idées très précises quant à la façon dont ils voulaient être humiliés.

Un autre client arriva juste à ce moment-là. J'en avais déjà trop entendu, mais Olga nous prit, Linda et moi, par le bras et nous entraîna de nouveau à l'étage.

– Tenez, dit-elle, voilà un monsieur que je tiens à vous faire connaître.

Un homme était là, avachi sur une chaise, offrant à nos regards l'aspect pitoyable de sa brioche, de sa calvitie et de sa nudité. La baronne aboya :

– Debout, Henry! Je te présente la Maîtresse Linda et la Maîtresse Sheila. Toutes les deux sont des maîtresses expérimentées, et je te préviens que ce n'est pas la peine de jouer au malin avec elles. Allez, maintenant décide-toi; laquelle choisis-tu?

Mon Dieu, pensai-je, et si son choix se portait sur moi? Je ne m'étais vraiment pas attendue à me trouver face à un client, et je commençai à paniquer. Je fis mentalement une brève prière : « Mon Dieu, faites qu'il choisisse Linda! » La Maîtresse Linda semblait tout indiquée pour le rôle, mais qui pouvait savoir ce qui exciterait ce type?

Toute flageolante, j'éprouvai un vif sentiment de soulagement lorsqu'il choisit Linda. Je regardai ma montre et m'exclamai :

– Ce n'est pas possible, je ne croyais pas qu'il était si tard! Baronne, je dois partir. Je vous appellerai demain.

– Un instant, vous ne pouvez pas partir *maintenant*.

– Ah non? Et pourquoi? demandai-je.

Il me tardait de filer, car je redoutais de découvrir les autres surprises qu'elle gardait sans doute en réserve.

– Laissez-moi seulement vous faire visiter la maison. Cela ne prendra que cinq minutes, je vous le promets.

Incapable d'opposer un refus délibérément grossier, je suivis à contrecœur la baronne, qui me fit faire le tour du propriétaire. Une pièce offrait surtout au regard un chevalet de torture, où le corps de la « victime » pouvait être étiré, et un système de poulies, où il pouvait être suspendu. Une autre était aménagée en cellule de prison où rien ne manquait pour entretenir l'illusion, des barreaux de fer à la fenêtre jusqu'au siège sans couvercle des toilettes.

C'était cauchemardesque.

– Il faut vraiment que je parte, insistai-je. Je vous promets de téléphoner demain.

Arrivée dehors, je poussai un soupir de soulagement : le soleil brillait, l'air était léger et vivifiant. En un temps record, je courus à l'appartement de Lucy, situé tout près de là, à quelques pâtés de maisons.

– Cette entrevue est ma dernière, dis-je le souffle coupé, en m'affalant sur son canapé. Tu ne vas pas croire ce qu'il m'a fallu supporter!

Et je lui fis le récit circonstancié de mon équipée.

Je commençais à comprendre que le commerce du sexe n'était pas une petite affaire. Lucy me montra un numéro de *Screw,* le magazine pornographique new-yorkais, et je n'en revins pas de découvrir qu'un nombre incroyable d'annonces y vantaient les mérites d'agences d'hôtesses et de maisons de prostitution. Je me rendais compte qu'il s'agissait là d'une véritable *industrie,* dont je n'avais jamais soupçonné l'existence. L'affaire d'Eddie ne représentait manifestement que la partie apparente de l'iceberg.

Un incident déconcertant, qui s'était produit quelques mois auparavant, m'apparaissait désormais plus compréhensible. J'avais invité une amie, que j'aimais beaucoup, dans un restaurant chic pour célébrer ses fiançailles. Comme nous nous étions mises sur notre trente et un pour l'occasion, mon amie proposa de prendre avant un pot à l'Oak Room de l'hôtel Plaza, où nous n'étions jamais allées ni l'une ni l'autre. A l'entrée, un vigile nous barra le chemin en nous disant :

– Désolé, mesdames, mais il y a trop de monde dans le bar.

Je regardai à l'intérieur par-dessus son épaule et constatai qu'une douzaine de chaises au moins étaient vides.

– Il n'y a pas tellement de monde, répondis-je.

De la tête, il fit un geste de dénégation et dit :

– Je vous conseille d'aller plutôt ailleurs.

Ce n'est qu'après avoir soumis des « travailleuses » – appellation que se donnent les call-girls – à une entrevue que je compris pourquoi le vigile nous avait barré le chemin. Il avait évidemment supposé que nous étions des « travailleuses » indépendantes qui cherchaient à « lever » un client. L'ironie de la chose est que nous finîmes par atterrir dans un bar élégant, de l'autre côté de la rue, qui – je devais l'apprendre plus tard – avait, à ce moment-là, la réputation d'être l'un des hauts lieux fréquentés par les call-girls à New York.

Un jour ou deux après mon expédition chez la baronne, Lucy

eut la bonne idée de suggérer de mettre des atouts dans notre jeu en allant rendre visite à une ou deux tenancières de bordel de luxe, en qualité, non pas de candidates à un emploi, mais de femmes d'affaires. Une amie de Lucy, qui dirigeait une de ces maisons, accepta de nous recevoir un matin et de nous instruire de la marche de son affaire puisque nous ne lui ferions pas directement concurrence.

On entrait dans cet établissement, situé dans un petit immeuble de l'East Side, par le rez-de-chaussée, qui offrait aux clients l'agrément d'un petit bar accueillant et d'une piste de danse. Les autres pièces de la maison étaient décorées dans le style oriental, avec bouquets de fleurs harmonieusement agencés, gravures japonaises accrochées aux murs, et subtil éclairage artistique. Les salles de bains étaient abondamment garnies d'épaisses serviettes-éponges et pourvues d'un assortiment d'eaux de toilette masculines des meilleures marques. Après avoir été présenté à plusieurs filles dans le salon, le client arrêtait son choix et montait avec celle qui avait retenu son attention.

La directrice – elle refusait *absolument* d'être appelée « tenancière » – nous expliqua que l'établissement était ouvert de onze heures du matin à deux heures le lendemain matin et que les filles travaillaient en deux équipes. Fort soutenu à l'heure du déjeuner, le courant de clientèle fléchissait l'après-midi, pour augmenter de nouveau plus tard, au moment où un certain nombre de banlieusards venaient en vitesse pour une passe avant de prendre leur train pour le Connecticut ou Long Island. L'établissement était seulement ouvert aux habitués, et ceux-ci ne pouvaient amener un invité que s'ils le fréquentaient depuis cinq ans. Détail supplémentaire : il y avait même un vigile armé à la porte.

– Pourquoi le vigile? demandai-je. Vous n'allez pas me dire que si la police s'amène, une fusillade pourrait éclater?

– Oh non, répondit-elle, en riant de ma naïveté. Si les flics rappliquent, c'est fichu. Ce sont les vols qui nous préoccupent davantage. Ce sont les vols que redoutent le plus les établissements privés comme celui-ci. Faites un petit effort d'imagination : si un cambrioleur vient faire un casse et file avec la recette du jour, qu'avons-nous comme recours? A qui pouvons-nous nous plaindre?

Nombre de ces maisons avaient une règle de sécurité commune : tout nouveau visiteur devait être recommandé par un habitué, qui ne devait cependant pas lui communiquer l'adresse de l'établissement. Le nouveau client devait donc téléphoner d'une cabine située à un coin de rue convenu. Quand il appelait, l'une des filles sortait pour voir quelle allure il avait pendant qu'une autre bavardait avec lui au bout du fil. Si l'examen était concluant, il était invité à entrer. Cette petite astuce permettait également d'éviter que de nouveaux clients se présentent sans rendez-vous. Autrement, un homme aurait très bien pu noter l'adresse, la ranger dans son portefeuille et faire soudainement son apparition, disons, trois mois plus tard, à deux heures du matin, juste au moment de la fermeture.

J'avais toujours pensé que les bordels avaient fermé leurs portes depuis longtemps, et que l'époque de leur vogue remontait aux années 1890, à San Francisco, ou aux années 20, à La Nouvelle-Orléans. Cependant, d'après mes constatations – et je doute fort que quelqu'un connaisse ici le fin mot de l'histoire –, une cinquantaine de bordels sont en pleine activité rien qu'à Manhattan. Ces établissements sont généralement de taille assez modeste, leur personnel se composant d'une demi-douzaine de filles au plus, et ne sont, pour la plupart, guère luxueux, car leurs propriétaires répugnent à investir beaucoup d'argent dans une affaire qui peut être aisément fermée, du jour au lendemain, par les autorités. Quelques-unes de ces maisons, qui n'ont, pour toute installation, que des matelas posés à même le plancher, et dont les « chambres » sont séparées par des cloisons épaisses comme des feuilles de papier à cigarette, sont même franchement minables.

La maison que nous venions de visiter était, certes, impressionnante, mais je ne pouvais m'empêcher d'imaginer, en me mettant à la place des filles, quelles en étaient les servitudes. Les heures devaient être longues pour elles et, à la différence des agences d'hôtesses où le sexe ne meublait souvent qu'une petite partie d'une longue soirée, les clients ne venaient là qu'avec une seule idée en tête. Les filles gagnaient bien leur vie, mais elles étaient prisonnières de la maison, où elles devaient tuer le temps dans l'attente d'un visiteur. Peut-être était-il agréable pour les clients de se rendre dans une maison mais, pour les filles, ce n'était pas la joie de vivre.

L'industrie des hôtesses était fortement marquée par le sordide et la duperie, mais j'étais convaincue qu'on pouvait l'engager sur une tout autre voie. J'étais sûre que nous pouvions offrir des services d'une qualité bien supérieure à ceux proposés sur le marché, et j'étais motivée par le désir de surpasser tous les autres. En lisant, quelques années plus tard, l'autobiographie de Lee Iacocca, je fus fascinée d'apprendre comment il s'y était pris pour remporter, en 1964, un succès commercial énorme avec la Mustang. Comme le montre Iacocca, la procédure normale à Detroit était, d'abord, de fabriquer la voiture et, ensuite, de se mettre en quête d'un marché. Avec la Mustang, Iacocca et son équipe tentèrent la démarche inverse : tout d'abord, cerner le marché, identifier les consommateurs en puissance – c'est-à-dire, dans ce cas, la génération d'après-guerre – et, ensuite, construire une voiture qui les séduirait.

A bien y songer, je poursuivais le même objectif. Mon sens aigu de l'observation m'avait appris chez Eddie que des milliers d'hommes d'affaires sérieux et respectables faisaient appel aux services d'hôtesses. Leur expérience les laissait souvent insatisfaits, mais s'ils étaient prêts à payer pour avoir le plaisir d'une compagnie féminine et s'ils n'avaient pas la chance de connaître une entremetteuse privée, ils ne pouvaient vraiment pas faire autrement que d'en passer par là. J'étais décidée à monter une affaire qui attirerait la fine fleur de la clientèle. Si nous suivions la bonne méthode et si la fortune nous souriait un peu, je ne voyais pas comment nous pourrions échouer.

J'étais certaine de pouvoir faire de notre agence une affaire formidable – gérée avec classe, honnêteté et succès pour l'agrément du client. J'avais vu commettre suffisamment d'erreurs tant dans la direction des hôtesses que dans le commerce de détail pour savoir ce qu'*il ne fallait pas faire.* En outre, je n'éprouvais pas d'angoisses métaphysiques, car l'appel aux services d'hôtesses répondait à un besoin de l'homme remontant au fond des âges. Telle que je voyais la question, ce secteur de l'économie avait terriblement besoin que lui soient appliquées les règles d'une saine gestion – sans parler de celles du bon sens et de l'honnêteté. Je n'avais jamais réellement pensé à entrer dans les affaires moi-même, mais la chance d'accomplir ce que personne n'avait jamais fait auparavant s'offrait à moi, et je brûlais d'impatience de la saisir.

4

En avril 1979, c'est-à-dire un mois avant la date prévue de l'ouverture de notre nouvelle affaire, Lucy et moi ne lui avions toujours pas trouvé de nom. Décidées à en finir une fois pour toutes, nous passâmes tout un après-midi à consulter un dictionnaire et un recueil de synonymes. Je trouvai le nom de « Cachet »; elle choisit celui de « Caprice ». « Caprice » me plaisait, mais je ne voulais pas donner à mon affaire le même nom que celui d'un modèle de voiture fabriquée par Ford.

« Cachet » avait, au demeurant, plusieurs avantages : une sonorité élégante, une consonance française, un soupçon de mystère et une définition qui, dans le dictionnaire, se lisait en partie comme suit : « distinction, prestige, marque ou signe caractéristique de ce qui est réel, authentique ou d'une qualité supérieure ». *C'était plus* qu'il n'en fallait! « Cachet » offrait un autre avantage : il fallait être raisonnablement cultivé pour savoir prononcer ce mot, qui pouvait décourager certains des interlocuteurs les moins intéressants.

Le mois suivant, Lucy et moi établîmes un contrat officiel d'association. Nous ouvrîmes un compte en banque au nom de « Cachet » et obtînmes un numéro d'identification fédéral et un certificat d'immatriculation. Lorsqu'il fallait préciser la nature de nos activités commerciales sur des imprimés, nous écrivions : « agence de travail intérimaire ». Nous ne voulions pas mentir, mais comme nous ne pouvions faire autrement, nous nous efforcions de rester au moins aussi près de la vérité que possible.

Officiellement, nous n'aurions pas d'employées : les hôtesses travailleraient à leur compte et verseraient une commission à notre agence. Ainsi, il n'y aurait ni bulletins de salaires, ni retenues fiscales, ni aucun autre casse-tête administratif. Autrement, il nous aurait fallu recruter du personnel rien que pour les écritures.

Grâce à Eddie, nous savions parfaitement ce qu'il ne fallait pas faire. Nous décidâmes par exemple que, contrairement à notre ancien patron, nous demanderions aux filles de ne travailler que trois nuits par semaine. (Elles étaient libres de travailler plus souvent, mais la plupart n'y tenaient pas.) En outre, nous leur laisserions choisir elles-mêmes leurs jours de travail, à condition qu'elles nous les fassent connaître une semaine à l'avance pour nous permettre d'établir notre programme de travail en conséquence.

Ensuite, nous décidâmes que nos clients ne seraient jamais invités à payer l'hôtesse avant la fin de la soirée. J'étais convaincue, en effet, que le client éprouverait une certaine méfiance vis-à-vis de l'hôtesse si celle-ci demandait à être payée à l'avance, ce qui constituait, à tout le moins, une détestable entrée en matière. En outre, il était plutôt embarrassant pour une hôtesse d'arriver la main tendue dans la chambre d'hôtel ou l'appartement d'un client. Dans toutes les entreprises de services de ma connaissance, le client était invité à régler seulement après la fourniture du service. Pourquoi aurions-nous dû procéder différemment?

Je savais déjà que cette politique s'écartait de celle suivie par d'autres agences d'hôtesses, mais j'ignorais qu'elle s'en écartait aussi carrément jusqu'à ce que l'occasion me fût récemment donnée de lire *Les travailleuses*, une excellente étude sur la prostitution à New York menée par Arlene Carmen et Howard Moody. Comme le notent les auteurs : « Quel que soit le lieu où la prostitution est exercée – dans la rue, les " salons de massage ", les " maisons " ou chez les particuliers – le tarif est toujours payé à l'avance. Les filles considèrent qu'il est stupide, voire irresponsable, de faire confiance au client et de le laisser payer après. »

Peut-être suis-je irresponsable, mais je n'ai jamais regretté cette décision. Nos nouveaux clients étaient toujours abasourdis par cette politique, et nombreux étaient ceux qui nous rappelaient simplement pour nous dire qu'ils avaient été très sensibles au fait d'avoir été traités comme des gens normaux plutôt que comme des délinquants en puissance.

Nous prîmes également la décision de limiter notre champ d'activité à Manhattan. Il était plus rassurant pour nous d'être physiquement proches de nos filles au cas où elles auraient eu des difficultés, d'autant plus que nous savions, puisque nous connaissions bien Manhattan, quels étaient les quartiers les plus sûrs. En outre, à l'exception des aéroports, il y a fort peu d'hôtels de première classe dans la banlieue – si tant est qu'il y en ait – et nous ne tenions nullement à envoyer nos hôtesses dans des lieux où elles ne se sentiraient pas tout à fait à l'aise. Enfin, comme il n'est pas facile de trouver un taxi en dehors de Manhattan, il nous aurait fallu être tributaires d'un service de location de voitures, beaucoup plus problématique et, qui plus est, beaucoup plus onéreux.

Nous prîmes une autre résolution : même si notre honnêteté allait devoir être sanctionnée par quelques affaires manquées, nous ne dorerions pas la pilule à nos clients. A un homme qui demanderait au téléphone si la fille que nous lui décrivions était belle, nous devrions répondre – si elle ne l'était pas : « Non, je ne dirai pas qu'elle est belle, mais elle est vraiment séduisante et elle a des yeux magnifiques. » A un client qui préciserait vouloir rencontrer une fille grande, blonde et forte en gorge, nous devrions expliquer, si nous n'avions personne correspondant à cette description : « Je suis désolée, mais aucune fille dotée de toutes ces qualités n'est disponible en ce moment. Nous avons cependant Carolyn, qui a de beaux cheveux blonds, ou, si vous préférez, une personne de grande taille, Shawna, qui est une rousse adorable. »

Toutefois, même l'honnêteté a ses limites. Nous avions beau nous enorgueillir de notre sens moral, nous n'ignorions cependant pas que notre entreprise n'était pas de celles pouvant être gérées sous nos vrais noms. Pour le commerce, Lucy devint donc Linda MacMillan, tandis que j'optai pour le nom de Sheila Devin. Pour simplifier les choses, je voulais que mon nom commence par un « S » et soit aisé à prononcer – en particulier pour les voyageurs étrangers qui, comme je l'espérais, constitueraient une part importante de notre clientèle. Quant au nom de « Devin », il me fut inspiré par le personnage qu'incarnait Devon McFadden dans « All my Children », mon émission télévisée favorite.

A la réflexion, « Sheila Devin » ne se révéla pas un choix particulièrement heureux. Au téléphone, nombre de ceux avec qui je traitais n'arrivaient pas à retenir mon nom qu'ils s'acharnaient à prononcer Devlin ou Devon. J'appris par la même occasion que la moitié de la population new-yorkaise était incapable d'épeler correctement « Sheila », mais j'étais déjà habituée à ce même inconvénient avec « Sydney ».

Il m'a fallu quelque temps pour m'habituer à l'emploi de noms différents correspondant à des activités bien distinctes de ma vie. Au début, lorsque j'appelais quelqu'un au téléphone, bien souvent je ne savais plus si j'étais Sheila ou Sydney. Il n'est pas rare aujourd'hui qu'on me demande si ces deux prénoms ne masquaient pas une situation différente et ne correspondaient pas à deux personnalités bien distinctes. Non, ce n'était pas le cas. Chacun d'eux était tout simplement utilisé pour deux activités différentes : Sheila dirigeait une agence d'hôtesses de classe tandis que Sydney était censée gérer une petite affaire d'accessoires de mode.

Au début, Lucy et moi étions convenues de nous répartir équitablement le travail et de nous occuper chacune à tour de rôle, pendant un mois, des écritures. Cependant, je me débrouillais si mal avec les chiffres que Lucy était obligée de reprendre tout ce que je faisais. Nous arrêtâmes donc rapidement des dispositions plus pratiques : je ne toucherais plus aux écritures. Il valait mieux que Lucy s'en charge, d'autant plus que, ayant passé des mois à faire ce travail pour Eddie, elle était bien plus experte que moi dans ce domaine. A « Cachet », les opérations bancaires, l'impression de nos brochures et diverses autres tâches administratives firent dorénavant partie de ses attributions, ce qui me permettait de me concentrer sur la publicité, la commercialisation et le personnel, seules questions qui m'intéressaient vraiment.

Lucy réussit un coup notable en convainquant la banque de nous autoriser à accepter les cartes de crédit Visa et Mastercharge. Celle-ci nous fournit même des estampeurs miniatures – que les hôtesses gardèrent dans leur sac à main – après que Lucy lui eut expliqué que nous devions, en tant qu'agence de travail intérimaire, estamper les cartes de crédit dans les bureaux de nos clients.

Nous travaillions alors à partir de nos appartements. Nous nous étions fait installer chacune une deuxième ligne de téléphone et, grâce au système de transfert des communications, nous pouvions, l'une ou l'autre, répondre aux appels trois nuits par semaine sans sortir de chez nous.

Nous inspirant de l'heureuse suggestion que Lucy avait faite à Eddie, nous décidâmes de faire passer une annonce dans l'*International Herald Tribune,* où figuraient, outre notre nom et notre numéro de téléphone, des slogans tels que : « L'agence la plus chic de New York » et « Nous n'accueillons pas n'importe qui ». Elle se terminait par la phrase suivante en caractères plus petits : « Pour ceux qui ont les moyens d'être difficiles, " Cachet " offre de nouveaux critères d'élégance et de distinction. »

Aujourd'hui, bien sûr, les agences d'hôtesses font librement de la publicité dans les « pages jaunes » de l'annuaire et – tout au moins jusqu'à la perquisition de mon agence en 1984 – dans les dernières pages du magazine *New York.* Nous n'avions cependant guère le choix lors de l'ouverture de « Cachet » : *Screw,* le magazine pornographique, fut la seule publication qui consentit à publier alors nos annonces. Nous ne tenions nullement à être associées à ce genre de littérature, mais nous étions obligées d'en passer par là. A vrai dire, les lecteurs de *Screw* n'avaient généralement rien qui les distinguât des messieurs qui, plus tard, nous téléphonèrent après avoir relevé le nom de notre agence dans les « pages jaunes » de l'annuaire.

Nous avions fait cependant en sorte que notre annonce fût

absolument différente de toutes les autres. C'était, par exemple, l'une des très rares à faire mention du prix. (Lorsque nous nous lançâmes dans cette affaire, notre tarif était le même que celui d'Eddie : cent vingt-cinq dollars de l'heure. A cette époque, la plupart de nos concurrents prenaient de soixante à quatre-vingts dollars.) Notre annonce était, de plus, discrète et de bon goût et contrastait nettement avec certaines autres, où on n'hésitait pas à montrer des femmes nues, les jambes écartées, avec, pour toute légende, cette invite : « Venez arroser mon vallon. »

Afin de trouver les hôtesses de classe que nous recherchions, nous fîmes passer l'annonce ci-après dans *Show Business,* magazine lu par des actrices, des mannequins, des chanteuses et des danseuses :

« L'une des agences d'hôtesses les plus raffinées de New York recherche un petit nombre de jeunes femmes âgées de 19 à 28 ans, au physique séduisant, à l'élocution aisée, ayant une bonne éducation, pour occuper un emploi à temps partiel dans la soirée. Connaissance pratique d'une ou de plusieurs langues étrangères utile mais non indispensable. Prendre rendez-vous en appelant le 555-1310. »

Peu après, j'essayai de faire passer la même annonce dans *Village Voice.* Celle-ci ayant été refusée, j'allai voir le chef du service publicité de ce journal pour lui dire :

– Je dirige une agence d'hôtesses décente et, si vous publiez des annonces invitant des messieurs à se rendre dans des « bars de luxe » qui, comme nous le savons tous, sont des bordels, vous n'avez pas le droit de me refuser la parution de cette annonce dans la rubrique des « offres d'emploi » de votre journal.

– Juste, me répondit-il. Laissez-moi voir ce que nous pouvons faire.

Deux semaines plus tard, notre annonce passait dans *Voice.*

L'une des jeunes femmes qui répondirent à notre annonce avait une voix que je reconnus immédiatement : c'était celle de la petite amie d'Eddie. Elle se décrivit comme étant âgée de 22 ans, blonde et belle, ce qui pouvait certainement intéresser toute agence recrutant de nouvelles filles, quoique cette description fût loin d'être exacte.

Je compris tout de suite qu'Eddie utilisait cette personne pour faire sa petite enquête sur les nouvelles du quartier, mais j'entrai dans le jeu et fis semblant de la prendre au sérieux. Elle me posa un certain nombre de questions auxquelles je répondis. Lorsque j'en vins à parler de notre façon de procéder, je ne pus résister à l'envie d'envoyer une pierre dans le jardin de mon ancien patron et de lui lancer :

– A « Cachet », nous demandons à nos filles de ne travailler que trois nuits par semaine. Chez nous, nous ne croyons pas à l'esclavage.

Elle me répondit qu'elle nous rappellerait bientôt pour prendre rendez-vous, ce que, bien sûr, elle ne fit jamais.

Je croyais que l'affaire était close mais, deux jours plus tard, en sortant de mon appartement, je constatai que des inscriptions avaient été peintes à la bombe sur la façade de mon immeuble, dans le hall d'entrée et sur le trottoir. C'est ainsi qu'on pouvait lire en lettres énormes l'indication suivante : « Bordel à l'appartement 5R », qui s'accompagnait d'une grande flèche pointée dans la direction de mon appartement, et cette autre : « Maison de putes " Cachet " – 5e étage. » Je m'étais félicitée d'avoir reconnu la voix de l'amie d'Eddie au téléphone, mais il ne m'était pas venu à l'esprit qu'elle aussi avait pu facilement reconnaître la mienne.

J'étais à la fois choquée et horrifiée. Je remontai précipitamment l'escalier et appelai Lucy, qui sauta dans un taxi pour venir alors m'aider à nettoyer ces horreurs. Mon propriétaire exigea alors des explications. En larmes, je lui racontai que j'avais travaillé comme mannequin et que j'avais dû récemment repousser les avances d'un homme qui me poursuivait de ses assiduités.

– Vous savez bien jusqu'où peuvent aller certains types lorsqu'on blesse leur petite vanité, dis-je de l'air le plus innocent. Enfin, franchement, est-ce que j'ai l'air d'une tenancière de bordel?

Je dus être assez convaincante, car l'affaire en resta là.

Munies de gants de caoutchouc, de papier ménage et d'essence de térébenthine, nous passâmes toute la journée avec Lucy à essayer de nettoyer ces graffiti. Nous obtînmes un bon résultat sur les murs sans pouvoir cependant faire partir la peinture sur le trottoir. Finalement, Lucy trouva une solution : elle acheta une bombe de peinture avec laquelle elle put masquer les inscriptions. Quoique bonne, cette solution n'était, hélas, pas durable : périodiquement, la pluie délayait la couche supérieure de peinture et le message original réapparaissait. A chaque fois, il me fallait sortir et le recouvrir d'une nouvelle couche de peinture.

Lucy et moi avions, certes, beaucoup appris chez Eddie, mais nous n'avions, ni l'une ni l'autre, jamais participé aux opérations de recrutement. Nous n'ignorions cependant pas que, s'il était facile de trouver des clients, il l'était beaucoup moins de découvrir les filles qui nous conviendraient. Nous commençâmes par recruter deux filles qui avaient travaillé pendant quelque temps pour Eddie, mais décidâmes de ne souffler aucune de ses hôtesses ni aucun de ses clients, bien que nous fussions fortement tentées de le faire. Il ne méritait pas ces égards, mais nous avions à cœur de faire démarrer notre affaire en beauté.

Je suis effarée, rétrospectivement, par l'imprudence dont nous faisions preuve en menant les entrevues pour le recrutement pendant les tout premiers mois. Par exemple, lorsque les filles nous appelaient, nous allions droit au fait en leur disant tout de go au téléphone qu'elles devaient s'attendre à aller au lit avec les clients.

– Nous tenons à ce que vous compreniez bien que le sexe entre normalement en ligne de compte, leur disions-nous.

Aussi irréprochables que fussent nos mobiles – nous voulions être franches avec les filles et ne pas leur faire perdre leur temps –, nous étions tout de même d'une naïveté désespérante. Nous faisions extrêmement attention à ce que nous racontions aux clients, sans jamais leur parler de relations sexuelles ni même y faire allusion, mais il ne nous vint jamais à l'esprit, au début, de prendre les mêmes précautions avec les filles qui nous appelaient. L'une d'entre elles aurait fort bien pu être une policière de la brigade mondaine... C'est bien plus tard seulement que je compris que nous avions eu vraiment de la chance.

Les agences d'hôtesses sont en principe légales, mais il arrive que la police fasse des descentes dans les lieux et les contraignent à fermer – ne serait-ce que temporairement. Pour éviter d'être arrêtées en vertu de la législation sur la prostitution, nous précisions toujours à nos clients que c'était le *temps* qu'ils passaient avec les hôtesses qui leur était tarifé. Autrement dit, peu importait ce qui se passait – ou ne se passait pas – dans l'intimité de la chambre d'hôtel ou de la résidence du client : le tarif était toujours le même.

En y réfléchissant, je crois que nous négligions de prendre les précautions appropriées avec les nouvelles hôtesses, car nous étions vraiment convaincues que nous agissions dans la légalité. Selon nous, nous faisions beaucoup d'heureux sans faire de mal à personne : les hommes aimaient se trouver en compagnie d'une hôtesse séduisante et bien éduquée tandis que les filles se félicitaient de pouvoir s'assurer un bon revenu en « travaillant » de cette façon quelques heures seulement par semaine. Nous étions tellement fières d'avoir pu monter une agence complètement différente de celle d'Eddie – pour ne pas dire de toutes les autres – qu'il nous fallut quelque temps avant de bien comprendre que nous aurions pu être facilement démasquées.

Cependant, lorsque nous avons appris que la police avait fait une descente chez l'un de nos concurrents, nous devînmes soudainement beaucoup plus discrètes. Nous ne disions *plus rien* au téléphone qui aurait pu être retenu contre nous, même au risque d'induire en erreur des candidates et des clients éventuels.

Quand une postulante appelait, je commençais par lui demander si elle avait « travaillé » auparavant, en espérant que l'emploi de ce terme lui transmettrait le message.

Une fois, une fille me répondit :

– Oui, j'ai travaillé à Philadelphie.

Lorsqu'elle se présenta pour l'entrevue, il devint bientôt évident que l'emploi qu'elle avait occupé n'était rien de plus que celui de dame de compagnie. Après quelques malentendus de cette nature, je poursuivais au téléphone mon interrogatoire de façon un peu plus agressive :

– Cet emploi impliquait-il des relations strictement sociales ou bien celles-ci n'avaient-elles pas, à l'occasion, un caractère plus intime?

Lucy et moi recevions les nouvelles candidates le jeudi. Au début, nous demandions aux filles de venir dans l'un de nos appartements, mais nous ne tardâmes pas à utiliser un local élégant, situé dans l'Upper East Side. Avec moquette, un mur garni de miroirs et un bureau ancien français, il peaufinait l'image haut de gamme et sophistiquée que nous ambitionnions. En utilisant ce local uniquement pour les entrevues, nous ne pouvions nous compromettre au cas où une nouvelle candidate viendrait glaner des renseignements pour la police ou pour l'un de nos concurrents. Aucun élément de preuve ne pouvait y être retenu contre nous, car ce bureau appartenait à un décorateur de mes amis, qui nous le louait le jour de la semaine où il rendait visite à ses clients.

Au début, nous fixions un rendez-vous pour chaque entrevue, mais nous abandonnâmes cette procédure quelques semaines plus tard car, même après avoir pris la précaution d'appeler les candidates pour confirmer, une sur cinq seulement se présentait à l'heure fixée. Ce pourcentage s'appliquait à la catégorie des filles qui n'avaient jamais travaillé; pour les autres, il était encore plus bas. Bien peu de candidates prenaient la peine de nous avertir qu'elles ne viendraient pas – en fait, une sur dix seulement faisait montre de ce minimum de correction.

Nous décidâmes alors de mener les entrevues préliminaires par groupes, en deux séances distinctes : une pour les filles qui n'avaient jamais travaillé auparavant, l'autre pour celles qui avaient une certaine expérience de ce genre d'activité.

Au téléphone, je demandais aux candidates de se vêtir comme elles le feraient si elles allaient déjeuner avec leur grand-père pour fêter leurs dix-huit ans. Il fallait voir les accoutrements que certaines de ces personnes arboraient en étant persuadées qu'ils convenaient à la circonstance! L'une d'elles se présenta vêtue d'un bustier moulant, d'une jupe en coton indien imprimé et de sandales en peau de buffle. Beaucoup venaient en jeans.

Nous accordions une grande attention à la toilette des filles, car si une candidate ne s'habillait pas de façon seyante pour l'entrevue, il était fort probable qu'elle ne donnerait pas satisfaction, même si elle avait l'allure de Marilyn Monroe. De plus, une fille qui se présentait dans une tenue appropriée nous permettait d'imaginer l'allure qu'elle aurait dans son emploi.

En dépit de nos précautions, nous avons eu parfois de belles surprises. Un matin, Lucy m'appela de son appartement pour me demander de venir chez elle immédiatement. Dès mon arrivée, elle m'expliqua qu'elle et son petit ami avaient acheté l'un des premiers magnétoscopes lancés sur le marché, et qu'ils aimaient regarder ensemble des films porno. Comme nous passions dans la salle de séjour, elle ajouta :

– Il faut que je te fasse voir quelque chose.

– Ah bon, qu'est-ce que c'est?

– Tu vas voir, répondit Lucy en mettant son magnétoscope en marche.

Je crus défaillir en voyant là, sur l'écran, Robin, l'une de nos nouvelles recrues qui, non contente de sacrifier à la bagatelle, faisait disparaître un assortiment extraordinaire d'objets dans les parties les plus intimes de son individu. Je ne m'appesantirai pas davantage sur les détails de cette exhibition... et ce n'était qu'un début!

Médusée, fascinée par ces horreurs, il me fallut quelque temps avant de reprendre mes esprits.

– J'en ai assez vu, fis-je en me levant pour quitter la pièce.

– Attends un instant, dit Lucy, il va y avoir la scène avec la chèvre.

– Une autre fois..., après mon enterrement, peut-être.

Robin nous avait bien dit qu'elle avait un peu travaillé avant d'entrer à « Cachet », mais, de toute évidence, elle ne nous avait pas tout raconté.

– Écoute, dis-je à Lucy, qu'est-ce que nous allons faire si l'un de nos clients vient à le savoir? Combien en a-t-elle rencontré jusqu'à maintenant?

– J'ai vérifié. Huit seulement.

– Ah bon, ça va. Mais qu'est-ce que nous allons faire?

– Il faut la flanquer à la porte, répondit Lucy. Tu sais bien que nous ne pouvons pas nous permettre de la garder.

– Oui, je sais. Je n'arrive pas à y croire.

– Tu peux y croire. Tu sauras également qu'elle a déjà tourné une bonne quantité de ces films. De quoi apparemment garnir tout un *rayon*!

Je craignais surtout de perdre notre réputation. Nous ne pouvions courir le risque de laisser soupçonner que nous n'étions pas aussi irréprochables que nous le proclamions – et que nous prétendions l'être. Nous ne cessions de dire en effet à nos clients – et nous en étions nous-mêmes persuadées – que nos filles étaient pratiquement vierges, et voilà que nous avions maintenant une vedette du porno sur les bras!

Nous avions fait tout notre possible pour donner à notre affaire une certaine image de qualité, et chaque détail de l'opération – notamment notre publicité, le style de nos entretiens téléphoniques, la classe des filles que nous recrutions et leur façon de s'habiller – attestait de nos efforts sur le plan de la commercialisation. Robin ternissait cette image, et je ne pouvais faire autrement que de la licencier sur-le-champ.

A partir de ce jour, nous redoublâmes de prudence. Les nouvelles candidates devaient désormais remplir des imprimés et nous montrer deux pièces d'identité, dont l'une avec photographie et mention de leur date de naissance. Nous savions que cette procédure pouvait effaroucher certaines candidates probablement valables qui préféraient garder l'anonymat, mais nous ne voulions plus prendre de risques. Il faut dire aussi que nous envoyions nos hôtesses au domicile ou dans la chambre d'hôtel de clients plutôt fortunés, et qu'une photo d'identité, même si elle ne nous garantissait pas qu'une fille ne commettrait pas un vol à leur préjudice, nous assurait cependant une protection supplémentaire.

Nous tirions de ces entrevues avec des filles qui avaient travaillé (ou qui travaillaient encore) pour d'autres agences, beaucoup plus d'enseignements d'elles qu'elles de nous. La nature humaine aime à se plaindre, et les motifs de récrimination ne manquaient pas au sujet de la plupart des agences d'hôtesses : beaucoup de ces filles n'étaient que trop disposées à nous dire exactement comment ces agences opéraient.

Je sentais la colère monter en moi chaque fois que j'entendais raconter comment les filles et les clients étaient exploités. J'ai dû écouter bon nombre d'histoires navrantes qui me donnèrent plus d'une fois l'envie de recruter une fille simplement pour lui montrer que l'emploi d'hôtesse dans une agence comme la nôtre n'était pas nécessairement une expérience dégradante. Mais il suffisait qu'une fille passe deux ou trois mois seulement au service de ces agences pour qu'elle adopte généralement une attitude négative à l'égard des hommes et du travail d'hôtesse, ce qui explique pourquoi nous recrutions rarement parmi celles qui avaient travaillé auparavant, l'expérience n'étant guère concluante quand nous le faisions.

Lorsque j'avais affaire à des candidates qui n'avaient encore jamais connu ce genre d'occupation, je leur expliquais avec force détails comment marchait notre affaire tout en me gardant bien de faire des allusions directes à la bagatelle. Je leur exposais plutôt que les hôtesses accompagnaient les clients de passage à New York dans des musées, des boîtes de nuit et de bons restaurants. Lorsqu'elles me demandaient franchement si elles devaient consentir à des rapports sexuels, je répondais que non. Entre autres raisons, je ne tenais pas à ce que les personnes dont j'avais rejeté la candidature se plaignent auprès des publications où paraissaient nos annonces de ce que « Cachet » était, en fait, une entreprise de prostitution. Pour assurer notre propre protection, je décidai de mettre au courant seulement les filles qui se déclaraient prêtes à travailler pour nous.

Certaines candidates ne nous interrogeaient même pas sur la question des relations sexuelles, mais d'autres l'évoquaient de diverses façons. Quelques-unes allaient droit au but :

– Je ne dois pas coucher avec ces types, n'est-ce pas?

D'autres le faisaient de façon plus voilée :

– Ce travail n'implique rien d'autre, n'est-ce pas?

Je promettais à chaque fille interviewée de la rappeler plus tard dans la semaine pour lui faire savoir si, oui ou non, nous pouvions lui offrir un emploi correspondant à son type de personne. Même si je savais qu'une candidate ne ferait pas l'affaire, je mettais toujours un point d'honneur à la rappeler, car elle avait tout de même sacrifié son heure de déjeuner pour venir nous voir, et j'estimais que je lui devais bien ça. Si elle ne correspondait pas au type que nous recherchions, je lui disais que nous étions navrées et qu'il n'y avait pas d'emploi vacant dans sa catégorie. J'ajoutais cependant :

– Si vous le désirez, je garderai votre nom dans notre fichier au cas où il y aurait du nouveau.

Si une fille qui n'avait jamais travaillé auparavant semblait être une candidate intéressante, je suivais une méthode différente en lui expliquant :

– Pour vous, j'ai de mauvaises et de bonnes nouvelles. Tout d'abord, les mauvaises : pour le moment, je n'ai aucun emploi vacant dans votre catégorie et je ne sais pas dans combien de temps je pourrai vous en offrir un. Cependant, si vous le désirez, j'inscrirai votre nom dans notre fichier. Je dois pourtant ajouter une chose, bien que je sois à peu près certaine que cela ne vous intéressera pas. Nous avons un petit nombre de clients qui rencontrent occasionnellement nos hôtesses sur un plan plus intime. Il faut vous dire que tout se passe fort gentiment. Triés sur le volet, les clients sont des messieurs hors du commun, et le gain est élevé. Vous ne serez jamais obligée de rester auprès d'un homme avec qui vous ne vous sentez pas à l'aise. Si cela vous intéresse, venez me voir à nouveau, et je vous en parlerai plus en détail. Sinon, aucune difficulté. Je me ferai un plaisir de garder votre nom dans mon fichier pour un emploi qui n'exige que des services d'accompagnement, et je vous rappellerai si quelque chose venait à se présenter dans cette spécialité.

Si la candidate me répondait que cela ne l'intéressait pas, je n'insistais pas et rétorquais :

– Très bien. Je ne vous ferai jamais pactiser avec votre conscience. Je voulais tout simplement vous informer de ce que nous pouvions vous offrir.

Si elle hésitait, comme c'était souvent le cas, je la pressais instamment de venir entendre ce que j'avais à dire à la deuxième entrevue, qui était en fait un mini-programme de formation pour les filles que je voulais recruter.

– Il n'y a aucune obligation de votre part, l'assurais-je. Si, à n'importe quel moment pendant la réunion, la discussion prend un tour qui ne vous plaît pas, n'hésitez pas à vous lever et à partir. Je ne me sentirai nullement offensée, car je sais fort bien que ce genre de travail ne convient pas à tout le monde.

Certaines des candidates qui venaient à la deuxième entrevue décidaient finalement de ne pas s'engager dans cette voie, mais aucune ne partit jamais avant la fin de la réunion. Comme le disait une fille, les éléments d'information qui y étaient donnés étaient beaucoup trop intéressants pour n'être pas écoutés jusqu'au bout.

Quand une fille hésitait, la seule présence de deux ou trois autres candidates à la deuxième entrevue suffisait bien souvent à la gagner à notre cause. C'était pour elle un grand soulagement que de voir les autres se décider à faire un essai. Avant la deuxième entrevue, elle se considérait peut-être comme une « fille honnête », qui courait le risque d'être corrompue par une bande de racoleuses, de trafiquants de drogue, et que sais-je encore? Mais dès qu'elle avait rencontré les autres hôtesses, on pouvait voir le changement qui s'opérait en elle à mesure que ses préventions tombaient.

De temps à autre, j'avais une entrevue préliminaire avec une fille qui ne m'inspirait pas tellement confiance. Elle se trahissait généralement en posant de trop nombreuses questions, ou en faisant l'idiote, pour ensuite formuler des demandes de renseignements passablement astucieuses.

Parfois, j'avais tout simplement l'intuition que quelque chose ne collait pas. Je restais alors aussi avare de détails que possible et, plus tard, expliquais poliment par téléphone que nous n'avions rien à offrir pour l'instant. Mais si j'étais à peu près sûre qu'une postulante était venue pour recueillir des détails sur notre façon d'opérer et faire ensuite un rapport à son patron, je lui donnais de faux renseignements afin que notre affaire apparaisse plus modeste et plus innocente qu'elle ne l'était en réalité.

Il m'arrivait de lui dire dans ce cas :
– Vous savez, vous êtes très jolie, et je suis sûre qu'à l'agence X, Y ou Z, vous êtes l'une des hôtesses les plus cotées. Vous êtes sans doute habituée à gagner beaucoup d'argent. Malheureusement, je ne vois vraiment pas comment vous pourriez en gagner autant ici, car nous ne vous autoriserions à travailler que trois nuits par semaine et à ne rencontrer qu'un seul client par soirée.
– Dites-moi alors : comment vos filles font-elles pour gagner de l'argent? demandait parfois la postulante.
Je lui expliquais :
– Toutes nos filles ont des emplois réguliers et ne travaillent pour moi que deux ou trois nuits par semaine pour se faire un peu plus d'argent.
Même si la candidate n'était pas une espionne, elle diffusait ce renseignement aux autres filles de son agence où il faisait sans doute l'objet de commérages. Je voyais bien qu'il était de notre intérêt que *tout le monde* – la police, les concurrents, les voleurs éventuels, et même le milieu – ait l'impression que nous étions « de la petite bière ».

J'étais très difficile quant au choix de nos recrues et, la deuxième année, l'une des filles venues pour une entrevue me confia que les canons de la beauté à « Cachet » étaient si élevés qu'il était courant de dire : « Si tu n'es pas roulée comme un mannequin, ce n'est pas la peine d'avoir une entrevue avec Sheila. »
Je faisais aussi très attention aux divers types féminins : je savais, par exemple, que je pouvais n'employer qu'un certain nombre de brunes de grande taille. (Il en allait tout autrement avec les grandes blondes à la poitrine épanouie qui, très prisées, auraient pu être employées en plus grand nombre.) La demande étant limitée pour chaque type de filles, je ne pouvais recruter trop d'hôtesses d'une certaine catégorie, car elles auraient eu moins de travail que d'autres, et m'en auraient tenu rigueur.
Une fois, juste après Thanksgiving, au moment où la pleine saison tirait sur sa fin, quatre grandes brunes magnifiques entrèrent dans mon bureau et me demandèrent du travail. J'étais réellement embarrassée : si je ne les recrutais pas, elles iraient ailleurs et feraient la réputation d'une autre agence. Mais si je les engageais toutes, elles ne pourraient avoir tout le travail qu'elles étaient en droit d'attendre. Je décidai pourtant de les recruter, non sans les avoir prévenues que nous allions travailler au ralenti. Je voulais leur faire comprendre qu'elles auraient avantage à

rester dans mon agence, même si elles travaillaient un peu moins. Fort heureusement, le courant d'affaires se maintint vigoureusement pendant cette saison-là, et il y eut finalement assez de travail pour tout le monde.

Cela ne veut pas dire que seules les filles séduisantes pouvaient être recrutées, car celles qui n'étaient pas particulièrement jolies compensaient toujours leur physique moins attrayant par leur personnalité. Nous recrutâmes, par exemple, une hôtesse nommée Ginger qui avait une nature si chaleureuse et si dynamique que nous fûmes toutes disposées à oublier son absence totale d'attrait physique. Nous avions d'ailleurs constaté que certains clients étaient intimidés par la beauté et ne se sentaient pas à l'aise en présence d'une fille superbe, ce qui explique pourquoi Ginger était toujours occupée. Il va sans dire que nous ne l'aurions jamais adressée à un client qui aurait bien précisé vouloir un rendez-vous avec une jolie fille. Cependant, les attraits du personnel de « Cachet » étaient si manifestes que la plupart de nos habitués étaient heureux de rencontrer la personne que nous leur recommandions, car l'expérience leur avait appris que nous ne les décevrions pas.

Nous préparions le client à la venue d'une fille moins belle en lui expliquant par exemple :

– Je tiens à ce que vous sachiez qu'elle n'est pas l'une des filles les plus belles que nous ayons, mais elle a une personnalité si fantastique que nous sommes sûres que vous allez beaucoup vous divertir en sa compagnie.

N'ayant jamais reçu de plainte à ce sujet, je suppose donc que nous avions raison, d'autant plus que ces hôtesses étaient souvent invitées de nouveau par les mêmes clients.

Je rejetai la candidature d'un certain nombre de filles qui, bien que belles, n'avaient pas l'élocution facile, ne s'exprimaient pas correctement ou parlaient avec de forts accents new-yorkais. L'accent new-yorkais prononcé pouvait avoir l'attrait de la nouveauté pour un client de passage, mais, pour un résident, il risquait de résonner désagréablement. Je recrutai plusieurs filles du Sud dont la plupart s'étaient déjà astreintes à perdre leur accent, ce qui était fâcheux, car j'aurais aimé les engager en leur qualité d'aimables beautés du Sud. Michelle étant notre seule fille qui avait conservé son accent du Sud, je la priai instamment de résister à la tentation de s'exprimer comme nous.

Il m'arrivait même de ne pas recruter la fille la plus ravissante qui soit si elle ne pouvait me regarder droit dans les yeux, ou si elle ne souriait jamais, ou s'il y avait quelque chose de dur dans sa personnalité, ou si, tout simplement, je sentais qu'elle n'aimait pas les hommes. On croit généralement que cette animosité est monnaie courante chez les filles exerçant cette profession, mais ce n'était pas le cas à « Cachet ». Néanmoins, j'ai pu parfois constater que les filles venant d'autres agences et demandant à travailler pour nous éprouvaient ce sentiment. Le comportement de ces postulantes faisait habituellement problème, ce qui n'avait rien d'étonnant puisqu'on leur avait appris à ne voir dans les hommes que des mécaniques dont elles devaient soutirer le plus d'argent possible.

J'attachais, certes, de l'importance à un physique séduisant, mais je me souciais davantage de détecter chez les candidates l'allure *qui convenait.* J'ai toujours constaté que les hommes étaient sensibles à la façon dont je m'habillais, et je décidai que l'allure élégante et classique qui me réussissait si bien devait constituer également un atout pour les hôtesses. Je n'en fis jamais une condition, mais je ne leur laissais jamais porter des vêtements ou accessoires que je n'aurais jamais voulu porter moi-même. Nombreuses ont été celles que j'ai emmenées chez Saks, où je les aidais à choisir des tailleurs et des robes. Je leur conseillais souvent d'acheter des articles de la collection Richard Warren, qui avaient une touche classique et distinguée tout en étant cependant très féminine.

Je prêtais parfois certains de mes vêtements aux nouvelles qui étaient démunies d'argent et n'avaient rien de convenable à se mettre, ou je les emmenais chez Saks et payais tout ce dont elles avaient besoin avec ma carte de crédit, étant entendu qu'elles devaient me rembourser sur leurs gains futurs.

Je conseillais également à nos hôtesses de porter gants et chapeaux, sans toutefois les y obliger. Mais celles qui suivirent mes avis s'aperçurent que cela plaisait, ce que j'avais moi-même noté quelques années auparavant lorsque je sortais avec un homme que mes chapeaux rendaient fou. Je me suis aperçue également que les chapeaux à voilette exerçaient un attrait tout particulier sur les hommes, et je m'attachais à convaincre les filles d'essayer d'en porter.

Je voulais que nos filles aient l'air de cadres supérieurs, et j'insistais pour qu'elles veillent à ne pas trop maquiller leurs yeux, à porter des bas sans couture et à éviter tout détail dans leur toilette qui puisse leur donner l'apparence de call-girls stéréotypées. J'exigeais cependant que, sous leur tailleur ou leur robe de bonne coupe, elles portent des articles de lingerie assortis : soutien-gorge, slip et porte-jarretelles – lesquels devinrent bientôt le signe distinctif des hôtesses de notre agence. Les couleurs des articles de lingerie jouant, selon moi, un rôle important, je conseillais à nos hôtesses de ne pas porter du blanc, jugé trop virginal. Le beige était trop terne, et le noir ne convenait qu'aux filles d'un genre plus sophistiqué ou exotique. Je recommandais donc à la plupart des hôtesses des couleurs pastel – bleu, lilas, rose ou pêche –, ainsi que le blanc agrémenté de rubans ou de motifs.

Il était parfois difficile de trouver des ensembles de lingerie assortis, et je devais souvent envoyer les filles chez Enelra, une boutique située tout en bas de Manhattan, dans East Village. Au cours d'une de ces expéditions, plusieurs d'entre elles firent l'acquisition de bustiers. Quand elles me signalèrent que cet article de lingerie plaisait particulièrement aux clients, je m'empressai de faire circuler cette information.

Je crois savoir pourquoi nos clients étaient si sensibles à la lingerie féminine. Pour la plupart, les premières femmes nues qu'ils aient jamais vues dans leur jeunesse étaient celles habituellement vêtues de lingerie suggestive dans les magazines comme *Playboy.* Aussi, la vision d'une femme dont la nudité était seulement cachée par de tels dessous créait chez eux un puissant désir empreint de nostalgie auquel ils ne pouvaient résister. Cela n'en était que plus agréable pour les hôtesses, car plus le désir de l'homme s'exaspérait à mesure que la soirée devenait de plus en plus intime, plus les choses en étaient facilitées lorsqu'il fallait passer aux affaires sérieuses.

Exception faite pour une ou deux hôtesses qui avaient très peu de poitrine, le soutien-gorge faisait partie de notre panoplie vestimentaire. Je recommandais les modèles à armature, qui accentuent généreusement les courbes naturelles. Certains jugent sexy les filles qui se promènent sans soutien-gorge – et pour certaines et avec certains effets, je veux bien l'admettre – mais, aussi paradoxal que cela puisse paraître, cette opinion n'avait pas cours chez « Cachet », où nous étions très conservatrices. Un soir que Kelly était allée, en compagnie de deux autres filles, rencontrer trois messieurs au Helmsley Palace, l'une de ses compagnes m'appela ensuite pour se plaindre de ce que Kelly ne portait pas de soutien-gorge :

– Il fallait voir ça ballotter dans tous les sens, me confia-t-elle. J'avais peur que les vigiles ne nous laissent pas passer.

J'insistais également pour que les filles portent des bas, de préférence extra-fins, en toute saison. Ayant grandi à l'époque des collants, nombre de nos hôtesses n'avaient jamais porté de bas auparavant. Les nouvelles recrues me demandaient souvent si elles devaient vraiment en porter, même pendant l'été, et je devais leur expliquer sans cesse que je ne voulais pas les voir exhiber leurs jambes nues, aussi lisses et bronzées fussent-elles. « Une *vraie* dame, disais-je sur un ton légèrement réprobateur, porte des bas en toutes circonstances, même s'il fait très chaud. »

Comme les hôtesses avaient souvent, le soir, d'importantes sommes d'argent sur elles, certaines les dissimulaient dans les parties intimes de leurs vêtements. Une fois, après un rendez-vous de deux heures, Elise, qui avait fourré quatre cents dollars dans un de ses bas, traversait le hall de l'hôtel pour gagner la sortie lorsqu'elle sentit les billets glisser le long de sa jambe. Elle portait une robe, ce qui voulait dire que, tôt ou tard, la liasse allait devenir visible au-dessus du genou et que tous ceux qui se trouvaient dans le hall – et, notamment, l'agent du service de sécurité – connaîtraient alors la nature de son petit secret. Elle nous fit tordre de rire lorsqu'elle reconstitua la scène en mimant sa démarche empruntée, une jambe frottant l'autre, pour empêcher les billets de glisser plus bas. Au moment où ils arrivèrent au niveau du genou, elle les masqua en plaquant sa main sur sa jambe et clopina vers la sortie, comme si une douleur la faisait tout à coup souffrir.

Une autre fois, Kate, qui portait des bas-jarretières sous sa robe, se dirigeait vers Columbus Circle après avoir quitté un hôtel situé sur Central Park South Avenue. Ayant été souffrante la semaine précédente, elle avait sans doute perdu un ou deux kilos. Tout à coup, elle sentit que ses bas commençaient à glisser et s'imagina aussitôt en fâcheuse posture car, dès que l'élastique descend le long de la cuisse, plus rien ne peut retenir le bas. Baissant le regard, elle s'aperçut que ses bas étaient complètement tombés sur ses chevilles. Quel beau spectacle devait ainsi offrir cette call-girl de grande classe sur Central Park South, terrain de chasse habituel des racoleuses! Appuyée contre un immeuble, Kate était en train de remonter ses bas lorsqu'une longue voiture vint s'immobiliser à sa hauteur, la vitre arrière baissée. Elle entendit de l'intérieur une voix d'homme qui lui proposait :

– Excusez-moi, mademoiselle, puis-je vous donner un coup de main?

Kate, qui n'avait pas sa langue dans sa poche, se débarrassa de ce fâcheux, mais se résolut à porter de nouveau des porte-jarretelles.

Cependant, l'adoption du porte-jarretelles nécessitait quelque accoutumance. Sharon, une Israélienne qui avait servi dans l'armée de son pays avant de venir aux États-Unis, me raconta une fois qu'elle n'avait jamais eu de difficulté à enfiler ou à quitter son « harnachement » militaire, mais ajouta :

– Jamais de la vie je n'attraperai le coup pour mettre un porte-jarretelles!

Avant son premier rendez-vous, elle dut venir dans mon appartement pour que je lui montre comment s'y prendre.

Je conseillais vivement aux hôtesses de porter des jupons sous toutes leurs jupes non doublées. La plupart des femmes n'en ont peut-être pas conscience, mais un jupon donne presque toujours une ligne plus souple et plus harmonieuse à une robe ou à une jupe. J'ai toujours estimé que toutes les femmes en Amérique devraient porter des jupons.

Notre code vestimentaire avait beau être strict, les filles que nous employions représentaient, au physique, les types les plus divers. Claudette par exemple, qui personnifiait la New-Yorkaise élégante et sophistiquée, avait toujours une coupe de cheveux à la mode et portait des accessoires de toilette très chics. Tricia était, au contraire, la fille qu'on ne remarque pas, ses préférences allant aux robes plutôt qu'aux tailleurs, en particulier les robes ornées d'un col Claudine ou de manches ballon. Sa coiffure et son maquillage étaient moins élaborés que ceux des autres filles.

Michelle, qui avait été mannequin, était très grande. Elle portait des vêtements plutôt dans le vent, et sa coiffure et son maquillage étaient plus recherchés. Melody avait l'allure d'une jeune étudiante : cheveux ébouriffés, vêtements plus simples et, le cas échéant, une jupe et un chandail.

Colby incarnait la fille saine, au teint hâlé par le vent, qui fleurait la ferme et le grand air. Marguerite, en revanche, avait une allure exotique et aimait à porter des jupes plus serrées et un maquillage un peu plus accentué que les autres. Kate était une femme d'affaires qui s'habillait de tailleurs stricts et préférait, contrairement à la plupart des autres hôtesses, les talons plats et les bijoux discrets.

Souvent, j'aidais les filles à se constituer une garde-robe appropriée et à adopter une coiffure qui les mettait en valeur et qui correspondait à leur « allure ». Parfois, nous n'avions pas les mêmes idées, et je devais alors faire montre de tact et de diplomatie. Tara, une blonde comme on les voit dans les tableaux de Rubens, aimait les toilettes qui furent à la mode dans les années 40. Un soir, elle vint au bureau vêtue d'une veste de daim rouge et d'une longue jupe noire.

– Vous avez l'air superbe! m'exclamai-je. Cette tenue vous va à ravir et vous la portez fort bien, mais nous aimerions que vous en adoptiez une autre pour l'agence. Si cela peut vous aider, imaginez que vous êtes dans l'obligation de porter un uniforme.

Quelques jours plus tard, je l'emmenai chez Saks, où je l'aidai à choisir un beau tailleur de ville et un corsage en soie. Je répétais souvent aux hôtesses :

– Si vous traversez le hall du Pierre à minuit, vous devez donner l'impression que vous êtes descendue dans cet hôtel.

Certaines des filles qui travaillaient pour nous se destinant à une carrière théâtrale, il leur fallut quelque temps pour adopter avec aisance l'allure d'une habituée de Wall Street. Je m'efforçais d'être patiente et m'attachais à examiner leurs vêtements chaque fois que possible en leur donnant, au besoin, des conseils sur la façon de compléter leurs ensembles. Me rappelant que les hôtesses d'Eddie étaient sans cesse l'objet de critiques au sujet de leur toilette, je me donnais beaucoup de peine pour que les miennes soient au moins constructives.

Je tenais toujours à expliquer les raisons de notre code vestimentaire, car je n'ai jamais pu moi-même supporter un règlement arbitraire.

– N'oubliez pas, disais-je, que vous êtes une créature de rêve pour ces messieurs. Essayez de vous rappeler comment vous vous représentiez une call-girl de grande classe avant de devenir une hôtesse. Eh bien, c'est cette image que le client attend de *vous*. Vous ne pouvez tout simplement pas vous présenter devant lui avec l'allure des femmes qu'il voit chaque jour à son travail.

J'expliquais ensuite que, bien que vêtues d'un tailleur pour aller au bureau, les femmes cadres n'avaient généralement pas une silhouette très féminine ou très à la mode. Nos hôtesses choisissaient, elles, des ensembles plus stylés et les mettaient en valeur avec un corsage soyeux, une ceinture de couleur, des chaussures à talons hauts et des boucles d'oreilles fantaisie. Il n'y avait pas de comparaison : leur allure était totalement différente.

– Avez-vous jamais vu une vedette de cinéma célèbre marcher dans la rue? poursuivais-je. On en voit tous les jours. Mais si elle n'est pas sur son trente et un et si elle n'est pas resplendissante, est-ce que vous n'êtes pas un peu déçue? Imaginez ce que peut éprouver le client qui paie cher pour avoir la compagnie d'une hôtesse élégante lorsqu'il voit arriver dans sa chambre d'hôtel une fille qui n'a rien d'attirant.

Pour ajouter à leur aspect une touche féminine, je demandais également aux filles de mettre du vernis sur les ongles de leurs orteils, sans me montrer aussi exigeante pour les ongles de leurs mains, car les séances chez les manucures étaient longues et coûteuses. Il était cependant de règle que, si elles avaient décidé de vernir les ongles de leurs mains, elles devaient scrupuleusement les tenir impeccables.

Le parfum n'était pas une question facile à résoudre. Des clients l'aimaient, mais ceux qui étaient mariés craignaient que leur épouse ne décèle la preuve odoriférante de leur écart de conduite. Je déconseillais par ailleurs aux hôtesses de se parfumer lorsqu'elles quittaient un client, car c'était le moyen le plus sûr de se trahir auprès du service de sécurité de l'hôtel.

– Il est plausible de quitter une réunion d'affaires à vingt-trois heures trente, disais-je, mais connaissez-vous des femmes qui se parfumeraient à ce moment-là?

Les nouvelles recrues, qui étaient souvent intimidées par toute cette réglementation de la toilette, reconnaissaient que ces directives étaient valables lorsqu'il s'agissait de clients de passage, mais elles demandaient s'il ne leur était pas possible de venir tout simplement en jeans pour les clients habitant New York.

– Non, répliquais-je, et j'expliquais pourquoi en me lançant dans ma cómparaison favorite. Supposons qu'un client entre au Four Seasons [1] tout simplement parce qu'il vit dans le quartier et veut y prendre son repas. Supposons également que le maître d'hôtel décide que ce client est un client ordinaire et n'a, de ce fait, pas droit à un repas aussi fin qu'un homme d'affaires important venant de Paris ou de Londres. Est-ce que ce serait honnête? Eh bien c'est la même chose avec les résidents. Tous nos clients paient le même tarif, qu'ils soient domiciliés à New York ou qu'ils soient logés au Pierre. Il n'y a, d'autre part, aucune différence entre ceux qui viennent pour la première fois et ceux qui nous appellent chaque semaine : ils méritent tous de se voir offrir ce que nous avons de mieux. Sachez que ces messieurs nous appellent surtout parce que nos filles ont de l'allure lorsqu'elles mettent le pied dehors. Je compte donc sur vous pour nous aider à maintenir cette image.

1. Restaurant élégant de New York.

5

Après l'entrevue préliminaire, les filles qui voulaient être engagées ou en apprendre davantage sur notre façon de travailler revenaient pour une seconde entrevue. Ce mini-programme de formation, comme nous l'appelions souvent, nous permettait de leur communiquer tous les renseignements nécessaires avant de commencer à travailler. Il était mené, comme l'entrevue préliminaire, dans le bureau de mon ami le décorateur de l'East Side.

Peu après avoir démarré notre affaire, Lucy et moi avions consacré deux longues soirées à écouter deux filles qui, ayant déjà travaillé pour Eddie, avaient accepté de nous faire le compte rendu détaillé d'un rendez-vous. Je pris soigneusement note de tout et en tirai des enseignements pour les adapter à notre propre style. Au début, la seconde entrevue ne durait qu'une heure, mais comme je ne manquais pas de prêter attention aux données d'expérience que nos hôtesses tiraient de leurs activités, je commençai à étoffer les séances de ces renseignements supplémentaires, tant et si bien qu'au bout d'un an, la seconde entrevue durait de quatre à cinq heures.

A la différence de la première entrevue pour laquelle elles devaient s'habiller avec chic, les filles pouvaient adopter une tenue plus décontractée pour la seconde. Je leur demandais de se munir d'un crayon et d'un carnet, car il leur aurait été impossible de se rappeler la foule de renseignements dont j'allais les bombarder. Compte tenu des éléments d'information que nos hôtesses ne cessaient de nous ramener à mesure que notre affaire prenait de l'ampleur, la teneur de la seconde entrevue était continuellement améliorée et mise à jour.

Habituellement, ces entrevues avaient lieu le jeudi, et commençaient à quatorze heures, mais, afin d'obliger les candidates qui ne pouvaient se libérer facilement, nous les organisions parfois dans la soirée ou pendant le week-end. Si une seule candidate était présente, nous finissions habituellement vers dix-huit heures; s'il y en avait plus d'une, les séances duraient un peu plus longtemps, et il fallait d'ordinaire compter quinze minutes de plus pour chaque candidate supplémentaire.

Voici, en substance, le petit discours que je tenais à mes auditrices :

« Avant tout, je n'ignore pas que certaines d'entre vous sont venues ici tout simplement pour m'écouter et qu'elles n'ont pas encore décidé si ce genre de travail leur conviendra ou non, mais si elles estiment, au fil de mes explications, que l'emploi offert n'est pas pour elles, je ne les retiendrai pas. Surtout, qu'elles ne se sentent pas obligées de rester jusqu'à la fin par politesse, car nous allons en avoir pour un bon bout de temps.

« Je dois dire tout de suite que je suis heureuse que vous ayez pu venir aujourd'hui pour recueillir les très nombreux renseignements que je vais vous donner. N'hésitez pas à m'interrompre si certains détails ne vous apparaissent pas très clairs, ou prenez note de la question qui vous vient à l'esprit et à laquelle vous trouverez peut-être une réponse par la suite, car mes explications seront aussi circonstanciées que possible.

« Tout d'abord, l'agence est ouverte tous les jours, de seize heures à une heure du matin, sauf le samedi où l'horaire est de dix-huit heures à une heure du matin. Je demande aux hôtesses qui travaillent pour notre agence de nous réserver trois jours par semaine à leur choix. Il vous suffit donc de nous indiquer par téléphone, tous les vendredis avant dix-huit heures, vos jours de travail pour la semaine suivante. Si vous ne téléphonez pas, c'est nous qui fixons ces trois jours, et si vous n'avez vraiment pas de préférence particulière, ne manquez pas de nous l'indiquer afin que nous puissions faire appel à vous le cas échéant.

« N'oubliez pas de tenir compte, dans l'établissement de votre programme, de votre indisposition mensuelle. C'est curieux, mais on a souvent l'impression que les hôtesses sont toutes soumises à un cycle identique car, soudain, plus personne n'est disponible. Veuillez donc bien y veiller.

« Rien ne vous empêche de travailler plus de trois nuits par semaine si vous le désirez. Vous n'avez qu'à nous le faire savoir le vendredi après-midi, ou vous pouvez toujours appeler un soir pour nous avertir que vous êtes disponible. Pour ces nuits supplémentaires, vous pouvez venir et repartir quand vous le voulez, sinon, vous devez vous tenir prêtes pour dix-neuf heures au plus tard.

« Nous demandons également à toutes celles qui n'occupent pas un emploi à plein temps dans un bureau de commencer un jour de la semaine à seize heures, heure d'ouverture de notre agence. Vous ne pouvez imaginer combien de clients veulent rencontrer une hôtesse avant de dîner ou de se rendre à l'aéroport. Les affaires sont calmes l'après-midi, mais suffisamment encore pour assurer à celles d'entre vous qui commencent tôt une petite avance sur les autres.

« La plupart des appels nous parviennent entre dix-huit et vingt heures. Ensuite, après une petite accalmie entre vingt et vingt-deux heures trente, la sonnerie du téléphone retentit à nouveau. Vous vous sentirez peut-être découragées si nous ne vous avons pas appelées avant vingt-trois heures trente, mais il ne faut pas perdre tout espoir. Pour des raisons qui restent obscures, minuit quinze est habituellement un moment de grande activité : tout était jusque-là tranquille lorsque, soudainement, peu après minuit, trois ou quatre téléphones se mettent à sonner en même temps.

« Les soirées où vous êtes de service, vous devez nous appeler avant quinze heures trente à un numéro spécial que je vous donnerai. Le répondeur se mettra en marche, et vous n'aurez tout simplement qu'à indiquer l'heure à laquelle vous serez prête à sortir ce soir-là. " Prête à sortir " veut dire que vous êtes coiffée, maquillée, que votre sac à main est garni – je reviendrai sur ce point dans un petit moment – et que vos vêtements sont prêts à être enfilés. Si vous nous dites que vous serez prête à dix-huit heures trente, vous devez être en mesure de sortir de chez vous à dix-huit heures quarante-cinq au cas où nous aurions besoin rapidement de vous. Autrement dit, vous disposerez de quinze minutes entre le moment où nous vous appellerons et celui où vous sortirez de votre domicile.

« Lorsque vous attendez notre appel, ne quittez pas votre appartement pour quelque motif que ce soit sans nous prévenir : l'expérience montre, en effet, que c'est juste au moment où vous faites votre lessive au sous-sol ou sortez votre poubelle que nous vous appelons. Nous ne savons pas alors si vous vous êtes absentée pour deux minutes ou pour deux heures. Nous essaierons bien de vous joindre encore pendant cinq ou dix minutes, mais, en cas d'insuccès, nous nous verrons obligées d'appeler une autre hôtesse pour lui confier la réservation.

« C'est pourquoi, même si vous faites seulement un saut jusqu'à la boutique du coin pour acheter de la pâtée pour chats, n'oubliez pas d'appeler le bureau pour nous prévenir. N'allez pas vous imaginer que vous nous importunez, car nous préférons savoir où vous êtes plutôt que vous téléphoner sans succès. Pendant que j'y suis, je vous demande de ne rien entreprendre que vous ne puissiez abandonner au premier signe : si vous décidez, par exemple, de faire vos ongles ou de nettoyer votre four – je ne plaisante pas, car cela est déjà arrivé –, faites-nous savoir à quel moment vous vous serez libérée de ces tâches. C'est entre vingt et vingt-deux heures – période creuse pendant laquelle la plupart des clients d'hôtel prennent leur dîner – qu'il vaut mieux se lancer dans des occupations de ce genre. Vous serez cependant étonnée d'apprendre que de nombreux New-Yorkais rentrent chez eux vers vingt heures trente et demandent à voir une hôtesse immédiatement.

« Bien entendu, vous veillerez à ce que votre ligne de téléphone reste libre. Je vous recommande vivement le système de mise en attente des appels que la plupart des hôtesses ont fait installer chez elles. Si votre ligne est occupée pendant plus de cinq minutes, nous ferons interrompre la communication en prétextant une urgence, mais il est aussi embarrassant que difficile de trouver une explication, et cette procédure est onéreuse. N'hésitez donc pas à faire installer le système dont je viens de vous parler : il n'est pas cher, et constitue un bon investissement.

« Des hôtesses trouvent qu'il est plus commode d'avoir un " bip-bip " qui leur donne la liberté de faire leurs emplettes ou d'aller au cinéma en attendant notre appel. Voilà donc une acquisition à envisager si vous ne pouvez pas supporter l'idée de rester confinée dans votre appartement, mais n'oubliez pas que, dans ce cas, vous devez porter vos vêtements de sortie et être prêtes à partir, où que vous soyez.

« Assurez-vous que vous avez toujours un calepin et un crayon dans votre sac ou à proximité de votre téléphone. Au bureau, lorsque les téléphones commencent leur sarabande du soir et que, au surplus, le service est assuré par une seule préposée, c'est presque la panique. Vous ne serez donc pas prise au dépourvu s'il nous faut réagir vite.

« Avant d'aller plus loin, je dois vous avertir que nous n'autorisons aucune de nos hôtesses à travailler pour qui que ce soit d'autre tant qu'elles sont à notre service. Nous affirmons, par ailleurs, à nos clients que vous n'êtes pas une hôtesse professionnelle et que vous tenez cet emploi à l'occasion pour vous faire quelques petits à-côtés. Vous comprenez bien que si un de nos clients vous ayant déjà rencontrée s'adresse à une autre agence un soir où on lui a dit que toutes nos hôtesses sont réservées, il ne faudrait pas qu'il se retrouve alors avec vous, ce qui ferait mauvais effet, et pour nous, et pour vous.

« Aussi strictes que nous soyons sur le plan de la franchise, nous n'en racontons pas moins un gros mensonge à nos clients en leur affirmant que vous n'acceptez qu'un rendez-vous par soirée. Si le client croit, en effet, que vous avez déjà vu quelqu'un d'autre avant lui, il ne vous respectera pas autant, mais s'il pense que vous travaillez seulement une ou deux nuits par semaine et que vous rencontrez un seul monsieur par soirée, il aura davantage l'impression de s'être rendu à un rendez-vous fortuit, et se sentira mieux disposé à votre égard. S'il soulève cette question, expliquez-lui qu'il s'agit là d'une de nos règles les plus strictes, et que c'est l'une des raisons principales pour lesquelles vous travaillez pour moi.

« Vous avez déjà peut-être remarqué que je tiens maladivement à la ponctualité. Cela fait des années que les clients m'abreuvent de compliments : “ Vous savez, me confient-ils, non seulement cette hôtesse a grande et belle allure, mais elle arrive toujours à l'heure dite. ” Si vous êtes toujours en retard, vous serez taxée d'une amende de cinquante dollars par tranche de cinq minutes. Pensez-y.

« Il est très important aussi de veiller à votre ligne. Ces gens ne paient pas deux cents dollars de l'heure pour rencontrer une personne grosse ou flasque. Celles d'entre vous qui ont besoin de mincir savent bien ce que je veux dire. Je sais qu'il est particulièrement difficile de garder la ligne en hiver. Je dois pourtant vous préciser que je me suis vue obligée de suspendre des hôtesses qui s'étaient laissées aller. Je déteste cette éventualité, mais je n'aime pas non plus recevoir un coup de téléphone d'un client qui proteste en ces termes : “ Sheila, vous m'avez laissé entendre qu'elle était mince, mais je dois vous dire qu'elle m'a semblé plutôt appartenir à la catégorie des poids mi-lourds. ” C'est comme si on vous servait au restaurant un plat à la place d'un autre, si je peux me permettre cette comparaison. J'attends donc de vous toutes que vous ayez et que vous conserviez la ligne.

« Comme vous le savez déjà, nous préférons nous en tenir à un style classique et sobre, et n'autorisons ni les pantalons ni les jupes-culottes ni aucun vêtement de même facture. Vous devez toujours porter une jupe ou une robe, ni trop courte ni trop fantaisie. Nos clients sont, en général, des hommes d'affaires plutôt conservateurs qui n'apprécient pas toujours les articles à la dernière mode : ils se sentent beaucoup plus à l'aise avec une personne sobrement mais élégamment habillée.

« Je comprends que ce genre de toilette peut ne pas correspondre à votre style personnel mais, si cela peut vous aider, pensez que vous êtes tenues au port d'un uniforme. Il vous faudra au moins un ensemble – choisissez-le plutôt séduisant et féminin, et non pas strict, ni dans les tons bleu marine ou gris. Il vous faudra également une robe, distinguée et de coupe soignée, sans franfreluches. Si vous vous trouvez dans un restaurant en compagnie de votre client, il importe que vous paraissiez être son associée en affaires plutôt que sa petite amie, surtout si un de ses collègues vient à entrer dans le même établissement.

« Nous faisons, dans le genre sexy, une seule concession : les chaussures à talons très hauts, mais dont la hauteur vous permet tout de même d'avancer sans vous étaler. L'expérience nous ayant appris que les hommes adorent les chaussures à talons hauts, je vous conseille d'en acheter. Je peux même vous donner le nom de deux magasins qui en offrent un bon choix.

« N'oubliez jamais que ces hommes attendent toujours que la réalité dépasse la fiction. Si on vous demandait de faire une description précise d'une call-girl new-yorkaise de grande classe, vous répondriez vraisemblablement : " Eh bien, elle a des cheveux magnifiques, elle est maquillée à la perfection, elle est très jolie, habillée avec élégance, et sophistiquée. " C'est exactement la personne que nos clients veulent voir en vous.

« Je sais que vous vous dites : " Bah, je n'ai rien d'une beauté. " Mais ces hommes s'attendent à rencontrer une call-girl new-yorkaise féerique, de haute volée, et il est très important que vous répondiez à cette attente et que vous ne ressembliez nullement à la secrétaire qui travaille dans son bureau ou à l'épouse qu'il retrouve à la maison ou aux filles qu'il croise dans la rue. Vous pensez bien que ce n'est pas pour cela qu'il nous a téléphoné, car s'il voulait ce genre de fille, croyez-moi, il appellerait une autre agence et dépenserait beaucoup moins d'argent.

« Vous verrez que si vous êtes resplendissante et en êtes *persuadée*, vous passerez des moments plus agréables, car vous vous sentirez plus en confiance et vous maîtriserez mieux la situation. Vous constaterez également que, lorsque vous êtes très bien habillée et que vous avez de l'allure, vous serez mieux traitée et vous recevrez de plus gros pourboires.

« Je ne vous raconte pas d'histoires, et j'en viens ainsi à vous énoncer la règle fondamentale que vous ne devez jamais oublier : plus vous vous comporterez en grande dame, et plus il se comportera en gentleman.

« Passons maintenant aux articles que vous devrez avoir dans votre sac. Tout d'abord, un petit sac en plastique dans lequel vous aurez toujours une paire de bas de rechange et, pour éviter de tacher vos culottes, quelques protège-slips. Ayez toujours aussi une petite trousse de maquillage pour les retouches à faire sur place. A ce sujet, vous constaterez que moins votre maquillage sera élaboré et plus il vous sera facile de le refaire.

« Autres articles qui vous seront utiles : un bonnet de douche, des pastilles de bain moussant, des bonbons à la menthe – surtout si vous fumez – et de la menue monnaie pour le téléphone. Vous devrez parfois vous rendre chez un autre client après votre premier rendez-vous : vous aurez donc besoin de monnaie pour nous téléphoner d'une cabine afin de prendre note de tous les renseignements nécessaires, car il ne sera évidemment pas question de le faire en présence de votre premier client.

« Quoi d'autre? Un crayon à bille et un calepin. Un estampeur pour les cartes de crédit, dont je parlerai tout à l'heure. Pour les taxis, munissez-vous toujours de quelques coupures de cinq dollars, car les chauffeurs de taxi qui acceptent les billets de dix ou de vingt dollars ne sont pas légion, et vous n'aurez guère envie, tard le soir, de vous mettre en quête d'une boutique encore ouverte dans le quartier pour y faire de la monnaie.

« Les hôtesses de notre agence ne doivent pas, en principe, proposer de préservatifs aux clients, à moins qu'ils n'en fassent eux-mêmes la demande. Comme ils n'en ont pas toujours, gardez-en deux en réserve dans votre sac. Vous vous rendrez service en achetant les plus chers. Les condoms ordinaires sont peut-être moins onéreux, mais ils sont si épais qu'il vous faudra, croyez-moi, cinq fois plus de temps pour mener les choses à bien. Vous et votre partenaire vous en trouverez beaucoup mieux si vous achetez la qualité la meilleure.

« Bon, eh bien maintenant, représentons-nous la scène. Vous êtes chez vous, où vous vous êtes maquillée et coiffée. Votre sac a été préparé. Tout à coup, le téléphone sonne. Vous répondez, et nous vous communiquons le nom, l'adresse, l'âge et certains autres détails concernant le client comme, par exemple, sa profession et, éventuellement, quelques renseignements au sujet de sa personnalité. Tout ce que vous avez à faire est de noter son nom et son adresse.

« Si vous êtes bien organisée, dix à quinze minutes doivent vous suffire pour finir de vous habiller et quinze ou vingt minutes de plus pour rejoindre le client. Pour plus de sécurité, nous l'aviserons que vous arriverez dans quarante-cinq minutes environ.

« Si vous avez un " bip-bip ", assurez-vous qu'il est débranché avant de descendre du taxi. Un abonné peut toujours, en effet, vous appeler par erreur, et il serait embarrassant que le signal sonore de votre appareil se déclenche au moment où vous êtes en compagnie d'un client.

« Lorsque vous vous rendez dans un hôtel, veillez à bien vous remémorer le nom et le numéro de la chambre du client avant de descendre du taxi. Si un agent du service de sécurité de l'hôtel vient vous proposer son aide, il ne faudrait pas que vous sortiez un bout de papier en disant : " Euh..., je voudrais voir M. Smith, chambre 1240 ", ce qui aurait l'air suspect.

« Vous n'irez que dans les meilleurs hôtels qui sont tous pourvus de services de sécurité : certains de leurs agents sont en uniforme et d'autres non. Ils se délectent, pour la plupart, à importuner les belles de nuit parce qu'ils n'ont rien de mieux à faire et qu'ils sont jaloux du magot qu'elles sont censées se faire. Je n'ai pas besoin de vous dire qu'il faut les éviter, et que la façon dont vous êtes habillée et dont vous vous comportez vous sera bien utile à cet égard. Faites comme si vous alliez rendre visite à un vieil ami de la famille ou à votre oncle, et prenez toujours un air assuré, comme si vous aviez le droit d'être là – ce qui est incontestablement le cas. Il ne faut jamais avoir l'air coupable ni vouloir passer inaperçue, car les services de sécurité sont immédiatement alertés par ce genre de comportement. J'insiste donc sur ce point : il est très important que vous adoptiez une attitude adaptée aux circonstances.

« Certains halls d'hôtel sont si vastes et si tarabiscotés qu'on ne voit pas toujours du premier coup d'œil où se trouvent les ascenseurs. Au lieu d'essayer plus ou moins furtivement de les localiser, adressez-vous directement à un employé ou à un garde et demandez-lui : " Excusez-moi, où dois-je prendre l'ascenseur pour le douzième étage? " Jamais ils ne s'attendront à ce qu'une personne de votre condition pose pareille question.

« Donc, vous prenez l'ascenseur et vous montez. Avant de frapper à la porte du client, n'oubliez pas de jeter un coup d'œil sur votre montre, car il importe que vous sachiez à quelle heure vous êtes arrivée et que vous évitiez de faire, en présence de votre client, un geste que personne n'apprécie. Je vous indique au passage qu'il est bon d'avoir une montre qui soit facile à consulter du regard dans la pénombre. Je vous conseille aussi de ne jamais la retirer : nous avons eu une fois un client qui avait retardé la montre de l'hôtesse pendant que celle-ci était dans la salle de bains afin de la faire rester plus longtemps sans qu'elle s'en aperçoive.

« Après avoir frappé à la porte, tenez-vous deux pas en arrière. Rien n'est plus subjectif qu'un visage. Ne vous est-il pas arrivé souvent de penser, à la vue d'un type qui se trouve à l'autre bout d'une pièce : " Tiens, tiens, il n'est pas mal! ", pour finalement vous dire, cinq minutes plus tard, quand vous le voyez de plus près : " A la réflexion, je pourrais fort bien m'en passer. "

« C'est la même chose dans votre cas. Il importe que le client vous voie de pied en cap quand il ouvre la porte, qu'il ait une vision de toute votre personne et non pas seulement de votre visage. Si vous vous tenez trop près de la porte, il ne verra que lui, et sera peut-être déçu car, n'ayons pas peur de le dire, votre visage ne correspondra jamais à celui qu'il imaginait. Mais si vous vous tenez légèrement en retrait, il aura une représentation plus complète de votre personne, ce qui aura certainement sur lui un effet plus positif.

« Ici une petite mise en garde : avant d'entrer, assurez-vous qu'il est habillé. S'il ne l'est pas, dites-lui : " Oh mon Dieu, je suis vraiment navrée! J'ai dû arriver un peu en avance puisque vous n'avez pas eu le temps de finir de vous habiller. Je vais attendre ici pendant que vous vous préparez. "

« Bien sûr, il ne voudra absolument pas vous laisser attendre dans le couloir et il va vous persuader d'entrer. Vous accepterez, mais vous vous tiendrez près de la porte jusqu'à ce qu'il se soit habillé. S'il refuse d'être compréhensif, dites-lui que vous n'avez pas envie d'entrer. Quittez l'hôtel et donnez-nous un coup de téléphone pour nous informer de ce qui s'est passé.

« Supposons que tout se passe bien et que vous entrez : promenez votre regard dans la chambre et sur sa personne. Assurez-vous qu'il a l'air d'un homme avec qui vous ne jugez pas déplaisant de passer un moment. Cinq autres filles le trouveraient sans doute super, mais peut-être y a-t-il en lui quelque chose qui ne vous plaît pas? Par exemple – et cela est déjà arrivé – peut-être a-t-il laissé traîner des magazines porno dans toute la chambre, ce qu'il n'avait jamais fait auparavant? Ou peut-être l'a-t-il déjà fait – et cela n'a pas tracassé les autres hôtesses – mais vous, cela vous gêne?

« Une fois que vous êtes dans la chambre, demandez-lui si vous pouvez vous servir du téléphone. Comme vous ne rencontrerez, les premières fois, que des habitués, il sait que vous allez nous appeler. En fait, il vous invitera peut-être même à le faire, car ces messieurs se familiarisent vite avec notre processus. Appelez le bureau au numéro spécial que je vous donnerai – n'oubliez pas de composer le 9 avant les autres chiffres pour un appel extérieur – et annoncez-vous : " Bonsoir, c'est une telle qui appelle, je suis là. " De grâce, ne dites pas : " Allô, c'est moi ", car nous ne manquons pas de " moi " ici. Inutile évidemment d'en dire plus : ce n'est pas le moment de faire la conversation puisque vous êtes là pour affaires sérieuses.

« La personne qui prendra votre appel vous demandera : " Tout se passe-t-il bien? " Si vous répondez par la négative, nous essaierons de deviner la nature du problème, et vous n'aurez qu'à répondre à nos questions par " oui " ou par " non ". Si nous ne pouvons pas deviner, nous vous demanderons alors si vous voulez rester ou si vous préférez partir. Peut-être se passe-t-il quelque chose qui ne vous plaît pas particulièrement? Peut-être pensez-vous avoir été suivie dans l'ascenseur? Et peut-être tenez-vous à nous le faire savoir, même si cela n'est pas assez grave pour vous inciter à partir?

« Si vous voulez partir – ce qui n'arrivera pas très souvent et peut-être même jamais –, vous pouvez soit nous demander de nous en occuper, soit régler la question vous-même. Il vaut mieux évidemment vous en charger, mais si cela vous gêne, nous le ferons pour vous. Si quelque chose ne va pas, comportez-vous comme s'il s'agissait de votre premier rendez-vous et comme si vous ne pouviez vous résoudre à aller jusqu'au bout. Vous n'avez qu'à dire alors : " Je suis navrée : je leur avais fait promettre de ne pas vous le dire, mais c'est ma première nuit. Vous êtes vraiment très gentil et très séduisant, mais il faut que je vous dise la vérité :

je ne peux pas m'y résoudre. " Avec ce genre de propos, vous n'offenserez personne.

« Nous avons une hôtesse répondant au nom de Lindsay qui s'est rendue une fois chez un client arabe. Quand il ouvrit la porte et qu'elle vit devant elle un petit homme basané, vêtu d'une robe blanche en forme de sac, la tête couverte d'un keffieh, ce fut tout simplement au-dessus de ses forces. Elle m'appela et me fit comprendre, en répondant par monosyllabes à mes questions, que quelque chose n'allait pas.

« Je lui demandai si je devais envoyer une autre personne et, comme elle acquiesça, je lui dis de me rappeler dès qu'elle aurait quitté l'hôtel. Quand elle m'expliqua ce qui s'était passé, j'appelai le client pour m'excuser et lui proposer un rendez-vous avec Elise, qui, elle, ne se tenait plus de joie à l'idée d'aller chez lui. Eh bien, savez-vous ce qui est arrivé? Elise alla le retrouver et ils s'entendirent comme larrons en foire. La nuit suivante, ce client appela et emmena Elise dîner au restaurant. La troisième nuit, il l'emmena dans une boîte de nuit chic. Non seulement elle passa des moments extraordinaires avec lui, mais elle se fit également beaucoup d'argent. C'est pourquoi, n'oubliez jamais que, s'il vous arrive de ne pas aimer un client, une autre le trouvera peut-être fort à son goût.

« Après vous avoir débarrassée de votre manteau, le client vous demandera certainement si vous aimeriez prendre un verre. Peu de clients vous proposeront une collation et, même dans ce cas, ils ne le font généralement que par politesse. Cependant, si la soirée vient à peine de commencer et si le client n'a pas encore pris son repas, vous aurez peut-être ainsi l'occasion de partager avec lui un bon dîner. Mais, à moins qu'il ne commande quelque chose pour lui-même, dites-lui que vous avez déjà pris un petit en-cas avant de venir. Si vous sentez que le client aimerait bien que vous commandiez vous-même quelque chose, je vous conseille de demander des fruits.

« Nous ne buvons pas de boisson forte dans notre agence, ce qui veut dire ni gin-tonic, ni margarita, ni scotch. Nous buvons du Perrier, du soda, du vin et du champagne. Les clients, eux, se feront souvent un plaisir de commander une bouteille de vin ou de champagne, mais vous ne devez pas – ce qui serait déplacé – leur en faire la suggestion, car notre rôle n'est pas de pousser à la consommation. D'un autre côté, si vous précisez à votre hôte que vous aimeriez boire un verre de vin, il se peut bien qu'il ne vous offrira rien d'autre. Il vaut donc beaucoup mieux rester dans le vague en disant : " Merci, je prendrai un peu de vin. "

« Si vous préférez le champagne au vin, vous pouvez suggérer que vous aimeriez un kir royal, c'est-à-dire un verre de champagne mélangé à un doigt de cassis. S'il voit que vous aimez le champagne, le client pourra fort bien alors en commander une bouteille.

« S'il a la délicatesse de le faire, ne prenez pas alors une attitude blasée. Montrez-lui, au contraire, surtout s'il commande du dom pérignon ou du cristal, que vous appréciez beaucoup son geste. Dites-lui qu'il vous comble, qu'il est merveilleux, car il ne faut pas oublier que son désir de vous plaire n'a d'égal que le vôtre.

« Vous devez savoir que, dans certains hôtels, le personnel de l'étage travaille la main dans la main avec le service de sécurité. Aussi, chaque fois qu'un employé d'hôtel vient faire le service dans la chambre, vous devez être habillée des pieds à la tête et ne pas être assise sur les genoux du client. Si vous êtes à demi habillée au moment où on frappe à la porte, disparaissez en douceur sans montrer au client des signes d'inquiétude, en disant, par exemple : " Je vous laisse vous en occuper. Je vais un moment dans la salle de bains. "

« Je vous signale en passant que des clients prennent plaisir à se faire servir dans leur chambre en compagnie d'une belle fille à demi dévêtue pour faire étalage de leurs dons de séducteur. Vous pouvez fort bien échapper à ce moment pénible en vous excusant poliment, sans donner l'impression que vous vous sentez inquiète ou coupable.

« Si vous fumez, vous devez savoir que nos clients sont des gentlemen qui ne feront pas objection si vous leur demandez la permission d'allumer une cigarette – même si, en réalité, ils préféreraient que vous vous en absteniez. Il vaut donc mieux ne pas fumer, à moins que le client ne le fasse le premier. Abstenez-vous également de fumer pendant le trajet en taxi car, croyez-moi, rien n'est plus facile que de repérer une personne qui a fumé dans une voiture toutes vitres fermées. Au tarif auquel le client vous paie, vous pouvez fort bien éviter de fumer en sa présence, à moins qu'il ne le fasse lui-même.

« Par ailleurs, il convient, dans votre conversation avec le client, de ne pas lui parler du bureau ou de l'agence parce que, tout simplement, il ne tient pas à avouer, même à lui-même, qu'il vous a découverte en lisant les " pages jaunes " de l'annuaire. Chaque homme s'imagine qu'il fait appel à une entremetteuse privée – ou qu'il le ferait si seulement il en connaissait une – et nous nous efforçons d'entretenir cette illusion. Au lieu de : " Je dois téléphoner au bureau ", dites " Je dois téléphoner à Sheila " ou " Je dois téléphoner à Lucy ", selon la personne qui sera de service ce soir-là. Appelez-nous toujours par notre prénom et donnez l'impression que nous sommes liées d'amitié.

« Dites de nous le plus grand bien possible, parce que chaque client se plaît – comme tout un chacun – dans la meilleure des compagnies, et tient à être en relation avec l'agence à laquelle " s'adressent tous les politiciens et les diplomates ". Il n'y a aucune raison de ne pas le conforter dans cette impression. Vous pouvez, par exemple, laisser tomber négligemment que deux de nos hôtesses viennent de revenir des Caraïbes, ou que vous auriez pu aller l'autre jour à Washington en compagnie d'un diplomate éminent, mais que vous avez dû refuser pour ne pas manquer un cours important.

« Passons maintenant à une autre question : lorsque la soirée prend un tour intime, cela veut dire qu'elle n'est pas loin de se terminer et que la seule façon de la prolonger est d'entretenir la conversation. Vous devez donc savoir comment la relancer, car il ne faut pas oublier que, vous et moi, nous sommes payées à l'heure.

« Avec certains hommes, vous n'aurez qu'à vous montrer tout simplement une auditrice attentive, mais, que vous alimentiez ou non la conversation, vous devez vous tenir au courant de ce qui se passe dans le monde. Très occupés et très actifs, nos clients sont des gens dont la plupart sont souvent cités dans les nouvelles. Ne manquer pas de lire au minimum les magazines *Time* ou *Newsweek* et de regarder régulièrement l'émission " 60 Minutes ". On ne va pas vous faire passer un examen pour savoir ce que vous savez de la Banque mondiale, mais il serait bon que vous sachiez qu'il *existe* une Banque mondiale.

« Beaucoup de nos clients, soit dit en passant, sont des étrangers dont l'anglais est la deuxième langue. En leur compagnie, n'oubliez pas de parler un peu plus lentement et de mieux articuler. Une fois, l'une de nos hôtesses s'aperçut que quelque chose clochait lorsque son client lui demanda de parler " lentement plus ".

« Soyez toujours d'humeur égale et adoptez une attitude décontractée et positive. Nous avons eu des hôtesses qui croyaient, à tort, que le client s'apitoierait sur leur sort et offrirait de les aider si elles jouaient à la fille à laquelle il arrive bien des malheurs. Eh bien, c'est une erreur. Ces messieurs se font une fête de passer une soirée agréable en votre compagnie : ils ont peut-être eu une journée pénible, difficile, et ils n'ont nullement envie que l'hôtesse qu'ils ont expressément engagée pour être leur interlocutrice leur fasse part de ses malheurs. Si vous avez eu vous-même une journée astreignante et si vous ne vous sentez pas d'humeur à soutenir le rôle de la fille enjouée et amène, rendez-nous alors le service de nous prévenir que vous ne pourrez pas travailler ce soir-là.

« Certains clients estiment que c'est une vraie gageure que d'essayer d'obtenir votre nom et votre numéro de téléphone, que vous n'êtes pas, bien entendu, autorisée à communiquer. Si un client insiste, faites-nous le savoir, et nous lui en parlerons la prochaine fois qu'il nous téléphonera.

« S'il insiste particulièrement, vous pourriez lui dire, par exemple : " Sheila et moi avons passé un accord. Elle m'a promis qu'elle ne me ferait rencontrer que les personnes les plus agréables et que, si les choses ne se passaient pas bien, elle s'occuperait de tout. Je lui ai promis, de mon côté, de ne pas donner mon numéro de téléphone personnel. " S'il vous affirme que, de toute façon, Sheila n'en saura jamais rien, vous pouvez lui répondre qu'il vous est impossible de faire quelque chose de déloyal. Avec ce genre d'argument, il n'aura plus guère envie de poursuivre la discussion.

« J'en viens maintenant à la question la plus délicate de toutes : comment savoir si le client veut que vous restiez plus d'une heure? Normalement, vous êtes prévenue lorsque votre hôte vous a retenue pour une heure seulement. Mais s'il s'agit d'un nouveau client ou d'un client dont on sait qu'il garde les hôtesses pour des périodes de temps variables, il vous faudra, sans trop tarder, savoir pendant combien de temps vous devez rester chez lui.

« Votre intérêt – et le nôtre – est que vous restiez plus longtemps que prévu, mais nous ne voulons absolument pas que, par vos manœuvres, vous ayez l'air de le pousser à prendre cette décision. Pas question non plus de le prévenir cinq ou dix minutes avant l'heure en disant : " Je m'excuse, mais si vous voulez que je reste plus longtemps, ça ne sera plus le même prix. "

« Si, après une demi-heure environ passée en sa compagnie, vous en êtes toujours au stade de la conversation, il va bien falloir que vous en ayez le cœur net. Vous avez deux manières de vous en tirer. La première – la moins courageuse – est de vous excuser et d'aller à la salle de bains. Pendant que vous y serez, il regardera sûrement sa montre et, s'il estime que le temps presse et qu'il aimerait passer aux actes, il abandonnera probablement la position assise. Peut-être aussi qu'il ne se lèvera pas et se contentera de dénouer sa cravate ou d'indiquer par tout autre signe qu'il est prêt à explorer le royaume du Tendre.

« Que faire cependant s'il est resté assis exactement à la même place où vous l'avez laissé? Dans ce cas, il n'y a pas d'autre solution que d'aller droit au but en lui tenant, par exemple, les propos suivants : " J'ai jeté un coup d'œil sur ma montre lorsque j'étais dans la salle de bains. Je ne croyais pas qu'il pouvait être aussi tard. Je passe un si bon moment en votre compagnie et vous êtes si intéressant que je n'ai pas vu le temps filer. Ce n'est pas que je veuille vous presser, mais je dois appeler Sheila dans un petit moment pour qu'elle sache si je dois rester ou partir. "

« C'est à ce moment-là que vous devez avoir l'air un peu troublée. Vous n'allez pas, bien entendu, lui demander brutalement s'il veut que vous restiez un peu plus longtemps, mais vous aimeriez pourtant bien connaître la réponse. Plus vous aurez l'air embarrassé et moins vous semblerez mener votre petit jeu. Il comprendra sans doute la situation et suggérera : “ Eh bien, pourquoi ne pas nous mettre plus à l'aise maintenant? ” Ou bien, il vous proposera d'appeler Sheila pour la prévenir qu'il aimerait que vous restiez une heure de plus.

« La deuxième solution est de ne pas faire un petit tour dans la salle de bains, et d'aller droit au fait. Avec un peu d'astuce, vous pourrez amener comme par hasard la conversation sur la question de l'heure sans donner toutefois l'impression d'avoir avalé un chronomètre.

« Je suppose maintenant qu'il vous a demandé de rester une heure de plus. Si c'est un habitué qui a déjà eu recours à nous plusieurs fois, il sait qu'il doit payer le prix de cette deuxième heure. Je vais pourtant vous surprendre si je vous révèle que beaucoup de ces messieurs en viennent à se persuader qu'ils vous plaisent tellement que vous ne pouvez que consentir à rester une heure de plus pour leurs beaux yeux! Vous n'allez peut-être pas me croire, mais ça se passe ainsi beaucoup plus souvent qu'on ne le pense.

« Voilà pourquoi vous devez nous appeler et nous dire : “ Bonsoir, Amy au téléphone. M. Jones vient de me dire qu'il aimerait que je reste une heure de plus. ” Nous vous demanderons alors si vous avez tous les deux parlé de la rémunération de vos services supplémentaires. Il est parfois plus facile que le client en parle avec vous. Il s'exclamera : “ Mais alors, si je vous fais rester une heure de plus, combien cela coûtera-t-il? ” Et vous répondrez : “ La même chose que pour la première heure ”, sans annoncer un prix, car si vous citez un chiffre précis, vous donnez à l'affaire une tournure beaucoup trop mercantile.

« Après nous avoir parlé, faites venir le client au téléphone et nous lui dirons : “ Nous sommes vraiment heureuses qu'Amy vous plaise. Elle vient de nous faire savoir que vous aimeriez la garder auprès de vous une heure de plus, et nous nous demandions comment vous voudriez nous régler. ”

« Nous autorisons également un client à prolonger la visite d'une demi-heure supplémentaire moyennant un prix légèrement supérieur à la moitié du tarif horaire. N'essayez pas de rester une heure entière de plus s'il ne l'a pas demandé, car cela ne serait pas correct vis-à-vis de lui et serait contraire à l'éthique de notre entreprise. Ménagez son portefeuille : tous les clients n'ont pas la possibilité de faire usage de la carte de crédit de leur société pour régler leurs dépenses. Ceux qui ont un revenu de cent soixante-quinze mille dollars par an peuvent fort bien ne pas regarder à dépenser cent soixante-quinze dollars de plus, mais pour un homme qui gagne, disons, soixante-dix mille dollars, dont la femme ne travaille pas, et qui a deux gosses, quatre-vingt-dix dollars de plus représentent une certaine somme.

« Certains de nos clients – et vous en rencontrerez plus d'un – sont très fortunés, mais n'allez pas croire qu'ils le sont tous. Il arrive parfois que la soirée qu'un client passe avec vous soit, pour lui, sa plus grande folie de l'année.

« Presque toujours lorsque le client veut passer aux affaires sérieuses, il vous dira : " Mettons-nous à notre aise ", ou emploiera une formule du même genre. J'ai eu une fois une hôtesse étrangère qui, ignorant le sens de cette expression, avait répondu : " Merci, mais *je me sens* très à l'aise. "

« Au début, nous ne vous adresserons qu'à des habitués que nous connaissons fort bien, qui ont eu déjà recours à nous de nombreuses fois et qui prennent vraiment plaisir, en général, à rencontrer de nouvelles filles. Vos trois ou quatre premières visites seront toutes votre " première " visite, et vous aurez donc ainsi une bonne excuse si vous êtes un peu nerveuse. Ces clients seront tous gentils et tiendront le plus grand compte du fait que vous êtes nouvelle dans l'emploi.

« Je dois vous prévenir maintenant que ces messieurs savoureront la scène de votre déshabillage, parce qu'il n'est pas question que vous alliez dans la salle de bains pour en sortir dans le plus simple appareil, comme si vous jaillissiez d'une revue des Folies Bergères. Si nous vous faisons porter des articles de lingerie raffinée, c'est parce que les clients les apprécient particulièrement. Je ne vous demande pas de faire un numéro d'effeuillage, surtout si ce genre d'exercice vous met mal à l'aise. Je sais cependant que les hôtesses qui s'y sont résolues ont suscité des réactions enthousiastes, et je pense que vous savez toutes qu'il y a une manière suggestive de se déshabiller.

« Suspendez avec soin tous vos vêtements, mais de façon discrète. Il n'est pas question, bien entendu, de jeter sur une chaise des vêtements de prix, mais ne vous montrez pas non plus trop maniaque en les rangeant de la même façon que vous le feriez le soir chez vous.

« Lorsque vous êtes déshabillée, certains des clients peuvent vous demander de faire le tour de la chambre ou de prendre quelques poses comme si vous étiez un mannequin. Celles d'entre vous qui n'ont jamais été mannequin auront peut-être le sentiment d'être un peu ridicules, mais n'oubliez pas que les mannequins professionnels gagnent probablement cent dollars de l'heure, c'est-à-dire le même salaire que vous. D'ailleurs, personne ne vous prendra en photo et personne ne vous verra, à l'exception du client. Vous vous sentirez peut-être plus à l'aise si vous prenez la peine de vous exercer auparavant chez vous, devant un miroir, afin d'étudier les attitudes qui vous font apparaître sexy et désirable. Il faut savoir qu'il est trop embarrassant pour la majorité des hommes de demander à leur femme ou à leur petite amie de se livrer à cet exercice, et que celle-ci, même *si elle en était priée*, serait trop gênée pour y consentir. N'oubliez donc pas que c'est là l'une des faveurs pour lesquelles vous êtes payée.

« Pendant que j'y suis, laissez-moi vous donner un petit conseil concernant votre porte-jarretelles et vos bas. Chez vous, quand vous vous habillez, n'oubliez pas de les enfiler en premier, avant votre slip. Comme vous le verrez, bon nombre de ces messieurs aiment que vous les gardiez tout le temps sur vous, mais cela ne faciliterait pas les choses si vous ne pouviez enlever votre slip!

« Bien qu'ils sachent parfaitement que vous n'êtes pas venue pour leurs beaux yeux, ils ne tiennent cependant pas à ce que vous le leur rappeliez. L'important est donc qu'ils n'aient pas l'impression que vous les trouvez répugnants ou peu appétissants. J'insiste sur ce point : ils veulent vraiment être aimés, enlacés, embrassés et caressés. Ils veulent sentir qu'ils vous plaisent, qu'ils vous intéressent et que leur compagnie vous est agréable.

« Avant de batifoler, il faut pourtant vous livrer à une petite inspection pour bien vous assurer qu'ils ne présentent rien de suspect qu'ils pourraient vous transmettre. Nous savons toutes qu'ils aiment bien que vous leur rendiez une petite visite de ce côté-là, ce qui m'amène à vous indiquer les signes qu'il faut rechercher pendant vos explorations.

(Ici, je fais un petit cours à mes auditrices sur la façon de repérer les tumeurs vénériennes, l'herpès et autres symptômes indésirables.)

« Vous allez me dire, d'accord, mais s'il éteint la lumière? Eh bien, que vous le croyiez ou non, je n'ai entendu parler qu'une seule fois d'un homme qui voulait toujours rester dans l'obscurité la plus complète. Si cela vous arrive, dites-lui alors que vous le trouvez si bien fait de sa personne que vous voudriez le contempler. Si ça ne marche pas – ou si de tels propos vous semblent trop ridicules – dites-lui tout simplement que vous prenez soin de votre santé, et que vous espérez qu'il comprendra. Cela ne lui fera peut-être pas plaisir, mais il recevra très bien le message.

« Que faire si vous remarquez quelque chose? Tout d'abord, il ne faut pas l'effrayer. Croyez-moi, il sera suffisamment choqué lorsqu'il s'apercevra que vous avez constaté une anomalie. Essayez donc de lui annoncer la nouvelle avec délicatesse en disant par exemple : " Je présume que vous n'allez pas souvent vérifier à cet endroit, mais je vois là un petit renflement. Il n'y a sans doute pas de quoi s'inquiéter mais, à votre place, je me ferais examiner par un médecin. "

« Dans ce cas-là, la plupart des clients protestent – non pas parce qu'ils voudraient vous faire croire que ce n'est pas vrai, mais parce qu'ils ne veulent pas se rendre à l'évidence. Il vous arrivera d'entendre des excuses du genre de : “ Ma fermeture Éclair s'est coincée ”, ou de voir des clients se fâcher à l'annonce de cette mauvaise nouvelle. Ne vous laissez pas impressionner et expliquez-leur que vous n'êtes pas médecin, que vous pouvez vous tromper, mais que vous tenez à prendre grand soin de votre santé.

« Ce n'est pas que je veuille vous inquiéter – ce genre de chose ne nous est, en fait, arrivé que deux ou trois fois –, mais je tiens à ce que vous soyez prêtes à toute éventualité. Pas de souci à vous faire également pour la question monétaire, dont je m'occuperai. Prenez simplement congé avec tout le tact possible, et appelez le bureau après votre départ.

« Il faut que je vous dise maintenant que certains messieurs, surtout d'origine anglaise ou française, ne se douchent pas aussi souvent qu'ils le devraient. Nos clients arabes sont, au contraire, remarquablement propres, certains se lavant même avant, pendant et après. Mais si vous estimez que le monsieur en votre compagnie aurait intérêt à prendre un bain avant que les choses n'aillent plus loin, dites-lui, par exemple, que vous avez de la poudre pour bain moussant et qu'il serait amusant de vous retrouver tous les deux dans la baignoire. Notez, au passage, qu'un bain moussant s'harmonise particulièrement bien avec du champagne, au cas où il en aurait commandé.

« S'il n'accepte pas, vous pouvez lui suggérer d'aller prendre une bonne douche et de le savonner. S'il ne comprend toujours pas, regardez-le droit dans les yeux et avertissez-le : “ Eh bien, puisque c'est comme ça, je vais attendre pendant que vous allez sous la douche. ” Pas question de lui en faire grâce : il faudra qu'il la prenne si elle s'impose vraiment. Au cas où il n'y aurait absolument rien à faire, vous pouvez lui dire : “ J'espère que vous comprenez que je suis très délicate. Je me suis douchée avant de partir de chez moi, et il me semble normal d'attendre de vous la même attention. Si vous n'y tenez pas, je me ferais alors un plaisir de vous quitter. ”

« Aucun de nos clients n'a encore provoqué ce genre d'incident, et j'espère que cela n'arrivera jamais, mais, là encore, il est bon que vous soyez prévenues et assurées que, si vous devez partir, c'est moi qui vous réglerai. Je veux tout simplement que vous sachiez que vous n'avez pas à supporter les puissants effluves émanant de votre partenaire.

« Passons maintenant à un autre sujet : bien souvent, les hôtesses viennent me voir après quelques visites et me confient : “ Sheila, je ne dois pas savoir comment m'y prendre, car ils ne savent rien faire d'autre que rester immobiles comme des momies. ” C’est, ma foi, vrai : beaucoup d’hommes, en effet, ne bougent pas plus que des momies. Aujourd’hui, à cause de tous ces mouvements de libération féminine, ils sont parfois intimidés et se demandent s’ils sauront contenter une femme au lit – c’est d’ailleurs l’une des raisons pour lesquelles certains clients s’adressent à nous. Ils estiment qu’ils ne sont pas là pour faire leurs preuves. Ils vous imaginent aussi très expérimentées et redoutent, de ce fait, que vous ne les trouviez bien faibles au déduit. D’autres estiment que, puisqu’ils paient pour cela, ils ont bien le droit de ne pas prendre d’initiative. A vous donc de juger et de faire pour le mieux.

« S’ils vous sollicitent pour certaines polissonneries qui ne vous offusquent pas trop, accédez à leur désir. Certains vous demanderont de dire des obscénités et, si cela ne vous embarrasse pas, n’hésitez pas à les contenter. Sinon, refusez en ces termes : “ Vous allez peut-être me juger stupide, mais je ne me sens pas très douée pour ce genre de chose. Je m’excuse, et j’espère que vous comprendrez. ”

« D’autres voudront peut-être que vous vous caressiez pendant qu’ils contemplent la scène: là encore, c’est la même règle qui s’applique. Vous ne faites que ce qui ne vous est pas insupportable. Il peut arriver parfois qu’ils veuillent sacrifier à l’autre autel d’amour, ce qu’on appelle techniquement faire l’amour “ à la grecque ”. Nous l’interdisons formellement : sous aucun prétexte, les hôtesses ne doivent permettre aux clients d’honorer ces lieux. Peu importe la somme d’argent qu’ils vous proposent, cette pratique est absolument interdite pour des raisons sanitaires.

« A propos, il n’est pas question que les clients utilisent des vibrateurs. Pour éviter toute discussion avec votre partenaire, il vaut mieux lui dire tout simplement : “ Sheila ne m’y autorise pas ”, ce qui lui enlèvera l’envie de continuer à ergoter. S’il insiste, n’hésitez pas à lui signifier : “ Je vois que je ne vous donne pas satisfaction. Il vaudrait donc mieux que je parte. Je dirai à l’agence que vous préférez d’autres amusements, et elle pourra peut-être vous adresser à quelqu’un d’autre. ” Croyez-moi, il aura alors une peur de tous les diables, car il ne tiendra pas du tout à être rayé de nos listes.

« J’en viens à présent à une autre question également délicate : de nombreuses hôtesses me demandent jusqu’à quel point elles doivent montrer qu’elles éprouvent du plaisir. Vous avez sans doute entendu dire qu’une call-girl ne prend aucun plaisir dans l’exercice de sa profession, ce qui est faux, comme peuvent le constater nombre de nos hôtesses. Il est bien évident que votre plaisir dépendra de votre partenaire. Mais ces messieurs sont souvent charmants et aimables et, d’après ce qu’on me dit, se révèlent être parfois de très bons amants. Vous verrez, vous serez sans doute étonnée par vos réactions.

« Est-ce que vous devez prétendre que c'était " bon ", même si ça ne l'était pas? Dans la plupart des cas, la réponse est non, surtout si le monsieur n'a pas consacré beaucoup de temps ni d'efforts à vous donner du plaisir. Et puis ces hommes ne sont pas idiots : si vous faites du cinéma, vous insulterez à leur intelligence. D'un autre côté, si votre partenaire se démène pour que vous partagiez son plaisir, ou s'il est évident qu'il n'aura point de cesse tant qu'il ne sentira pas que votre plaisir accompagne le sien, vous pourrez alors envisager de donner un peu plus de relief à cet exercice au moment fatidique, mais, de grâce, avec du doigté : il ne faut quand même pas ameuter tout le quartier!

« Puisque je traite de questions délicates, j'évoquerai maintenant un détail, dont je n'aime pas particulièrement parler, mais à propos duquel je tiens à préciser notre position pour éviter certains malentendus qui se sont produits dans le passé.

« Je veux parler de ces messieurs qui préfèrent ne pas finir normalement mais – comment dirais-je – par la voie buccale. Tout de suite, une précision : vous n'êtes pas obligée d'avaler. J'ai pourtant eu un client qui m'a téléphoné pour se plaindre de son hôtesse parce que celle-ci s'était précipitée dans la salle de bains pour tout recracher. Naturellement, à deux cents dollars de l'heure, il a été un peu choqué par cette réaction – et il faut le comprendre.

(Ici, j'indique à mes candidates quelques petites techniques leur permettant de ne pas avaler, à l'insu du client. Comme il s'agit d'une mimique, il ne m'est pas possible de la traduire par des mots.)

« Que va-t-il se passer quand tout est consommé et qu'il vous reste, disons, quinze à vingt minutes avant la fin de la visite? Ces messieurs ont parfaitement le droit de " trouver le bonheur ", comme nous aimons à le dire ici, deux fois dans l'heure, mais vous n'allez pas, bien sûr, leur fournir spontanément ce renseignement. S'ils agitent – c'est le cas de le dire – la question, c'est à vous de la régler. Sinon, vous n'avez pas de souci à vous faire : vous verrez probablement plus de clients qui ne font rien du tout que de clients prêts à récidiver. Je ne pense donc pas que vous ayez à régler ce problème souvent.

« S'il ne vous reste que quelques minutes et si le client est toujours aussi gaillard, vous n'aurez qu'à lui susurrer : " J'aimerais bien, mais je déteste précipiter les choses, ce qui, d'ailleurs, ne serait pas honnête. Pourquoi n'appelez-vous pas Sheila pour l'avertir que je vais rester une demi-heure de plus? "

« Personne ne se sentira ainsi bousculé. En général, *quels que soient vos actes ou vos suggestions, arrangez-vous toujours pour lui donner l'impression que vous agissez pour son plaisir et son agrément.*

« Que faire pourtant si vous n'avez pas envie de bisser votre couplet? Une bonne solution : dites-lui que vous allez lui faire un massage dont il se souviendra. Vous le faites mettre à plat ventre et vous lui massez doucement le dos. Croyez-moi sur parole, au bout de dix ou quinze minutes, il ne pensera plus qu'à sombrer dans les bras de Morphée, et non dans les vôtres.

« J'allais oublier une chose qu'il ne faut *absolument pas* faire quand tout est fini : sauter à bas du lit, courir dans la salle de bains et faire énergiquement vos ablutions comme si vous vouliez vous purifier. Votre partenaire se sentirait blessé par un tel comportement. N'oubliez pas qu'il a sans doute pris soin de faire toilette en votre honneur, et qu'il n'aimerait pas que vous pensiez qu'il se néglige. Faites donc bien attention à cela.

« Après les effusions, restez près de lui et caressez-le en vous efforçant de prolonger la langueur amoureuse. Ensuite, cinq ou dix minutes avant l'heure du départ, vous laisserez tomber d'une voix aux intonations attristées : " Oh mon Dieu! Je crains bien de n'avoir que le temps de me préparer à partir. " Ajoutez aussitôt après : " Restez là, je reviens tout de suite. " Allez dans la salle de bains, prenez un gant humecté d'eau chaude et une serviette, et revenez vite lui faire votre petit numéro de geisha. Il ne serait, en effet, pas correct que vous accapariez la salle de bains sans donner à ce pauvre homme une chance de se rafraîchir.

« Je sais que cela a l'air bizarre, mais ces messieurs préfèrent généralement s'habiller pour vous souhaiter le bonsoir. Il vaudra donc mieux demander à votre client s'il veut utiliser la salle de bains avant vous. Comme il déclinera sans doute votre invite, vous rassemblerez vos affaires et vous passerez dans cette pièce la première.

« Ce que je vais vous dire va vous paraître idiot, mais dès que vous aurez refermé la porte, sautillez sur place et laissez jouer les lois de la pesanteur afin d'éviter de souiller ensuite votre slip. Sinon, vous allez vous trouver dans l'ascenseur et, tout à coup – zouit! Mais, de grâce, faites vos petits sautillements discrètement!

« Regardez-vous ensuite dans le miroir pour évaluer les dégâts. Parfois, tout un côté de votre visage aura souffert. Parfois, vous serez encore impeccable et superbe et, parfois encore, vous aurez l'air complètement ravagé. Maquillez-vous toujours légèrement, car vous ne disposerez que de cinq minutes environ pour vous refaire une beauté.

« Il faut d'ailleurs que vous soyez aussi séduisante à votre départ qu'à votre arrivée, d'abord pour laisser au client un bon souvenir de votre personne et, ensuite, pour ne pas attirer l'attention du portier ou des agents du service de sécurité qui pourraient, sinon, remarquer que votre aspect a changé depuis votre entrée dans les lieux. De plus, au cas où vous seriez envoyée à un autre rendez-vous, il faut que le deuxième client soit aussi impressionné par votre allure que le premier. Et n'allez pas croire que vous pouvez vous maquiller dans le taxi. Vous devez vous refaire une beauté dans la salle de bains, où il y a un miroir et un bon éclairage – j'y tiens.

« Il arrive que certains clients nous fassent toute une histoire lorsque les filles prennent une douche chez eux. Parfois, vous pouvez occuper la salle de bains pendant dix minutes sans qu'ils trouvent rien à redire et, parfois, ils me téléphonent pour se plaindre de ce que vous l'avez mobilisée pendant une heure, alors que, en fait, vous n'y êtes restée que cinq minutes pour prendre une douche. Je ne sais pas pourquoi ils font tant d'histoires à ce sujet. Par conséquent, le mieux serait de vous contenter de vous passer un coup d'éponge. Cependant, si vous ne pouvez absolument pas vous priver d'une douche, prenez votre bonnet et allez-y, mais faites vite.

« Nous en arrivons maintenant au moment de vérité, que le client trouve bien souvent embarrassant : celui où il doit vous payer. Il peut procéder de diverses manières : ou il vous remet l'argent sous enveloppe, ou il le glisse dans votre sac ou dans une poche de votre manteau, ou il le laisse sur la table, ou encore il vous le donne directement. De toute façon, s'il vous règle en espèces, la responsabilité vous incombe de bien vérifier le compte avant de partir. Je sais que cela crée une certaine gêne, et je vous suggère, pour la dissiper, de laisser tomber négligemment : " J'ai horreur de devoir compter tout cela devant vous, mais j'espère que vous comprendrez que je suis responsable de cette vérification. "

« Parfois, l'argent vous est remis avant que vous appeliez le bureau pour nous informer de votre départ, parfois après. Au téléphone, le petit dialogue est le suivant : " Allô, c'est Amy. Je vais partir ", et nous répondons : " D'accord. Vous avez les cent quatre-vingt-quinze dollars? "

« Au cas où vous n'avez pas encore été réglée, avertissez le client : " D'après Sheila, c'est cent quatre-vingt-quinze dollars. " Si vous répugnez à parler finance avec le client, passez-lui le combiné, et nous nous arrangerons avec lui. Nous pouvons bien faire ce petit effort, puisque vous nous versez une commission.

« S'il vous doit cent quatre-vingt-quinze dollars, l'un de nos tarifs horaires (c'était le tarif en 1984), et s'il est assez pingre pour vous demander la monnaie, rendez-lui un billet de cinq dollars, à condition qu'il vous reste des petites coupures pour le taxi. Vous ne devez pas rentrer chez vous en taxi avec, en tout et pour tout, deux billets de cent dollars dans le portefeuille et vous trouver ainsi dans une situation aussi pénible que si vous n'aviez pas un sou.

« Au client qui vous doit cent soixant-quinze dollars et vous demande la monnaie sur les deux cents dollars qu'il vous a remis, ce qui est plus compréhensible, vous rendez vingt-cinq dollars si vous les avez. A défaut, suggérez-lui, s'il tient vraiment à sa monnaie, de nous appeler au bureau pour que cette somme soit portée à son crédit et vienne en déduction de ce qu'il devra à l'occasion de son prochain rendez-vous.

« Il peut arriver que le compte n'y soit pas et qu'il ne vous ait pas versé tout ce que vous étiez censée recevoir. Dans ce cas, vous devez toujours faire comme s'il s'agissait d'une erreur. Par exemple, vous avez compté deux fois, et au lieu des sept cent cinquante dollars convenus, vous n'en avez que six cent cinquante. Il vous suffira de dire : “ Je suis sûre que Sheila m'a prévenue que je devais recevoir sept cent cinquante dollars, mais je viens de compter, et il me semble qu'il n'y en a que six cent cinquante. Voudriez-vous recompter avec moi? ”

« S'il reconnaît que vous avez raison, le client ne fera généralement pas de difficulté pour régler la différence. Mais s'il essaie de s'en tirer à bon compte en se montrant désagréable et en soutenant qu'il ne devait payer que six cent cinquante dollars, dites-lui : “ Fort bien. Je vais vérifier en appelant Sheila. ” Quand vous nous avez au bout du fil, vous direz : “ Bonsoir, ici Amy. Je voudrais seulement me faire confirmer la somme que me doit le client. Il ne m'a donné que six cent cinquante dollars. ” Nous vous demanderons ensuite si vous avez des ennuis. Sur votre réponse affirmative, vous nous laisserez alors lui parler.

« Du moment que vous nous aurez donné ainsi la possibilité d'essayer de le faire payer, vous serez intégralement rémunérée, même si nous échouons. Inutile par conséquent de nous dire en pleurnichant à votre retour au bureau : “ C'est tout ce qu'il m'a donné ”, car il serait alors trop tard.

« Lorsque vous nous appellerez pour nous avertir que vous êtes sur le point de partir, nous utiliserons le langage convenu suivant : “ D'accord, très bien, à bientôt ”, voulant dire que vous devez revenir au bureau. Ou bien : “ D'accord, appelez-moi de chez vous ”, signifiant que c'est exactement ce que vous devez faire. Quelquefois, nous vous informerons qu'un deuxième client vous attend, et vous devrez nous rappeler d'une cabine téléphonique extérieure. Nous essaierons de vous indiquer le nom de l'hôtel où il est descendu afin que vous sachiez où diriger vos pas, mais il faudra, après avoir quitté le premier client, nous rappeler pour obtenir davantage de renseignements.

« N'oubliez pas, avant de partir, de remercier le client d'avoir fait appel à nos services, de l'assurer que vous avez passé un moment très agréable en sa compagnie et de le remercier encore s'il vous donne un pourboire. Si celui-ci est supérieur à vingt dollars ou, mieux encore, à cinquante et plus, montrez-lui aussi que vous êtes très touchée par sa générosité. N'acceptez pas comme un dû ou comme une chose sans importance ce pourboire qu'il vient de vous donner pour vous remercier, bien sûr, mais aussi pour vous faire plaisir.

« Le pourboire est à vous – entièrement. Mais ne manquez pas de nous faire savoir au bureau que vous l'avez reçu, car la prochaine fois que ce monsieur nous appellera, nous essaierons de lui envoyer une autre hôtesse qui n'en a pas eu depuis longtemps, à moins qu'il ne vous ait expressément redemandée. Bien entendu, vous aurez droit à la même sollicitude en une autre occasion.

« Je vous déconseille d'utiliser les téléphones réservés au public dans le hall de l'hôtel. Nombreuses sont, en effet, les filles qui travaillent pour une demi-douzaine d'agences de bas étage et qui, à l'issue d'une visite, vont écouter leur répondeur pour repartir à un autre rendez-vous. Elles essaient même d'organiser leurs soirées de façon à avoir deux ou trois clients dans le même hôtel. Les types du service de sécurité de l'hôtel le savent fort bien et rôdent souvent autour des téléphones. C'est pourquoi il vaut mieux passer le moins de temps possible dans le hall et ne pas se servir des téléphones mis à la disposition du public à proximité. Utilisez-les seulement si nous vous avons prévenue que le règlement de l'hôtel exige que vous appeliez la chambre avant de monter. Sinon, traversez dignement le hall, comme si vous étiez une cliente de l'établissement.

« Et maintenant, avant de lever la séance, je vais demander à chacune d'entre vous d'aller dans le vestiaire qui est là-bas et de vous déshabiller. Je vais jeter un rapide coup d'œil sur votre personne, non pas directement, mais dans ce grand miroir qui la reflètera. Croyez-moi, je ne le fais pas pour mon plaisir, et je comprends très bien que cela puisse vous mettre mal à l'aise, car je n'aimerais guère me plier moi-même à ce genre de formalité.

« Je procède à cette petite inspection depuis que, deux mois environ après l'ouverture de l'agence, un client m'a appelée pour se plaindre de ce que l'hôtesse que nous lui avions envoyée avait un énorme dragon tatoué sur le dos. Un client m'a également appris qu'une autre fille avait, sur la poitrine, d'horribles cicatrices laissées par une implantation mammaire. J'espère ainsi que vous comprendrez pourquoi je me dois de passer cette petite revue.

« Pendant que vous déshabillerez, je me tiendrai derrière la porte et vous poserai des questions pour la tenue de mon fichier.

Je vous demanderai, par exemple, si vous partagez votre appartement. Je vous interrogerai sur vos antécédents afin que nous puissions faire une description de vous à nos clients. De votre côté, vous me préciserez s'il y a certains types d'hommes ou de groupes ethniques que vous préférez ne pas rencontrer. Vous m'indiquerez aussi si vous acceptez d'aller chez des clients qui prennent de la drogue. Après que vous vous serez rhabillée, nous choisirons ensemble votre nom d'emprunt, et vous pourrez ensuite partir.

« Ce soir, ou le jour où vous commencerez, il serait bon que vous veniez au bureau pour connaître notre lieu de travail et vous présenter à celle de mes assistantes qui sera de service. Celle-ci pourra ainsi se faire une idée de votre personnalité et déterminer plus facilement le genre de client qui vous conviendra. N'oubliez surtout pas de nous téléphoner ce soir pour nous signaler vos moments de liberté pendant le reste de la semaine.

« Je n'ai plus rien à ajouter pour le moment. Avez-vous des questions à poser? »

6

Je me rappelle encore le nom de notre premier client, un homme d'affaires londonien de passage au Plaza, qui avait lu notre annonce dans l'*International Herald Tribune*. Il régalait l'un de ses associés, et nous lui avions envoyé deux hôtesses pour la soirée entière : dîner, boîte de nuit et tout le reste. (Nous avions cependant édicté une règle stricte : chaque fois que des hôtesses allaient officier à deux ou en groupe, « tout le reste » de la soirée devait se passer dans des chambres séparées, l'échange de partenaires n'étant pas permis.) Lucy et moi étions particulièrement surexcitées pour la bonne raison que, jusqu'alors, nos services n'avaient été sollicités que pour une heure ou deux. Tels des parents dont les deux filles sont allées à la sauterie de leur lycée, nous avons attendu anxieusement jusqu'à deux heures trente du matin – le moment où les hôtesses nous appelèrent pour nous dire qu'elles étaient rentrées chez elles sans encombre, tout heureuses, leur compte en banque enrichi de deux cents dollars.

Quelques jours plus tard, nous fûmes sollicitées par un homme qui voulait louer les services de deux hôtesses pour un enterrement de vie de garçon. Dès que je l'entendis employer cette expression, je lui dis que nous n'étions pas intéressées. En effet, j'avais appris, en me renseignant à droite et à gauche, qu'une fille retenue pour l'une de ces soirées devait souvent avoir des relations sexuelles avec tous les participants ou, dans certains cas, avec le futur marié seulement, dont la prestation était saluée par les vifs encouragements des autres invités. Il n'était pas question d'envoyer nos hôtesses à ces sortes de cérémonie, et je suggérai à notre interlocuteur de se mettre en rapport avec une autre agence.

– Vous n'y êtes pas, protesta-t-il. Je sais à quoi vous pensez, mais ce n'est pas du tout ce qui m'intéresse.

Il avait appelé notre agence parce qu'il admirait notre publicité et que l'idée lui était venue d'organiser pour son meilleur ami, le futur marié, une soirée de bon ton à laquelle devait participer, en tenue de soirée, un groupe d'étudiants fraîchement diplômés de Princeton. Il voulait tout simplement que deux de nos filles jouent le rôle des petites amies qu'avaient connues autrefois le futur marié et son garçon d'honneur. Il m'assura que nos hôtesses n'auraient que des relations purement mondaines avec les autres invités.

Il m'inspira confiance, et deux de nos filles ne demandèrent pas mieux d'ailleurs que de se porter volontaires. La partie fut, en fait, un dîner servi à bord d'un des navires qui promènent les touristes autour de Manhattan. Nos filles avaient été accueillies par le garçon d'honneur au bar de l'hôtel Carlyle, où les attendait une voiture de maître qui les emmena jusqu'au quai.

– J'aurais voulu que vous voyiez le futur marié, me dit plus tard Clarissa. Non seulement il portait un smoking, mais il était chaussé de souliers vernis dont l'empeigne était ornée d'un *nœud*. Les invités, dont quatre d'entre eux étaient venus exprès de Londres par le Concorde, étaient tous très aimables et très distingués. Si seulement je pouvais rencontrer des hommes comme ceux-là dans la vie!

Pour Clarissa, cette réception fut un véritable événement. Blonde, les pommettes rouges, c'était une fille de la campagne qui était venue de l'Ohio sur la côte Est pour faire ses études de vétérinaire. Elle a travaillé pour notre agence cinq nuits par semaine pendant deux ans pour payer ses études. C'était sa première visite, et je fus à la fois heureuse et soulagée d'apprendre qu'elle avait passé un moment aussi agréable.

Chaque fois qu'une hôtesse revenait d'un rendez-vous avec un nouveau client, nous notions la description qu'elle nous en faisait dans un registre, dont chaque feuille mobile contenait toutes indications utiles concernant un habitué. Même si ce monsieur ne faisait appel à nos services qu'une seule fois, nous conservions un certain nombre de renseignements le concernant : son nom, son adresse et son numéro de téléphone (s'il vivait à New York), les circonstances dans lesquelles il avait entendu parler de nous, le numéro de sa carte de crédit, s'il utilisait ce mode de règlement, ou le numéro de son permis de conduire, s'il nous payait par chèque. Nous notions également certains détails relatifs à sa personne, notamment son âge, son lieu de résidence, ses centres d'intérêt, la nature de ses affaires ou sa profession, ainsi qu'un petit commentaire sur sa personnalité, sa façon de converser et le genre de fille qu'il préférait.

Contrairement à ce qu'affirmèrent certains articles parus dans la presse après la cessation brutale de nos activités, ce registre ne portait aucune indication concernant les préférences sexuelles du client, si ce n'est que les lettres majuscules LP (Long Phallus) désignaient un homme particulièrement *bien* monté. (A l'origine, nous avions choisi SM (Superbe Membre), mais je me rendis compte que ces sigles pourraient éventuellement être interprétés par la police comme désignant le sadisme et le masochisme, qui n'étaient nullement des spécialités de la maison.) La seule mention de caractère sexuel qui pouvait apparaître sur la fiche du client était l'expression « facile », signifiant que les effusions de la soirée étaient menées tambour battant.

Au verso de la page, nous énumérions le nom de chaque fille rencontrée par le client, la date et la durée de la visite et, le cas échéant, le montant du pourboire.

Si nous n'avons pas eu de gros ennuis pendant notre première année, nous avons tout de même connu quelques moments difficiles. Arlene, une beauté aux yeux sombres qui, dans la journée, exerçait la profession de juriste à Wall Street, se trompa une fois de chambre au Waldorf Towers, où il était difficile, en raison de la forme tarabiscotée de la lettre accolée au numéro des portes, de faire la différence entre la chambre 18T, où le client l'attendait, et la chambre 18J, qui se trouvait au bout du couloir. Arlene frappa par inadvertance à la mauvaise porte. Un monsieur à l'apparence distinguée l'ayant accueillie avec empressement, elle nous téléphona pour nous dire qu'elle était bien arrivée, puis se mit en devoir de boire un verre de vin en compagnie de son hôte attentionné.

Une demi-heure plus tard environ, M. Wexler, l'occupant de la chambre 18T, nous téléphona pour nous informer qu'Arlene n'était toujours pas arrivée.

– En êtes-vous bien sûr? lui demandai-je. Elle nous a appelées il y a une demi-heure pour nous dire qu'elle était chez vous.

– Vous m'avez dit qu'elle était menue, répondit le client, mais vous ne m'avez pas dit qu'elle était invisible!

Nous étions vraiment interloquées. Heureusement, l'une des filles qui passaient au bureau pour nous régler avait été, peu de temps auparavant, au Waldorf Towers, où elle avait eu également des difficultés à déchiffrer les lettres sur les portes. Elle devina tout de suite qu'Arlene devait se trouver dans la chambre 18J. Inquiète, j'appelai cette chambre pour voir si Arlene s'y trouvait. Au bout du fil, un monsieur, qui s'exprimait avec un accent anglais et dont la voix me rappelait celle d'Alistair Cooke présentant l'émission télévisée « Masterpiece Theater [1] », m'informa le plus aimablement du monde qu'effectivement, une jeune dame répondant à ce nom se trouvait là, et me demanda si je voulais lui parler.

1. Les chefs-d'œuvre du théâtre.

– Je présume alors que vous n'êtes pas M. Wexler, lui dis-je.
– Non, répondit-il. Je m'appelle Miller.
– Eh bien, M. Miller, je ne sais pas comment vous le dire, mais je vous appelle de l'agence « Cachet ». Nous sommes une agence d'hôtesses et, un peu plus tôt, nous avons envoyé Arlene rendre visite à un autre monsieur dans votre hôtel. Je crains qu'elle n'ait frappé à votre porte par erreur.
– Est-ce possible? dit M. Miller, s'efforçant vaillamment de masquer sa déception. Je suis navré de l'apprendre, et je regrette seulement qu'il ne vous ait pas fallu un peu plus longtemps pour découvrir cette erreur.

Cinq minutes plus tard, Arlene se trouvait dans la bonne chambre. Son client le prit fort bien; quant à notre ami britannique, je le rappelai pour lui demander s'il n'aimerait pas recevoir la visite d'une autre hôtesse – aux frais de la maison, bien entendu.
– Ma foi, répondit-il, avec une petit rire, c'est fort aimable à vous. J'ai beaucoup apprécié la visite de cette jeune dame, qui m'a, je l'avoue, donné du vague à l'âme.

En moins de vingt minutes, Diane était en route. M. Miller passa ainsi une soirée agréable, et je ne fus nullement surprise lorsqu'il nous rappela quelques semaines plus tard – et régulièrement par la suite.

Si les hôtesses se retrouvaient généralement dans le lit des clients au cours de leurs visites, ce n'était cependant pas toujours le cas : ces rendez-vous pouvaient n'impliquer que des relations strictement sociales lorsque, par exemple, un client voulait simplement offrir un dîner ou des consommations à l'hôtesse dans sa chambre d'hôtel. D'autres recherchaient une compagne pour aller au théâtre ou à une réception mondaine importante. C'est ainsi que Lonnie passa une soirée extraordinaire à la première du film *Le Retour du Jedi* en compagnie d'un producteur de cinéma californien qui, voulant être accompagné d'une personne séduisante et intelligente et ne connaissant, à New York, aucune femme pouvant remplir cet office, avait fait appel à nos services.

Un soir, nous reçûmes un appel angoissé de l'un de nos habitués qui venait de se disputer avec sa petite amie et avait besoin d'une compagne pour se rendre à un dîner officiel offert par Henry Kissinger au Pierre. Quatre-vingt-dix minutes plus tard, une de nos hôtesses, vêtue d'une somptueuse robe de soirée, le rencontra dans le hall de cet hôtel.
– La prochaine fois que vous m'appellerez pour un dîner officiel, plaisanta-t-elle alors qu'ils entraient dans la salle de danse, j'aimerais bien le savoir au moins deux heures à l'avance!

Plusieurs clients, dont un homosexuel, nous téléphonaient parce qu'il leur fallait amener une petite amie présentable à un mariage ou à une bar-mitsva – non seulement pour l'agrément de sa compagnie, mais également pour parer aux inévitables questions indiscrètes de mères et de tantes maladivement anxieuses d'apprendre que Michael ou Mark avait enfin décidé de se ranger et de se marier. Fort heureusement, nous avions une fille du nom de Natalie qui aimait se rendre à ces cérémonies et savait toujours comme s'habiller pour la circonstance.

Lorsque Natalie nous quitta pour s'établir à son compte comme décoratrice, ce fut un coup terrible pour Michael et Mark. Ils avaient pris l'habitude de compter sur elle, et se trouvaient tout à coup contraints de concocter la triste histoire compliquée d'une rupture irrévocable. La mère de Mark demanda même à son fils le numéro de téléphone de Natalie pour essayer de mettre un peu de plomb dans la tête de cette jeune femme adorable qui, à son avis, faisait une bêtise.

Pendant que je m'occupais de tous les détails concernant les hôtesses, Lucy débordait de vitalité dans les coulisses. Un matin, en payant par chèque des emplettes qu'elle venait de faire, elle fut si impressionnée par Telecredit, un service national garantissant la provision des chèques, qu'elle y souscrivit au nom de l'agence le lendemain même. Elle obtint également, grâce à ses relations, que notre comptabilité fût tenue par une firme prestigieuse d'experts-comptables qui nous aida également à prévoir un régime complet d'assurance-maladie pour les filles – avantage social auparavant inconnu dans le monde des hôtesses.

Lucy composa également notre brochure, dont nous attendîmes la première épreuve avec impatience. Les caractères qu'elle avait elle-même choisis donnaient à cette brochure, qui se présentait comme une carte d'invitation, un aspect à la fois sobre et élégant. Elle avait persuadé un de ses amis qui travaillait dans la publicité d'en écrire le texte – un chef-d'œuvre d'euphémisme : « Si vous ne voulez pas passer seul une soirée au restaurant, dans une boîte de nuit ou au théâtre, l'Agence "Cachet" peut vous mettre en relation avec une personne séduisante qui vous accompagnera ensuite dans votre chambre d'hôtel ou dans votre appartement. » Il y était également indiqué que le client pouvait « demander la compagnie d'une hôtesse jusqu'au petit matin ».

Nous n'avons pas tardé, bien entendu, à nous rendre compte que ce libellé nous faisait courir trop de risques. Nous en publiâmes donc une version révisée au bout de quelques mois. L'ami de Lucy, qui était cependant fier, et à juste titre, de son œuvre, avait versé notre brochure dans sa collection. Il nous raconta plus tard que cette brochure avait retenu l'attention de deux ou trois nouveaux clients qui lui tinrent à peu près ce langage : « Puisque vous êtes capable de présenter ce genre d'affaire sous un jour si flatteur, nous aimerions faire appel à vos talents. »

Au bout de quatre mois, nous faisions déjà des bénéfices. Avec moins d'une douzaine d'employées, on ne peut pas dire que nous représentions une menace pour General Motors mais, quand la semaine était bonne, Lucy et moi gagnions cinq cents dollars net, c'est-à-dire beaucoup plus que jamais auparavant. Notre politique commençait à porter ses fruits, et les deux filles de notre personnel qui avaient déjà travaillé ailleurs étaient abasourdies de voir que le nombre de nos clients habituels (ou « redoublants », comme on les appelait dans d'autres agences) ne cessait de croître. Certains nous appelaient même une semaine à l'avance pour s'assurer que leurs filles favorites seraient disponibles lorsqu'ils viendraient à New York.

Nous commençâmes bientôt à recevoir des appels de l'étranger : Lucy et moi ne nous tenions plus de joie lorsque des messieurs, qui avaient lu notre annonce dans l'*International Herald Tribune* ou entendu parler de nous par un de leurs amis, nous appelaient de Londres, de Zurich, de Paris, du Koweït ou de l'Arabie Saoudite pour avoir davantage de renseignements. Un autre grand moment fut celui où nous reçûmes notre premier appel pour une nuitée – au tarif de mille dollars, dont cinq cent cinquante pour l'hôtesse – d'autant plus que le client n'avait, au départ, retenu Stacey que pour une heure. Mais, il se sentait seul, et voulait simplement la tenir dans ses bras toute la nuit. Bien qu'elle ne dormît pas d'un sommeil très réparateur cette nuit-là, Stacey se consola aisément à la pensée qu'elle avait touché une somme rondelette pour avoir seulement sombré dans les bras de Morphée.

Petit à petit, nos filles apprirent à mieux se connaître : lorsqu'une hôtesse revenait d'une soirée fascinante, notre petit groupe, véritablement subjugué, l'écoutait décrire l'appartement somptueux ou la collection magnifique d'objets d'art du client, ou annoncer un nouveau coup de bourse formidable dont parlerait le *Wall Street Journal* six semaines plus tard.

Nous ne cessions pas d'affiner nos méthodes mais, comme le montrera la petite anecdote suivante, il n'était pas possible de prévoir tous les problèmes d'ordre administratif. Debbie, l'une de nos premières recrues, alla un soir chez un nouveau client du nom de Robert, qui possédait une affaire d'articles de sport. Elle passa en sa compagnie des moments divins et nous assura, en faisant son rapport, qu'il était jeune, beau, remarquable au lit et qu'elle mourait d'envie de le revoir. Comme à l'accoutumée, je notai tous ces renseignements sur la fiche du client.

Lorsque Robert nous rappela le mois suivant, je lui parlai de

Christine qui, à mon avis, devrait lui plaire puisqu'elle travaillait dans la mode. (Nous ne recommandions jamais à un habitué une fille qu'il avait déjà vue, car nous supposions que, s'il avait voulu la revoir, il nous l'aurait précisé.) J'appelai Christine pour l'avertir de son rendez-vous et, suivant notre procédure bien établie, lui donnai lecture des renseignements figurant sur la fiche de Robert et, notamment, du rapport enthousiaste de Debbie.

– J'ai l'impression que vous n'allez pas vous embêter avec ce type, observai-je.

– J'y compte bien! fit-elle.

Christine nous téléphona de l'appartement de Robert pour nous confirmer son arrivée.

– Tout se passe-t-il bien? lui demandai-je, selon le petit scénario habituel.

– Non.

– Pensez-vous que c'est un flic?

– Non.

– Y aurait-il quelqu'un d'autre chez lui?

– Non.

– Est-ce que je dois envoyer une autre hôtesse?

– Je ne crois pas que ça vaille la peine.

– Si c'est comme ça, rentrez tout de suite.

Cinq minutes plus tard, j'appelai Robert.

– Je suis tout à fait navrée, mais cela ne s'est encore jamais produit. Normalement, je me ferais un plaisir de vous envoyer une autre hôtesse, mais elles sont toutes retenues ce soir.

A son retour, Christine, hors d'elle, me lança :

– Est-ce possible que vous puissiez me faire une chose pareille?

– Comment? Il paraît pourtant que ce client est extraordinaire.

– Ah oui, parlons-en! En arrivant dans l'immeuble, je me suis demandé si ce n'était pas une erreur tellement il est décrépi mais, comme j'étais allée une fois dans un immeuble minable où le client avait cependant un appartement du tonnerre, j'ai cru que ça serait la même chose cette fois. L'ascenseur était en panne, et j'ai dû monter les six étages par un escalier à demi éclairé qui empestait l'urine. Je m'attendais à être agressée à tout moment par un drogué. Un véritable enfer! Je me demande comment j'ai pu arriver en haut sans histoire.

– Et alors?

– Devinez, mais devinez ce qui m'attendait lorsque je suis entrée chez lui? Une ampoule nue au bout d'un fil, par terre un matelas avec des draps qui n'avaient pas dû être changés depuis l'abolition de l'esclavage par Lincoln, et des boîtes de bière vides qui traînaient partout. Pour tout mobilier, une vieille table de cuisine branlante et une chaise. Vous ne le croirez pas, Sheila, mais je n'osais même pas toucher le *téléphone*!

J'étais horrifiée.

– Et alors, qu'avez-vous fait?

– Eh bien, je lui ai récité la leçon habituelle. Je lui ai dit que c'était la première fois que je faisais ce travail, que je voyais bien que je ne pourrais pas aller jusqu'au bout, que j'étais absolument désolée, mais que j'espérais qu'il comprendrait. Il faut dire qu'il a été très compréhensif.

– Je ne peux pas le croire. Debbie était folle de ce type et disait qu'il était super.

– Quel est son numéro de téléphone? demanda Christine. Je veux lui dire deux mots.

– Ce n'est pas la peine, lui répondis-je. Je m'en occuperai.

Je commençai alors à me faire du souci : Debbie était une vraie beauté et nous l'avions déjà envoyée à bon nombre de nouveaux clients. Une pensée me traversa l'esprit : « Mon Dieu, qu'est-ce qui a bien pu se passer que l'on m'ait caché? »

Aussitôt après le départ de Christine, j'appelai Debbie.

– Est-ce que vous vous souvenez d'un client du nom de Robert que vous avez vu il y a un mois environ?

– Le type des articles de sport? J'y cours tout de suite.

– Du calme, du calme, lui dis-je. D'ailleurs, vous ne travaillez pas ce soir. Je vous téléphone parce que Christine sort à l'instant de chez ce type qui, dit-elle, vit dans une véritable porcherie. Elle en est encore tout écœurée.

– Je n'irai pas jusqu'à dire ça, répliqua Debbie. D'accord, je reconnais que son habitation n'est pas de celles qu'on verrait photographiées dans *House Beautiful,* mais qu'est-ce qu'on a à faire de l'appartement? Est-ce qu'elle n'a pas trouvé que ce type est super?

Je réalisais pour la première fois combien pouvaient être subjectifs les renseignements fournis par les hôtesses. Si personne ne prenait la peine de nuancer ou de compléter les impressions de la première hôtesse, nous prenions pour argent comptant ce que celle-ci nous avait dit d'un nouveau client. Aussi, Lucy et moi questionnions-nous désormais toutes les filles à leur retour pour nous assurer que leurs observations correspondaient bien avec nos renseignements. Au besoin, la fiche du client était modifiée ou, tout au moins, complétée pour tenir compte des diverses appréciations des hôtesses.

Une autre fois, une nouvelle recrue vint se plaindre à moi d'un client qui avait recours à nos services depuis des mois. Elle avait été choquée de trouver pour tout mobilier dans l'appartement un vieux canapé déplié et une petite télé juchée sur une chaise. Elle n'avait rien à dire contre le client, qui était dynamique, intéressant et avait apparemment réussi dans la vie, mais elle s'était sentie dégradée par la pauvreté des lieux, ce dont je ne pouvais la blâmer.

Deux des autres filles qui étaient allées chez lui et que j'interrogeai me firent à peu près le même récit :

– Comme c'était un vieil habitué, nous supposions que vous le saviez.

Naturellement, je n'en savais rien. Je n'allais pas moi-même aux rendez-vous et je ne pouvais me fier qu'aux rapports des filles.

J'adressai donc un mémo à mon personnel : « Ce n'est pas parce qu'un monsieur nous assure de sa clientèle depuis un certain temps que nous devons présumer qu'il est parfait. Si vous trouvez matière à redire au sujet de sa personne ou de son appartement, dites-le-nous pour que nous en prenions note. »

Si deux filles nourrissaient le même grief contre un client, je n'hésitais pas à agir. Un de nos habitués, interne au Centre médical presbytérien de Columbia, travaillait, comme tous ses confrères, deux ou trois jours d'affilée sans dormir. De retour chez lui, il faisait généralement appel à nous, mais sa barbe de deux jours n'était pas du goût des hôtesses, qui s'en plaignirent à nous.

C'était une question plutôt délicate, mais qu'il fallait régler. A la première occasion, j'abordai ainsi le sujet :

– Docteur, je suis quelque peu gênée de vous en parler, mais je dois vous faire remarquer que nos hôtesses prennent le plus grand soin de leur personne et passent beaucoup de temps à faire leur toilette et à se faire belles avant d'aller vous voir. Je sais bien que, lorsque vous rentrez chez vous après de longues heures à l'hôpital, vous n'avez guère envie de remuer, ne serait-ce que le petit doigt, mais j'espère que vous comprendrez que nos hôtesses vous sauraient particulièrement gré de bien vouloir consacrer dix minutes seulement à vous doucher et à vous raser avant leur arrivée.

Je savais que mon observation pourrait l'irriter et l'inciter à appeler une autre agence, mais je devais la lui faire : il était pour moi absolument indispensable que les filles se sentent tout à fait à leur aise en compagnie des clients auxquels je les adressais. C'était là encore une des raisons pour lesquelles notre agence était différente des autres. Heureusement, notre médecin fut très compréhensif, et ne donna plus lieu à aucune plainte par la suite. Cependant, ce genre de critique ne fut pas toujours bien accueilli, car plusieurs clients ne nous rappelèrent jamais après que je leur eus fait des observations.

J'encourageais également les filles à mettre elles-mêmes les choses au point lorsque la situation l'exigeait.

– Quand vous êtes dans l'appartement d'un client, leur disais-je, il faut parfois ne pas hésiter à demander carrément à votre hôte : « Quelle est la serviette qui m'est destinée? » ou même à dire : « Pouvez-vous me donner une serviette propre? » L'expérience de vos rendez-vous vous a sans doute appris que des hommes extrêmement gentils peuvent vivre comme des animaux parce qu'ils n'ont jamais su comment se débrouiller sans une femme à la maison. Si les serviettes ou les draps du client sont douteux, priez-le gentiment de vous en donner des propres. Si vous n'osez pas, dites-le-moi, et je m'occuperai moi-même de régler la question.

Par une chaude soirée du mois d'août, Shawna revint d'une visite, l'air éreinté, comme si elle avait passé toute la journée à randonner dans le Sahara.

– Jamais plus, me dit-elle. Il n'avait pas la climatisation et j'ai dû prendre trois douches en deux heures. De plus, quand je lui ai demandé quelque chose à boire, le réfrigérateur était vide, et tout ce qu'il a pu m'offrir c'était de l'eau du robinet dans un gobelet en carton.

Je voulais appeler ce client immédiatement, mais je me rendis compte que je n'avais rien à gagner à faire un éclat. J'attendis donc jusqu'au lendemain pour me manifester.

– Je ne vous demande pas d'acheter une caisse de dom pérignon, lui dis-je, en essayant d'être diplomate, mais auriez-vous l'amabilité de garder quelques rafraîchissements au réfrigérateur? Je sais que cela ferait vraiment plaisir à nos filles.

– Bien sûr. Aucune difficulté, m'assura-t-il.

Et en fait, il n'y en eut jamais plus. Je remarque constamment avec surprise que bien des problèmes peuvent être réglés si l'on veut se donner la peine d'en parler franchement et poliment à l'intéressé, et je suis encore plus étonnée de constater que, généralement, les gens n'osent pas le faire.

Tous les hôtels sont dotés d'un service de sécurité chargé d'assurer la protection de leur clientèle, et il importait que nos hôtesses eussent, dans toute la mesure du possible, l'allure de cadres supérieurs, venues là pour assister à une réunion d'affaires – ou même de clientes de passage. Certaines portaient ostensiblement sous le bras une grande enveloppe de papier bulle pour faire croire que leur visite n'avait rien à voir avec les mondanités. Je les encourageais toutes à se munir d'un porte-documents et, mis à part la hauteur de leurs talons et leur maquillage un peu plus appuyé que celui qui est de mise dans les bureaux, elles donnaient l'impression qu'elles se rendaient plutôt dans une salle de conseil d'administration que dans une chambre à coucher.

On prête généralement peu attention aux allées et venues dans les hôtels new-yorkais, ce qui n'est cependant pas le cas dans ceux de première classe où nous envoyions nos hôtesses. Nous étions rapidement parvenues à établir une liste des établissements qui n'autorisaient pas les femmes seules à pénétrer dans le hall après neuf heures du soir, encore que, dans certains des hôtels les plus chics, personne n'eût sursauté à la vue de trois filles nues traversant le hall à deux heures du matin avec un haut-de-forme sur la tête.

Cependant, les services de sécurité des hôtels n'étaient pas notre seule préoccupation, car ce n'était pas dans le hall, mais dans la chambre du client que les filles passaient le plus clair de leur temps. La plupart se sentaient beaucoup plus à l'aise dans des suites comportant chambre et salon ou, tout au moins, dans de grandes chambres avec coin-salon. Elles nous signalèrent que les chambres de certains hôtels, au demeurant fort respectables, tels que le Barbizon Plaza, le Gramercy Park, le Lexington, le Summit et le Roosevelt, ne répondaient pas à ces normes, et nous décidâmes en conséquence de ne pas donner suite aux appels téléphoniques des messieurs, aussi aimables fussent-ils, qui émanaient de ces établissements. Si une rencontre ne pouvait avoir lieu dans des circonstances idéales, c'est-à-dire dans une chambre d'hôtel bien agencée, spacieuse et confortable, nous préférions ne pas l'organiser.

Grâce aux renseignements que rapportaient constamment les hôtesses, Lucy et moi en sûmes bientôt autant sur les hôtels de Manhattan que n'importe quelle agence de voyages en Amérique. Les filles furent tout émoustillées d'apprendre l'ouverture d'un superbe hôtel en plein cœur de la ville, près de Grand Central Station, mais elles découvrirent rapidement qu'au-dessus d'un hall magnifique, les chambres étaient plutôt exiguës. Celles du Park Lane avaient toutes des lits géants. Le Pierre *était vraiment* aussi prestigieux que sa réputation le laissait entendre. Et un hôtel de luxe internationalement célèbre était, d'ailleurs, l'un des lieux favoris des hôtesses à cause de la lenteur du service à l'étage : lorsqu'un client passait sa commande par téléphone, il n'était pas rare que la visite se prolongeât une heure de plus.

Quand un habitué nous appelait d'un hôtel que nous considérions à la limite du convenable, nous laissions l'hôtesse décider elle-même d'y aller ou non en lui précisant :

– M. Jones, qui est un bon client, est descendu au Lexington. Voudriez-vous aller lui rendre visite tout de même?

Si nous ne connaissions pas notre interlocuteur, la démarche était toujours un peu délicate puisque nous ne pouvions pas lui dire : « Nous sommes navrées, mais nous n'envoyons nos jeunes femmes que dans les meilleurs hôtels. » Il nous fallait pourtant bien faire une allusion dans ce sens, mais j'avais horreur de m'y résoudre, car je concevais que ce genre de réflexion ne devait pas être très agréable à entendre.

Ce n'était pourtant pas de *sa* faute si une agence de voyages lui avait réservé, à l'occasion de sa venue à New York pour affaires, une chambre dans un hôtel qui, selon nos critères, ne faisait pas partie de la catégorie des établissements de première classe. J'imaginais sans peine le sentiment que devait éprouver un homme se retrouvant seul dans cette chambre, déjà déprimé par l'aspect des lieux qui ne correspondaient pas à son attente, quand, de surcroît, il s'entendait répondre par une agence d'hôtesses qu'elle ne pouvait y envoyer une fille.

Nous n'étions cependant pas à l'abri de toute surprise, même nous limitant aux meilleurs hôtels... Un soir d'hiver, nous envoyâmes Mary rejoindre un client étranger au Waldorf. Arrivée à vingt heures, elle nous téléphona comme convenu et, vers minuit, nous rappela pour nous informer qu'elle partait et revenait au bureau.

Une demi-heure plus tard, elle n'avait pas donné signe de vie, et je commençais à m'inquiéter sérieusement. J'attendis jusqu'à une heure du matin et me résolus à téléphoner au client, qui me parut très tendu et peu disposé à entamer la conversation.

– Il n'y a personne ici, fit-il d'un ton sec en raccrochant.

Lucy était convaincue que Mary avait été arrêtée par le service de sécurité de l'hôtel, ce qui était fort possible bien que cela ne fût encore jamais arrivé à l'une de nos hôtesses. A une heure trente, tout notre personnel étant de retour, je décidai d'aller en taxi jusqu'au Waldorf pour essayer de savoir ce qui s'était passé. Je demandai à parler au chef du service de sécurité à qui j'expliquais que ma colocataire était venue rendre visite à un client de l'hôtel, qu'elle m'avait téléphoné il y avait une heure et demie pour me dire qu'elle partait, mais qu'elle n'était toujours pas rentrée.

Les types du service de sécurité se montrèrent sceptiques, mais je réussis à les persuader de faire des recherches. Aucun signe de Mary nulle part. Ne sachant plus que faire, au bord des larmes, je me mis à errer dans le hall, m'imaginant qu'elle avait été enlevée – et échafaudant les pires hypothèses, car il y avait eu, peu de temps auparavant, un meurtre au Waldorf – lorsque je l'aperçus tout à coup qui gagnait précipitamment la sortie.

Je la rattrapai sur Park Avenue. Elle fondit en larmes et, dans le taxi qui nous ramenait chez elle, me raconta ce qui s'était passé. La veille, son client avait amené dans sa chambre une call-girl qu'il avait racolée au bar. Après plusieurs verres de champagne et les galipettes de rigueur, il était tombé endormi. A son réveil, il avait constaté que la fille avait disparu – avec sa montre de valeur et son porte-documents bourré de billets de banque. Il avait conté sa triste mésaventure au chef du service de sécurité de l'hôtel et, ce soir-là, au moment même où Mary était sur le point de partir de chez lui, deux agents de ce service s'étaient présentés pour poser quelques questions au sujet du vol.

Fort embarrassé à l'idée d'être surpris en compagnie d'une autre fille dans sa chambre, il avait fait passer précipitamment Mary dans la salle de bains en lui disant de fermer le porte à clef. Les agents de sécurité restèrent près d'une heure pour s'enquérir auprès de l'intéressé de tous les détails concernant l'incident survenu la nuit précédente. Quand ils furent enfin partis, Mary et son client se trouvèrent alors dans l'impossibilité d'ouvrir la porte de la salle de bains, dont la serrure était restée bloquée. En dépit des supplications de Mary, il refusa d'appeler à l'aide, car il ne voulait, pour rien au monde, être vu dans cette situation gênante.

Finalement, en conjuguant leurs efforts, ils parvinrent à ouvrir la porte, et le client remit à Mary la somme convenue en y ajoutant un généreux pourboire de cent dollars. Mary me confia que, s'il lui avait fallu passer une minute de plus dans cet hôtel, elle aurait alors sérieusement envisagé d'abandonner le métier.

Nous avons beaucoup ri de cette mésaventure par la suite, mais j'avoue que ce fut une expérience si traumatisante pour nous deux qu'à la demande de Mary, je ne l'envoyai plus jamais au Waldorf.

Quelques hôtesses refusaient tout simplement d'aller dans certains hôtels. D'autres, pour préserver leur carrière professionnelle, ne voulaient pas rencontrer de New-Yorkais et prétendaient se sentir plus en sécurité avec des clients de passage. Quelles que fussent les préférences de chacune d'entre elles, nous leur laissions fixer elles-mêmes les limites de leurs propres interdits. C'est ainsi que Christie, qui travaillait dans la publicité, ne voulait rencontrer aucun homme de la profession et qu'Arlene, la juriste, n'acceptait aucun rendez-vous avec des avocats. Les motifs de refus les plus courants concernaient, par exemple, les clients bedonnants, les fumeurs, les toxicomanes, ou les sexagénaires.

Certaines hôtesses répugnaient, elles, à rencontrer des Orientaux.

– Vous faites erreur, leur disais-je. Nos clients orientaux sont vraiment des gentlemen – impeccables de leur personne, très gentils, faciles à vivre. A moins que vous n'ayez des idées vraiment arrêtées à leur sujet, pourquoi ne pas aller à ce rendez-vous et voir par vous-même si j'ai ou non raison?

Aucune de mes hôtesses ne s'est finalement plainte de ses rendez-vous avec des Orientaux.

Plusieurs hôtesses préféraient même les clients japonais, car ils sont, paraît-il, beaucoup moins exigeants sur le plan sexuel, et cela pour deux raisons : premièrement, ils ne s'attardent généralement pas au lit et, deuxièmement, ils ont tendance à être... comment le dire sinon en racontant la petite anecdote suivante.

Le journaliste Bob Greene se rendit un jour dans un établissement du New Jersey, où sont fabriqués les préservatifs de la marque Trojan, afin de pouvoir écrire sur le sujet l'un des articles qu'il publiait mensuellement dans *Esquire.*

Incidemment, ce journaliste dit au directeur de la fabrique que, lorsqu'il était adolescent, il croyait, comme ses copains, que les condoms n'étaient pas tous fabriqués sur le même modèle. Le directeur lui répondit qu'effectivement ils étaient prévus en deux tailles – l'une pour les Américains et l'autre pour les Japonais.

– Quelle différence y a-t-il entre les deux?

– La taille japonaise est plus petite, expliqua le directeur. Si vous étalez à plat et mesurez l'un de ces articles, vous constaterez que, pour les Américains, il faut cinquante-deux millimètres de largeur et dix-sept centimètres et demi de longueur. La norme japonaise est de quarante-neuf millimètres de largeur et de quinze centimètres et demi de longueur.

C'est à partir du jour où je racontai cette histoire que certaines hôtesses utilisèrent l'expression convenue « quinze centimètres et demi » pour désigner les clients japonais.

Ce n'était pas seulement dans les hôtels que nous nous heurtions à des difficultés. Nous avions, par exemple, un client qui faisait appel à nos services tous les dimanches soir, au moment où sa femme partait jouer aux cartes avec des amies. Un soir, je lui envoyai Tess, une petite femme mignonne, pétillante, toujours optimiste et dotée d'un grand sens de l'humour. Une heure venait de se passer quand, au moment le plus inopportun, le signal de l'interphone se mit à retentir avec insistance dans l'appartement. C'était le portier qui prévenait le maître des lieux :

– Votre femme vient d'arriver. J'ai tout fait pour la retenir, mais elle est en train de monter et elle est prête à faire un malheur.

Tess ne put retenir un petit rire nerveux, mais, pour le client, ce n'était pas le moment de plaisanter. Il fit précipitamment le tour de la chambre, ramassa tous ses vêtements, lui fourra de l'argent dans les mains et la poussa, toute nue, dans le couloir. Tess n'eut que le temps de se cacher dans l'escalier de secours pour ne pas être vue de l'épouse qui sortait, à ce moment-là, de l'ascenseur. Tout en se rhabillant à la hâte, elle l'entendit fulminer dans toutes les pièces de l'appartement, ouvrant et claquant les portes.

– Ça y est Richard! criait-elle. Je t'y prends cette fois. Et où se cache-t-elle?

Toute tremblante, Tess parvint néanmoins à descendre par l'escalier et à sortir sans encombre de l'immeuble.

Une autre fois, Tess alla consulter son gynécologue pour se faire soigner une infection locale. Celui-ci la traita avec une préparation à base de gentiane, un liquide de couleur vive qu'il appliqua généreusement sur la partie infectée. Quand Tess lui demanda si elle pouvait continuer à travailler cette semaine-là, il l'assura – car il savait à quoi s'en tenir à son sujet – qu'elle n'aurait pas de difficultés.

Ce en quoi il se trompait. Le soir même, Tess se rendit chez un nouveau client. Tout à coup, comme la visite prenait fin, il poussa un cri.

– Mais qu'y a-t-il? demanda-t-elle.

– Regarde!

Ce qu'elle fit, pour constater, à son grand amusement, que la partie précieuse de son individu était teintée d'un beau violet soutenu. Le sens de l'humour de Tess ne fut cependant pas partagé par le monsieur qu'elle était venue voir.

– Mon Dieu, s'écria-t-il, que vais-je devenir si ça ne part jamais?

Elle parvint quand même à le calmer mais, ce qui n'est guère surprenant, le pauvre homme ne nous rappela jamais plus.

Au cours de la deuxième entrevue, j'avertissais les filles qu'il était possible qu'un client dépasse la mesure ou fasse une suggestion qui les mettrait mal à l'aise. Les hôtesses, pour la plupart, étaient encore très jeunes et manquaient d'assurance. Elles pouvaient donc fort bien se laisser intimider par des clients riches et influents qui, il est vrai, les payaient royalement pour le temps passé en leur compagnie. Cette situation pouvait les amener à éprouver un sentiment d'obligation envers le client et à penser que tout ce qu'il demandait devait lui être accordé.

– C'est normal que vous ayez ce sentiment, expliquais-je, mais ce n'est pas la bonne habitude. Au contraire, n'oubliez pas que vous faites une faveur au client en acceptant de lui rendre visite. S'il se montre agressif ou désagréable, faites-lui un joli sourire et dites-lui : « Je m'excuse, mais je dois partir maintenant. » Surtout, ne vous faites pas de souci au sujet de l'argent : c'est moi qui m'en occuperai.

J'étais fière de cette politique, et j'aimerais pouvoir dire qu'elle fut appliquée dès le début, mais elle ne fut, en fait, arrêtée qu'au bout de six mois, le jour où Elizabeth revint en larmes d'un rendez-vous. Elle était allée chez un client qui buvait et s'était montré grossier et insultant à son égard.

– Il fallait tout simplement vous lever et partir. Pourquoi ne l'avez-vous pas fait? la questionnai-je.

– Parce que ça faisait déjà deux heures que j'étais là, répondit-elle, et que, demain, je dois payer mon loyer.

Clic! Je n'avais jamais pensé à cela auparavant. Aussi, dès le lendemain, je rédigeai un mémo énonçant une nouvelle règle : « Si un client se comporte de façon grossière ou désagréable avec vous, ne restez pas une minute de plus chez lui. Vous serez, dans ce cas, rémunérée par mes soins. »

Je mis cependant les filles en garde en ces termes :

– Cela ne veut pas dire que vous pouvez vous comporter comme si vous étiez une princesse. Vous savez bien, j'en suis sûre, que tous nos clients ne sont pas des Robert Redford, mais si quelque chose en eux vous déplaît, prenez congé. Si vous restez malgré tout, vous ne passerez pas un bon moment avec lui, et lui non plus avec vous. A quoi cela mène-t-il alors? A laisser deux personnes insatisfaites sans qu'aucune n'ait rien à gagner à cette situation. Croyez-moi, il vaut bien mieux partir et éviter une mauvaise expérience.

– Oui, mais qu'est-ce que nous devons *dire* alors? voulaient savoir les filles.

– Inventez quelque chose. Dites-lui que ce que vous avez mangé au déjeuner ne passe pas, que vous avez essayé de ne pas y faire attention, mais que vous ne vous sentez réellement pas très bien. Répandez-vous en excuses. Faites-lui comprendre que vous n'avez personnellement rien contre lui, mais que vous devez rentrer chez vous. Ou bien, dites-lui que c'est la première fois et que vous ne vous sentez pas capable d'aller jusqu'au bout.

Les filles accordèrent à cette nouvelle règle une importance extrême, même si la plupart d'entre elles n'eurent jamais à l'appliquer. Le fait de savoir cependant qu'elles *pouvaient* partir – qu'elles pouvaient toujours décider de s'en aller si la situation se gâtait et que je les approuverais – leur remontait le moral. Ainsi se trouvait encore illustrée la première loi du marché : il est toujours payant de bien traiter ses gens.

La plupart de nos hôtesses n'avaient jamais travaillé auparavant et ne comprenaient donc pas toujours l'utilité des petits raffinements qui rendaient notre agence si différente de la concurrence. Je dois cependant parler ici de Claudette, qui avait acquis une riche expérience comme hôtesse et comme « travailleuse » indépendante, tant à New York qu'en Europe.

A Genève, elle opérait à partir d'un bar où les garçons servaient d'entremetteurs. A Londres, elle travaillait en maison. Elle revint finalement à New York, où elle avait exercé autrefois la profession d'assistante sociale. Pour compléter ses maigres revenus, elle avait pris un emploi à temps partiel dans une agence d'hôtesses et comme de nombreuses autres filles dans ce cas, avait constaté que ce travail lui plaisait beaucoup plus qu'elle ne l'avait cru. Après un an ou deux, elle s'était constitué une liste de clients privés qui l'appelaient directement. Certains d'entre eux la payaient en faisant du troc – en lui remettant, notamment, des billets d'avion qu'ils réglaient au moyen des cartes de crédit de leur société. Claudette avait coutume de dire : « Beaucoup de “ travailleuses ” parlent d'avoir “ roulé leur bosse ”, mais combien l'ont vraiment fait? »

Claudette aurait pu gagner beaucoup plus d'argent en restant indépendante, mais elle préféra se faire engager par deux autres agences d'hôtesses et, ensuite par la nôtre, car elle en avait assez de travailler chaque nuit. Une « travailleuse » indépendante devient rapidement prisonnière de son téléphone et, si elle n'est pas disponible quand les clients l'appellent, ceux-ci disparaissent en deux temps trois mouvements. En outre, elle préférait sacrifier une partie de ses revenus pour être, en échange, libérée de la servitude des réservations à prendre et des besognes administratives et financières.

Comme elle avait plus d'expérience que les autres filles, nous avions l'habitude de l'envoyer à ceux de nos clients les plus entreprenants en lui laissant la latitude de s'arranger avec ceux qui voulaient des faveurs particulières. (Je ne voulais même pas en connaître les détails, et elle ne m'en parla jamais.) Claudette, qui savait fort bien que la plupart de nos hôtesses étaient des novices, se rendait compte que ses camarades auraient éprouvé peu de goût pour les polissonneries de son répertoire. Elle s'arrangeait donc pour faire comprendre à son client qu'elle suivait son bon plaisir et qu'il ne devait pas espérer pour autant que les autres hôtesses seraient dans les mêmes dispositions à son égard.

Toutefois, je ne pouvais pas envoyer Claudette à n'importe quel client, car certains de ces messieurs ne pouvaient tout simplement pas s'accorder avec une fille légèrement plus âgée et plus expérimentée. Comme la plupart de nos clients étaient des hommes d'affaires du style conservateur, qui ne recherchaient pas à donner à leurs activités entre les draps une tournure inhabituelle, Claudette aurait pu gagner beaucoup plus d'argent dans d'autres agences d'hôtesses. Elle le savait fort bien. Mais elle appréciait le sentiment de sécurité que « Cachet » lui donnait et la camaraderie qui existait entre les filles. Ce qui lui plaisait surtout, disait-elle, c'était la façon dont je traitais les hôtesses et m'efforçais de les mettre à l'aise. Connaissant l'expérience de Claudette j'attachais beaucoup de prix à la confiance qu'elle plaçait en moi.

Presque toutes les hôtesses maintenaient une certaine distance avec la patronne, mais Claudette et moi étions devenues aussitôt amies. Elle avait plusieurs camarades qui travaillaient pour d'autres agences d'hôtesses, et était une source incroyable d'informations. S'il y avait un moyen facile de sortir incognito d'un hôtel en empruntant la boîte de nuit plutôt que le hall, Claudette le savait. Si le Plaza avait un nouveau chef du service de sécurité réputé pour son intransigeance, elle était la première à l'apprendre. C'est elle qui me dit aussi comment elle procédait pour détecter la présence de condylomes vénériens : je n'avais jamais encore entendu parler de cette infection, et ne manquai pas de communiquer cette information au cours de nos deuxièmes entrevues.

– Je préfère toujours travailler pour une femme, me disait-elle. Les deux premières années de ce métier ont été drôles, mais ce genre de travail peut être très éprouvant, physiquement et moralement. Je n'ai jamais rencontré un homme qui soit capable de comprendre vraiment ce qu'il vous en coûte. Il m'arrive parfois de souhaiter qu'il soit légitime d'être call-girl afin de pouvoir pratiquer une déduction fiscale pour l'amortissement de mon corps.

Comme la plupart de nos hôtesses ne travaillaient pas plus d'un an, j'étais stupéfaite de voir que Claudette avait pu rester si longtemps dans le métier, et un jour, je lui ai demandé comment elle faisait.

– Sheila, me répondit-elle, la première chose que j'ai apprise est qu'une call-girl sérieuse pense toujours à l'argent. Si elle cesse d'y penser, ou bien elle se met à en pincer pour le client, ce qui n'est jamais une bonne idée, ou bien elle sombre dans l'ennui, ce qui n'est pas mieux. Aussi longtemps qu'elle gardera la notion de l'argent bien ancrée dans son esprit, le travail se fera tout seul.

Claudette avait une façon fort originale de concevoir son travail et, en dépit de ses commentaires sur l'argent, en aimait, de toute évidence, le côté excitant et aventureux.

« Nulle part on n'est mieux qu'à New York pour travailler, me confia-t-elle un soir que nous dînions ensemble. Au début, je trouvais que c'était un peu dur de sortir le soir, mais on s'y habitue rapidement. C'est comme si on allait voir chaque soir une nouvelle pièce de théâtre – les personnages, les décors, les scénarios sont toujours différents.

« Quand je suis assise dans ma salle de séjour dans l'attente de la sonnerie du téléphone, j'ai l'impression d'être une vedette dans sa loge, avec cette différence que je ne sais jamais exactement à quelle heure le rideau va se lever. J'ai déjà pris un bain et me suis pomponnée et maquillée. Dès que j'ai reçu le coup de fil attendu, j'enfile mes vêtements, jette un coup d'œil sur le miroir pour voir si tout va bien, et me dis : “ Allez, en scène ! ”

« Il y a cependant un long chemin à parcourir de la loge à la scène. Une certaine inquiétude m'envahit : Trouverais-je un taxi? Y aura-t-il de la circulation? Serons-nous obligés de traverser le quartier des théâtres, ce qui fait perdre du temps? Je ressens toujours un peu d'énervement à ce moment-là, et l'adrénaline ne cesse de courir dans mon organisme.

« Quand j'arrive enfin à l'hôtel, il faut éviter le service de sécurité. Encore quelques petits instants, et je frappe à la porte du client. J'entends alors le thème musical de *Dragnet* qui me tambourine dans la tête – tagada tagada tagada. J'ai fait beaucoup d'efforts pour arriver jusqu'à cette porte, mais qui va l'ouvrir?

« Et me voilà, soudain, en compagnie d'une autre personne, dans un petit espace clos, au milieu de cette ville de tordus. Nous sommes là, lui et moi, en scène, nos éléments de décor pouvant se résumer à un divan et à une bouteille de vin. Le rideau se lève, et la pièce commence, renouvelée chaque soir, bien sûr, selon nos thèmes d'improvisation. Si nous sommes deux bons acteurs, c'est super, sinon, il reste la satisfaction d'avoir fait de l'argent.

« Ne va pas croire, cependant, que je ne voudrais rencontrer que des clients inconnus. Ceux-là ont, certes, du piquant mais, comme je mène une vie déjà assez éprouvante, je trouve que c'est plus agréable et plus facile avec un habitué. Nous nous connaissons déjà, et il remarquera sans doute mes nouvelles boucles d'oreilles ou la superbe robe neuve que j'ai mise spécialement à son intention.

« Certains de mes amis masculins rêvent de pouvoir faire comme moi. Ils raffoleraient de devoir s'habiller, d'aller rejoindre quelqu'un dans une maison ou un hôtel, d'y être invités à dîner et à boire et d'être fort bien rémunérés ensuite pour donner du plaisir à une personne du sexe opposé. Si jamais tu voulais recruter du personnel masculin, je peux déjà te fournir une longue liste de volontaires. »

En raison de sa grande expérience, Claudette était une sorte de mentor pour les autres filles. Une fois, certaines d'entre elles la persuadèrent de mener un petit séminaire impromptu sur les techniques des caresses buccales. Claudette commença par leur dire :

– La première chose que vous devez comprendre est qu'il en va du pénis des hommes comme des empreintes digitales. Il n'y en a pas deux qui soient semblables.

Ensuite, à l'aide d'une carotte, elle leur fit un cours inénarrable sur les subtilités de la fellation. Ayant été bissée, elle éblouit les filles en leur faisant la démonstration d'un petit tour qu'elle avait appris en Europe et qui consistait à placer un condom sur le pénis d'un homme sans que celui-ci s'en rende compte. Je n'essaierai pas d'expliquer ici comment elle s'y prenait, mais me bornerai à dire qu'elle se servait de sa bouche d'une façon qui nous semblait incroyable.

Claudette avait toujours une « pochette-surprise » dans son porte-documents et, un soir où les affaires étaient peu soutenues, elle convia celles qui se trouvaient dans le bureau à un examen commenté de son contenu. Je ne me les rappelle pas tous mais, parmi les articles figurant dans la collection de Claudette, il y avait des harnais, de l'enduit corporel, des palettes, des ceintures en caoutchouc, des souliers à pointes (pour hommes et pour femmes) et un objet connu sous le nom d'anneau pénien – qui maintient un homme en état d'érection jusqu'à ce que, pour reprendre la prose immortelle de Claudette, il soit prêt à faire jaillir une bouffée bienheureuse de son énergie contenue.

Sa collection comportait également un petit appareil Polaroïd, des préservatifs fantaisie, des gants de satin, des mitaines à papouilles, de l'huile de massage, un vibrateur perfectionné à double commande surnommé « raton zélé » et des dessous comestibles. Les filles passèrent un bon moment mais, pour aussi fascinante que fût la démonstration, je fus moi-même plus embarrassée qu'amusée.

L'article qui excita le plus leur intérêt était une série de boules « ben wa », bien rangées dans une petite boîte capitonnée de velours. Nous avions, pour la plupart, entendu parler des boules « ben wa », mais peu d'hôtesses en avaient réellement vu. Comme nous l'expliqua Claudette, les boules « ben wa » ont été utilisées la première fois pendant la première dynastie des Ming, en Chine – détail que mon ouvrage d'histoire scolaire avait omis de mentionner. Fabriquées généralement en cuivre ou en bronze, ces boules étaient insérées par la femme à l'endroit idoine, où elles se heurtaient légèrement pour exaspérer son plaisir, surtout pendant le coït.

Claudette nous montra ensuite le modèle de luxe, c'est-à-dire une sorte d'œuf en argent rempli de mercure. Il était traditionnel, nous dit-elle, de conjuguer l'utilisation de cet œuf avec celle d'une chaise à bascule, ce qui imprimait ainsi un mouvement de va-et-vient au mercure à l'intérieur de l'œuf et provoquait les heureux résultats que l'on devine.

– Comme vous pouvez le voir, ajouta Claudette, cette version moderne est fournie avec un petit appareil à piles.

Claudette nous raconta aussi l'histoire suivante : elle avait fait venir une fois chez elle le plombier de son immeuble parce qu'elle croyait avoir bloqué le système d'écoulement de son lavabo en laissant tomber, par mégarde, le bouchon de son tube de dentifrice. Le plombier démonta le siphon et y trouva une boule « ben wa » en argent.

– Qu'est-ce que c'est que ça? demanda-t-il.
– Je n'en ai pas la moindre idée, répondit Claudette. Ce doit être un roulement à bille.
– Allons donc, madame!
J'ai manqué de courage, nous avoua Claudette. J'aurais dû lui dire ce que c'était.
– Ne dis pas de bêtises! lui dis-je. Raconter ça au *plombier*?
Claudette était toujours disposée à faire l'éducation sexuelle de son prochain, et elle était convaincue qu'elle aurait dû lui dire simplement la vérité en termes neutres et appropriés. Pour elle, cet incident signifiait qu'elle avait laissé passer l'occasion de faire œuvre pédagogique. Pour moi, cet incident symbolisait la vraie personnalité de Claudette, et bien que son franc-parler nous fît parfois sursauter, je ne pouvais m'empêcher d'admirer son attitude saine et franche à l'égard de la sexualité.
A la fin de la première année, Lucy jugea qu'elle ne tenait plus à diriger une agence d'hôtesses. Comme moi, elle avait constaté que la direction de nos affaires prenait énormément de temps mais, et c'est là où nous différions, elle ne tirait pas une satisfaction particulière de son travail ni de l'expansion continue de notre affaire. Elle était parvenue sagement à la conclusion qu'elle serait vraisemblablement plus heureuse en faisant carrière dans le monde artistique.
La convocation de Lucy par le FBI à New York fut, pour elle, la goutte d'eau qui fit déborder le vase. Le FBI recherchait Bernadine Dohrn, membre de Weather Underground, qui était soupçonnée de terrorisme urbain, et comme il avait appris que celle-ci travaillait alors comme hôtesse, il avait décidé d'interviewer les propriétaires de toutes les agences de New York. Lorsque deux de ses agents montrèrent la photographie de cette personne à Lucy, celle-ci, stupéfaite, s'exclama :
– Vous voulez rire? Jamais nous n'engagerions une fille qui a une telle allure!
Cependant, l'entrevue avec le FBI fut extrêmement déplaisante. D'après Lucy, les inspecteurs la harcelèrent et ne cessèrent de la menacer de faire fermer l'agence. Revenue au bureau, elle en tremblait encore et, peu de temps après, décida de nous quitter.
Son départ suscita en moi des sentiments mêlés. D'une part, je savais que je n'aurais jamais pu monter cette affaire sans son extraordinaire énergie et ses compétences administratives et, d'autre part, je sentais qu'elle me freinait et que notre succès croissant lui inspirait des réactions contradictoires et, je dirais même, l'effrayait. Nos personnalités étaient aussi fort différentes : j'étais très proche des filles, et elle préférait se tenir à l'écart.

Cependant, lorsqu'elle nous quitta pour de bon, je n'en menais pas large. Dès le début, nous avions pris l'habitude de nous concerter chaque jour et, même si j'en savais alors autant qu'elle, je ne pouvais imaginer assurer la direction de « Cachet » sans son aide. Il me fallut bien deux semaines pour comprendre que son départ était pour moi beaucoup plus une bénédiction qu'un désastre, car il me donnait la possibilité de mener l'affaire exactement comme je l'entendais.

Je nourrissais de nouvelles idées qu'il me tardait de mettre en pratique, d'autant plus que, désormais, j'étais libre d'innover sans avoir à tenir compte de l'avis d'une associée. La première chose à faire, cependant, était de combler le vide laissé par Lucy, et le meilleur moyen d'y parvenir était de trouver, en priorité, un bureau et d'engager du personnel d'appoint.

7

Il me fallait, d'abord, trouver un bureau, et pour deux raisons : premièrement, je commençais à être lasse d'opérer à partir de mon petit appartement et, deuxièmement, j'avais interviewé plusieurs candidates excellentes qui ou bien avaient un petit ami ou bien une colocataire et, de ce fait, n'auraient la faculté de travailler pour moi que si elles disposaient d'un local où elles pourraient attendre les appels.

Quand je dis à l'employée de l'agence immobilière que je cherchais un deux-pièces au loyer peu élevé et situé dans l'Upper West Side, elle me sourit aimablement et me montra du doigt une pile de demandes qui devait bien faire vingt centimètres de hauteur. Je ne m'attendais pas à la revoir de sitôt, mais elle me rappela quatre jours plus tard pour m'emmener visiter un appartement de bonnes dimensions, situé près du mien et dont le loyer se montait à sept cents dollars par mois. Je le retins immédiatement.

Je convertis la chambre exiguë en un bureau privé, où je fis apporter une longue table de travail reposant, à chaque extrémité, sur un classeur à deux tiroirs. Dans la salle de séjour, j'installai un tapis de sisal, un canapé recouvert de chintz fleuri, deux fauteuils vert pomme, une table basse en terre cuite recouverte d'un plateau en verre au piétement en forme de pattes d'éléphant, des éléments muraux de couleur blanche et un poste de télévision. J'approvisionnai la salle de bains d'une pile de serviettes propres, d'une réserve de flacons de shampooing, de rouleaux électriques, et même d'un séchoir à cheveux. Je fis également fabriquer une belle coiffeuse dont le miroir était ceint d'une rampe lumineuse.

Je voulais que le local de l'agence fût un lieu accueillant et confortable pour toutes les hôtesses, non seulement pour celles qui jugeaient plus pratique d'en faire le point de départ de leurs activités, mais aussi pour celles qui y passaient pour régler leurs comptes et s'y attardaient souvent pour bavarder.

Périodiquement, j'apportais une pile de magazines, dont *Glamour, Vogue, Cosmopolitan* et *New York*. Chaque fois que je tombais sur un article que, selon moi, les filles avaient intérêt à lire, j'en faisais des photocopies dont je déposais un exemplaire dans le petit casier qui avait été attribué à chaque hôtesse et où atterrissaient également notes, mémos et coupures de journaux.

A l'occasion, l'une d'entre nous commandait, le soir, un repas livré à domicile, soit chez Bennie's, établissement spécialisé dans la nourriture diététique, soit dans l'un des nombreux restaurants chinois du quartier. Pendant qu'elles attendaient au bureau, les filles lisaient, étudiaient pour leurs examens, regardaient la télé, ou faisaient des exercices de culture physique ou de yoga. Celui de nos appareils le plus souvent mis à contribution était une machine à pop-corn, qui en a sans doute débité beaucoup plus que celle du cinéma du coin. J'avais fait installer un tableau mural sur lequel les filles inscrivaient la liste des articles qu'il fallait racheter : soda, café, laque à cheveux, etc. L'une d'entre elles y ayant une fois écrit : « S'il vous plaît, Sheila, achetez du beurre pour le pop-corn », je répondis par la même voie : « Pas question, vous êtes toutes au régime! »

Les visiteuses qui défilaient dans le bureau étaient si nombreuses que nous avons dû veiller à ne pas attirer l'attention sur ce va-et-vient incessant. Toutes les hôtesses avaient une clef de l'immeuble. Il avait fallu, en effet, renoncer à se servir de la sonnette après qu'un locataire s'était plaint d'avoir entendu carillonner toute la nuit. Je pris soin, cependant, de donner les précisions suivantes dans un mémo : « Ne vous servez pas de votre clef si vous remarquez, à l'entrée, une personne qui réside ou semble résider dans notre immeuble. Il faut vous mettre à sa place : vous vous sentiriez vous-même mal à l'aise si vous saviez que dix ou vingt personnes ont chacune la clef de la porte d'entrée de votre immeuble, bien qu'elles n'y vivent pas. »

Pour que les allées et venues se remarquent moins, je demandais aux hôtesses de faire arrêter leur taxi devant l'immeuble d'à côté et de retirer leurs chaussures une fois franchie la porte d'entrée, car le hall de notre bâtiment était aussi sonore qu'une chambre à écho. Je ne tenais pas du tout à effaroucher les autochtones...

Dès que le bureau fut bien installé, j'adoptai rapidement une routine quotidienne : tous les matins je m'occupais des opérations bancaires et de la paperasserie, puis j'allais faire mes courses – en veillant à revenir au bureau pour quinze heures trente au plus tard, c'est-à-dire trente minutes avant l'heure d'ouverture. Sur le chemin de retour, il m'arrivait souvent de penser aux filles de service ce soir-là. Certaines d'entre elles étaient plus faciles à faire accepter aux clients que d'autres, et j'étais particulièrement émoustillée les soirs où j'avais un choix remarquable à proposer. Je ne connaissais pas de sentiment plus agréable que celui *de savoir* par avance qu'un nouveau client à qui j'enverrais une hôtesse extraordinaire serait surpris et impressionné par sa grâce et son charme.

L'après-midi, je commençais toujours par vérifier le tableau des réservations où étaient consignés les appels reçus. Bien souvent, deux ou trois appels avaient déjà été enregistrés pour la nuit, ce qui me donnait le sentiment que la soirée s'annonçait bien. Il était également flatteur de savoir que certains hommes nous tenaient en si haute estime qu'ils nous appelaient une semaine à l'avance pour une réservation.

J'étais prise d'une sorte d'exaltation à l'approche des seize heures. Qui nous téléphonerait ce soir-là? Serait-ce un homme auréolé de prestige, tel un prince, un duc, ou un brasseur d'affaires bien connu? Comment cela se passerait-il pour Michelle dont ce serait la première visite? Y aurait-il des appels pour des dîners? Ou pour une nuitée? Des filles de rêve appelleraient-elles pour demander une entrevue?

Je prenais ensuite dans notre cachette, derrière le socle de la cheminée, un classeur à cinq soufflets que j'appelais le classeur « DC » (Documents Compromettants). Il contenait les descriptions de chaque hôtesse, leur emploi du temps, notre liste d'hôtels annotée, des renseignements concernant les cartes de crédit, la « main courante » – compte rendu détaillé des appels de la nuit précédente – et la « banque », c'est-à-dire une enveloppe renfermant de l'argent liquide pour rembourser aux filles la part qui leur revenait quand elles me remettaient les reçus de règlement par cartes de crédit et les chèques.

Je vérifiais ensuite le programme de la semaine que j'avais établi le vendredi précédent en tenant compte des jours choisis par les filles. Je notais le nom de celles qui devaient commencer à seize heures le jour même, et il m'arrivait de les appeler pour bien m'assurer qu'elles seraient prêtes à cette heure-là. Le mercredi après-midi, je confirmais par téléphone aux candidates qui devaient venir le lendemain leur rendez-vous pour une première ou une deuxième entrevue.

J'écoutais ensuite les messages enregistrés sur les répondeurs et, d'abord, ceux des hôtesses qui m'indiquaient l'heure à laquelle elles seraient prêtes à sortir ce soir-là, et dont je prenais note. Ensuite, les messages des clients. Ceux qui appelaient pour la première fois avant seize heures raccrochaient généralement lorsqu'ils entendaient notre message enregistré, mais nos habitués, eux, laissaient souvent un message et un numéro de téléphone. Il était déjà près de quinze heures cinquante, et je devais me dépêcher, car les téléphones se mettraient à sonner dès l'heure d'ouverture. A quinze heures cinquante-huit, je faisais un petit tour à la salle de bains : je savais que, les soirs d'affluence, je ne pourrais quitter mon travail d'une seconde.

Sur le coup de seize heures, j'arrêtais les répondeurs et prenais moi-même les appels : il y avait les habitués qui prenaient rendez-vous pour plus tard dans la soirée, les nouveaux clients qui demandaient des renseignements, les clients de l'extérieur qui voulaient déjà réserver pour la semaine suivante et, invariablement, une ou deux hôtesses qui ne pouvaient pas commencer à l'heure prévue ou qui faisaient défection. Il m'arrivait de me retrouver tout à coup avec six hôtesses seulement sur les huit disponibles ce soir-là parce que Rebecca avait un rhume et Patty la migraine – le mot de code pour les règles. Dans ce cas-là, je devais vite téléphoner à droite et à gauche pour essayer de convaincre une autre fille de travailler.

Peu après l'ouverture du bureau, les filles arrivaient pour régler les comptes de la nuit précédente. Si le client avait réglé en espèces, l'hôtesse me versait la commission revenant à l'agence. S'il avait payé par chèque ou carte de crédit, je lui réglais immédiatement son dû en argent liquide, car j'avais obtenu l'accord de la banque pour accepter la carte de crédit ou le chèque du client avant même que la fille ait entendu parler de son rendez-vous.

Il était courant, dans d'autres agences, que les filles attendent quatre à huit semaines le remboursement de leur part lorsque le paiement avait été fait par carte de crédit, bien que le compte en banque de l'agence eût été, en fait, crédité peu de jours après l'acceptation. Dans certains cas, les patrons d'agence n'hésitaient pas à mentir à l'hôtesse en lui disant qu'un chèque ou une carte de crédit n'avait pas été honoré – pratique qui m'avait amenée à ne plus travailler pour Eddie. Des agences avaient l'aplomb d'imputer au compte de certaines de leurs hôtesses le montant d'un paiement par chèque ou carte de crédit qui s'était révélé défectueux en le déduisant *en totalité* de ce qu'elles leur devaient pour d'autres visites. Autrement dit, non seulement l'hôtesse ne recevait pas sa part, mais elle devait également régler la commission de l'agence, ce qui se traduisait pour elle par une perte *sèche.*

L'hôtesse se trouvait ainsi placée dans une situation peu enviable car, lorsqu'elle se rendait compte de cette pratique et commençait à s'en plaindre, l'agence lui devait peut-être déjà plusieurs milliers de dollars dont elle ne verrait pas le moindre cent si elle décidait de rendre son tablier.

J'étais toujours surprise de constater que de nombreux clients tiraient leurs chèques sur un compte joint, le nom de leur épouse figurant en toutes lettres sous le leur dans l'intitulé. La seule mention de « Cachet » sur le chèque n'indiquait pas, bien sûr, qu'il s'agissait d'une agence d'hôtesses, mais il m'a toujours semblé que ces messieurs prenaient un risque inutile. Peut-être, après tout, que leur femme n'examinait jamais leurs chèques retournés par la banque.

Les clients habitués à traiter en argent liquide nous payaient généralement en espèces. Je me souviens d'un coiffeur qui réglait invariablement avec les billets de un dollar tout froissés qu'il avait reçus en guise de pourboires. Ce client ne déplaisait pas aux filles, mais il lui fallait si longtemps pour compter la somme due qu'elles mettaient généralement fin à la soirée quelques minutes plus tôt.

Pour en revenir à notre routine quotidienne, nous connaissions habituellement une accalmie entre dix-huit et vingt heures. C'était le moment où les clients étrangers à la ville prenaient un verre ou dînaient avec des associés, alors que les New-Yorkais ayant les moyens de faire appel à nos services ne quittaient jamais leur bureau avant dix-neuf heures. A l'heure du dîner, je me faisais souvent apporter un repas par l'un des nombreux restaurants du quartier et, si les téléphones restaient silencieux, je le partageais avec les hôtesses qui se trouvaient avec moi dans la salle de séjour.

Généralement, les sonneries des téléphones se faisaient à nouveau entendre vers vingt heures, c'est-à-dire au moment où les New-Yorkais rentrent chez eux et où les clients de passage soit réintègrent leur hôtel soit arrivent de l'aéroport. Nous recevions souvent aussi des appels de personnes qui venaient de lire notre annonce dans les offres d'emplois, surtout le mercredi et le jeudi soir, peu après la livraison dans les kiosques à journaux de la dernière édition du *Village Voice* et de *Show Business*.

La période qui s'écoulait entre vingt-trois heures et minuit trente était habituellement la plus chargée. Certaines nuits, c'était un véritable cirque : il m'arrivait de recevoir en même temps trois ou quatre appels sur des lignes différentes et de passer de l'une à l'autre en m'efforçant de faire croire à chaque interlocuteur qu'il avait toute mon attention. S'il s'agissait d'un habitué, je lui expliquais que, momentanément débordées, nous le rappellerions dans quinze ou vingt minutes et, dans l'intervalle, je notais dans ma tête le nom de la fille que je devais lui réserver.

Entre toutes ces activités, il me fallait aussi donner, de mon côté, des coups de téléphone. Chaque fois qu'un nouveau client faisait appel à nos services, je devais obtenir l'accord de la banque pour accepter son chèque ou sa carte de crédit et appeler ensuite l'hôtel où il m'avait dit être descendu pour vérifier ses dires. Ce n'est qu'après avoir accompli ces démarches que je téléphonais à l'hôtesse pour lui donner tous les renseignements dont elle avait besoin pour son rendez-vous.

Les nouvelles me demandaient toujours quelles étaient les nuits de la semaine les plus chargées. J'aurais aimé pouvoir répondre à cette question mais, à l'exception du vendredi et du samedi qui étaient normalement des jours calmes, il n'était pas possible de faire des prévisions valables. La plupart des hôtesses étaient cependant convaincues qu'une des nuits de la semaine au moins était leur « nuit de chance ». Stacey, par exemple, tenait à travailler notamment le jeudi. L'agence était habituellement fermée pendant les week-ends de trois jours, sauf la dernière nuit, car de nombreux clients locaux nous appelaient à ce moment-là – soit parce qu'ils venaient juste de rentrer à New York et voulaient continuer à festoyer, soit parce qu'ils n'étaient pas partis et ne voulaient pas rester sur l'impression d'avoir complètement gâché leur week-end.

Avec Lucy en moins et un volume de travail constant, il devint vite évident que j'avais besoin d'une ou de deux assistantes pour m'aider à répondre au téléphone au bureau, comme je l'avais fait pour Eddie. Mais je ne pouvais quand même pas faire passer dans la presse une annonce ainsi conçue : « Agence d'hôtesses cherche téléphonistes. » Pareille annonce aurait mis la puce à l'oreille de la police ou de nos concurrents qui auraient alors essayé de nous infiltrer. Je demandai plutôt à mes hôtesses si elles connaissaient des personnes intéressées par mon offre d'emploi.

D'emblée, je décidai de ne pas donner au personnel de bureau le titre de téléphoniste. Nos habitués avaient coutume de ne traiter qu'avec la direction, et je savais qu'ils répugneraient à s'entretenir avec une personne qui n'occuperait pas une certaine position dans notre agence. Aussi donnai-je à ces personnes le titre d'« assistantes » car, en mon absence, elles avaient le pouvoir de prendre des décisions et, même, de mettre les hôtesses au pas les rares fois où cela était nécessaire lorsque, par exemple, elles arrivaient en retard aux rendez-vous ou commettaient d'autres petites infractions au règlement.

C'était par le truchement du téléphone que mes assistantes communiquaient notre image. C'étaient elles qui donnaient le ton en utilisant toujours l'expression « jeunes ladies » en parlant de nos hôtesses, non seulement parce que le terme « femmes » les aurait fait apparaître trop âgées et trop libérées, mais aussi parce que, comme je l'avais déjà expliqué à mon personnel, si le client imaginait que son hôtesse était une « lady », il serait plus enclin à se conduire lui-même en « gentleman ».

Les assistantes constituaient également notre première ligne de défense contre les interlocuteurs indésirables, trop curieux ou éventuellement dangereux. Elles me libéraient aussi des mille petits détails qui assuraient la marche harmonieuse de l'affaire.

Mes journées étaient déjà suffisamment occupées par les bataillons de candidates qui se présentaient sans discontinuer pour une entrevue, sans parler des transactions bancaires, des tâches administratives et autres contraintes matérielles (dont des difficultés constantes avec la compagnie du téléphone), pour que j'apprécie de ne pas avoir à venir encore au bureau tous les soirs. Les assistantes prenaient donc la barre quand j'étais occupée par ailleurs. Outre qu'elles me remplaçaient à la direction de l'affaire, elles étaient pour moi un complément d'yeux et d'oreilles. Heather n'avait-elle pas pris un peu trop de poids? Je devais en être informée. Un autre client ne s'était-il pas plaint d'Elizabeth, comme un autre déjà, parce qu'elle faisait « trop professionnelle »? A noter par écrit. Kelly n'était-elle pas habillée de façon trop provocante? Ne pas oublier de me le dire. Ce nouveau client du Texas était-il vraiment aussi aimable qu'il le paraissait au téléphone? S'en assurer et me laisser un message.

Ma première assistante fut Liza. J'avais fait sa connaissance quelques mois auparavant lorsqu'elle avait postulé pour un emploi d'hôtesse. Liza incarnait toutes les qualités que je recherchais – bonne présentation, intelligence et personnalité chaleureuse. Elle suivait des cours d'art dramatique, et j'avais déjà noté sur ma fiche d'emploi qu'elle avait une voix fabuleuse. Le seul obstacle à son recrutement en qualité d'hôtesse était son léger embonpoint : il aurait fallu qu'elle perde quelques kilos.

Quand je me mis en quête d'une assistante, je me souvins d'elle et sus aussitôt qu'elle ferait très bien l'affaire. Non seulement elle avait l'expérience des travaux de bureau, mais elle connaissait déjà la musique pour avoir été l'une de mes auditrices à une deuxième entrevue. De plus, elle avait cette voix fantastique. Je fus ravie d'apprendre que l'emploi l'intéressait et qu'elle était libre.

Il est indispensable, pour tenir cet emploi, de savoir répondre avec aisance au téléphone. Les filles ayant étudié l'art dramatique conviennent ainsi fort bien, car elles ont habituellement la voix bien posée, une bonne élocution, et elles s'expriment facilement. Je tenais tout particulièrement à ce que la personne qui répondrait à notre téléphone n'ait pas un accent new-yorkais. La préposée à cette fonction devait donner le ton à tout ce qui allait suivre, d'où l'impérieuse nécessité qu'elle s'exprimât de manière raffinée et cultivée.

Je tenais aussi à recruter des actrices, car elles sont habituées à rabâcher le même texte en donnant l'impression qu'elles le déclament pour la première fois. Une bonne assistante pouvait entretenir l'illusion qu'elle se plaisait simplement à mener une conversation amicale et décontractée avec un client, même si, en réalité, presque tous les mots qui sortaient de sa bouche étaient ceux d'un script dont elle s'inspirait. Elle pouvait traiter trois appels téléphoniques à la fois tout en faisant croire à chaque interlocuteur, grâce à sa formation théâtrale, qu'il était pour elle, à l'instant même, l'homme le plus important du monde.

Une assistante devait également être discrète, non seulement avec les clients éventuels qui, à l'occasion, posaient des questions inattendues, mais également avec les hôtesses. Les assistantes avaient accès au fichier des filles, et il était très important que les renseignements qui y figuraient restent confidentiels. La fiche de Morgan, par exemple, portait entre autres la mention : « Pas assez séduisante pour être adressée à un nouveau client. » Je n'aurais pas voulu que Morgan prît connaissance de cette annotation et en fût blessée. Elle savait sans doute plus ou moins que nous l'avions surtout engagée pour sa poitrine opulente, car nous avions toujours des clients qui accordaient la plus haute importance à une gorge épanouie. Il n'aurait cependant servi de rien de lui retourner le couteau dans la plaie.

Liza se révéla un bon choix, ce dont nous nous félicitions aussi bien l'une que l'autre. Pour une personne comme elle, intelligente, sensible, réfléchie, organisée et intuitive, c'était une aubaine que d'avoir trouvé cet emploi, assorti d'un horaire souple et d'un bon salaire, où ses qualités pouvaient s'épanouir.

Liza était chaleureuse et amicale au téléphone, et savait même amener la personne la plus tendue à se décontracter. Elle était particulièrement douée avec les clients difficiles. Elle s'occupa par exemple, de façon magistrale, d'un de nos habitués, un avocat éminent, qui téléphona un soir alors qu'il était ivre.

– Vous savez, Charles, lui dit-elle, il me semble que vous vous êtes déjà payé du bon temps sans l'aide de personne ce soir! Pourquoi ne pas nous rappeler demain?

Lorsque je la complimentai, elle se mit à rire.

– Ne croyez pas que c'était facile! Je mourais d'envie de lui dire : « T'as du vent dans les voiles, mon coco, et tu ne pourrais même pas présenter les armes ce soir, même si ta vie en dépendait. »

Et voilà pourquoi il était si agréable d'avoir une actrice pour répondre aux téléphones!

De fait, la manière dont Liza menait ses entretiens était si enjôleuse que sa vie en fut changée. Une bonne assistante finissait par connaître individuellement les clients, et Liza se plaisait particulièrement à converser avec un directeur commercial prénommé Alex, qui nous appelait chaque semaine. Alex était si gai et si généreux qu'il était le préféré de ces dames. Il se comportait aussi en grand seigneur : une fois que je lui demandais quel genre de fille il voulait rencontrer, il me répondit : « Intelligente, intègre et heureuse. » Exceptionnellement bon et sensible, il était toujours le client idéal pour une fille qui commençait tout juste dans le métier.

Voyageant beaucoup, il nous appelait souvent de San Francisco ou de Chicago pour nous dire tout simplement bonjour. Comme beaucoup de nos clients, il essayait de convaincre nos assistantes de sortir avec lui. Liza était sérieusement tentée, mais persistait dans son refus. Tous deux n'en continuaient pas moins à se parler, et Liza choisissait toujours pour lui les filles qui, jugeait-elle, plairaient à Alex.

Cette tâche n'était pas difficile, car Alex était si chaleureux et si sociable qu'il aurait pu passer un bon moment avec pratiquement n'importe quelle hôtesse. Le lendemain, il téléphonait et demandait toujours à parler à la fille qu'il avait vue, et comme nous ne le permettions pas, il se consolait en faisant, au bout du fil, la conversation à Liza, ce qui était tout aussi bien.

Un soir, Alex dit à Liza qu'il projetait de partir en vacances aux Caraïbes et qu'il souhaitait vraiment avoir quelqu'un pour l'accompagner. Il parla de façon si convaincante et de son futur voyage et de son état de célibataire que, lorsqu'il rappela, Liza lui dit :

– Je ne pars pas avec vous, mais la description que vous m'avez faite des plages m'a vraiment impressionnée. Peut-être devrions-nous nous rencontrer après tout?

– Si nous allions dîner ensemble demain soir? proposa-t-il.

– A une condition, répondit-elle, que notre rendez-vous n'ait rien à voir avec le travail, et que vous continuiez à nous téléphoner, même si cela vous embarrasse.

Si Alex ne rappela jamais plus « Cachet », ce n'est pas parce que le dîner s'était mal passé. En fait, Liza et lui tombèrent amoureux l'un de l'autre – ils vivent d'ailleurs ensemble depuis cette rencontre.

– Nous nous sommes connus dans des circonstances très éprouvantes, se plaît à dire Alex. Avant même de nous rencontrer, elle m'avait dit « non » plus de cent fois.

Une assistante devait être douée pour la vente, mais devait procéder avec discrétion. Notre technique dans ce domaine consistait à faire appel uniquement à des moyens persuasifs : j'interdisais qu'on poussât à la vente en adoptant une méthode agressive, qui aurait pu donner des résultats immédiats mais n'aurait pas été payante à long terme. En outre, ce style de vente était incompatible et avec la réputation que nous nous étions faite et avec notre stratégie commerciale. Notre objectif était d'inciter les clients à nous rappeler. Par conséquent, la première impression qu'ils avaient de notre agence était pour nous extrêmement importante.

Un client pouvait sans doute rencontrer une hôtesse différente chaque fois qu'il faisait appel à nos services, mais c'était toujours avec l'assistante qu'il était en relation, car elle jouait pour lui le rôle d'amie et de conseillère et était là pour écouter ses doléances si, pour une raison ou une autre, la fille que nous lui avions envoyée l'avait déçu.

A l'exception d'Alex, aucun client, en dépit de nombreuses tentatives, n'a jamais réussi à rencontrer une assistante. La facilité d'élocution des assistantes et, surtout, l'impossibilité de jamais les voir enflammaient souvent l'imagination de ces messieurs qui posaient à leur sujet des questions aux hôtesses : « Dites-moi, comment est-elle, Jaime? » Ou bien : « Parlez-moi un peu d'Ashley. »

Une assistante devait être non seulement experte sur les plans psychologique et social mais également douée d'une bonne mémoire et du sens de l'organisation. La plupart des renseignements dont elle avait besoin étaient consignés par écrit, mais elle n'avait pas toujours le temps de consulter les dossiers lorsque la soirée était chargée. Elle devait connaître immédiatement les réponses à de multiples questions : Quelles étaient les hôtesses de service ce soir-là? A quelle heure étaient-elles disponibles? Quels étaient les clients qu'elles préféraient ne pas voir? Quel genre de fille préfère M. Harris? Quelles sont celles qu'il a déjà vues et comment les a-t-il jugées? Quels clients fallait-il rappeler plus tard pour confirmer un rendez-vous pris à l'avance, et à quelle heure?

Sur le plan administratif, Ashley était une perle. Elle avait une mémoire stupéfiante et se souvenait non seulement des numéros de téléphone de tous les hôtels de New York, mais aussi des numéros et des adresses de nos habitués new-yorkais. Le plus important était cependant qu'à l'instar des cadres supérieurs avec lesquels elle traitait, elle savait garder – comme d'ailleurs les autres assistantes – l'esprit clair dans les moments de presse tout en étant capable de devancer l'événement.

Une assistante devait être également impartiale et se garder de tout jugement. Organisant les rencontres d'un soir, elle ne pouvait laisser les sentiments que lui inspirait personnellement une hôtesse influer sur les décisions qu'elle devait prendre sur le plan commercial. Elle devait réserver au client l'hôtesse qui correspondait le mieux à son attente, même si elle n'éprouvait aucune sympathie particulière à l'égard de l'intéressée.

Les soirs où je n'étais pas au bureau, c'étaient les assistantes qui fermaient l'agence. Si la dernière hôtesse en visite se trouvait dans une résidence privée, l'assistante pouvait rentrer chez elle – à condition qu'elle ait communiqué à l'hôtesse son numéro de téléphone personnel. Si la dernière hôtesse en visite se trouvait dans un hôtel, l'assistante devait attendre au bureau que l'hôtesse l'ait appelée de son domicile. Je voulais, en effet, que quelqu'un reste au bureau pour parer à toute éventualité au cas où le service de sécurité d'un hôtel aurait fait du zèle.

Fermer à une heure du matin est inhabituel pour une agence d'hôtesses, mais je ne tenais pas particulièrement, bien que nous ayons ainsi manqué un certain nombre d'affaires, à être sollicitée par des hommes à la recherche d'une compagnie féminine à trois heures du matin (dans la plupart des cas, il s'agissait d'appels pour des parties de toxicomanes). Comme je l'expliquais toujours aux nouvelles recrues, notre spécialité était l'homme d'affaires sérieux, qui devait participer à un petit déjeuner d'affaires à huit heures le lendemain matin. N'oublions pas, en outre, que beaucoup de mes hôtesses devaient être présentes à neuf heures à leur travail ou à leurs cours.

Cependant, si une hôtesse était partie à minuit ou si son rendez-vous s'était prolongé d'une façon inhabituelle, elle pouvait ne pas revenir avant trois, quatre ou même six heures du matin. L'assistante n'avait alors rien de mieux à faire qu'à s'étendre sur le divan en attendant que l'hôtesse l'appelle de chez elle sur notre ligne particulière pour l'informer qu'elle était rentrée sans encombre. Tant que les filles n'avaient pas regagné leur domicile, le compteur tournait pour l'assistante, même si elle dormait du sommeil du juste, au tarif de sept dollars cinquante de l'heure de commission pour chaque hôtesse encore en service, ce qui, tout bien considéré, n'était pas une rémunération négligeable pour une activité de tout repos.

Il arrivait de temps à autre que la procédure que je viens d'exposer ne fût pas respectée et qu'une hôtesse rentrée tard chez elle s'écroulât sur son lit en oubliant d'appeler. Comme son répondeur était habituellement branché, l'assistante n'avait aucun moyen de s'assurer que cette hôtesse était bien rentrée et devait donc rester au bureau jusqu'à dix ou onze heures du matin. Croyez-moi : aucune hôtesse ne s'est rendue plus d'une fois coupable de pareille négligence!

Si une candidate à l'emploi d'assistante semblait avoir toutes les qualités requises, je lui faisais suivre un stage de formation de six semaines pendant lequel elle recevait un salaire symbolique de vingt-cinq dollars la nuit, qui passait à soixante-quinze dollars dès qu'elle commençait à travailler. A ce salaire de base venaient s'ajouter, à titre d'encouragement, dix pour cent de la somme revenant à l'agence sur les réservations que l'assistante avait faites.

Les assistantes gagnaient ainsi entre cent et deux cents dollars la nuit, mais si la paie était bonne, le travail était difficile et les heures de présence interminables. Pour une assistante, la journée de travail commençait, comme pour moi, à quinze heures trente de l'après-midi, heure à laquelle elle arrivait pour mettre le bureau en ordre, et ne se terminait, parfois, pas avant l'aube.

Le stage de formation commençait par plusieurs séances de discussion, de prises de notes, de questions-réponses et de simulations où les futures assistantes tenaient mon rôle. Quand j'estimais qu'une stagiaire maîtrisait bien les rudiments de l'emploi, je la faisais venir au bureau, où elle pouvait écouter la diffusion par haut-parleur de conversations téléphoniques entre les assistantes et leurs interlocuteurs.

Je ne laissais jamais une nouvelle se servir du téléphone tant qu'elle n'avait pas assimilé, sous ma supervision, une longue liste de détails : comment décrire une hôtesse, interpréter le dossier d'un client, mettre les clients sur une ligne d'attente sans les irriter, établir l'emploi du temps hebdomadaire des hôtesses, répondre aux questions – sans divulguer trop de renseignements –, interroger une fille qui revient d'un rendez-vous avec un nouveau client, tenir les comptes, etc.

Dès la troisième semaine, la stagiaire était autorisée à répondre aux appels, mais seulement en dehors des moments de presse et sous une étroite supervision. Quand l'un de nos habitués appelait, nous lui demandions si Lorraine, notre nouvelle assistante, pouvait s'occuper de lui ce soir-là. Immanquablement, Lorraine s'en tirait très mal, mais on sait bien que c'est en forgeant qu'on devient forgeron. J'enrageais intérieurement d'entendre une nouvelle assistante massacrer son dialogue avec le client, mais je savais qu'il valait la peine d'être patiente, car elle finissait toujours par s'améliorer.

Lorsqu'un nouveau client appelait, l'assistante lui débitait alors ce que nous appelions le « boniment » suivant :

« Si vous le voulez bien, je voudrais d'abord vous parler un peu de nous. Sheila a ouvert son agence en 1979, et l'un des principes auxquels elle tient le plus est de n'engager que des personnes qui travaillent ou suivent des cours dans la journée : autrement dit, aucune de nos hôtesses n'est une professionnelle. (Le terme de « professionnelle » devait être prononcé sur un léger ton de dérision.) Quelques-unes de nos " ladies " aspirent à être danseuses, actrices ou mannequins, mais la plupart sont étudiantes dans un collège ou employées à plein temps. Elles travaillent pour nous deux ou trois nuits par semaine, et nous ne leur autorisons qu'un seul rendez-vous par soirée, le premier client qui appelle étant le premier et le seul servi.

« Si vous voulez emmener dîner l'une de nos jeunes " ladies ", nous considérons qu'il s'agit là d'une soirée de quatre heures à cinq cents dollars. Pour un dîner suivi d'une sortie au théâtre ou dans un cabaret, nous comptons une soirée de six heures à sept cent cinquante dollars. Mais si vous préférez rester avec une hôtesse pour une période de temps plus brève, le tarif est de cent soixante-quinze dollars de l'heure. Point n'est besoin de lui donner un pourboire, à moins que vous ne teniez à lui exprimer personnellement votre satisfaction. »

(Nous faisions ainsi allusion à certaines des autres agences qui appliquaient un tarif plus bas au départ mais dont les hôtesses négociaient ensuite un supplément pour tout – des baisers jusqu'à la montée au septième ciel... ou la descente aux enfers.)

« Ces prix s'entendent paiement comptant. Mais nous nous ferons un plaisir d'accepter votre paiement par chèque, sur présentation de votre carte d'identité, ou par carte de crédit, le prix étant toutefois quelque peu différent. » (Le prix était alors un peu plus élevé, mais comme il était illégal de le dire, nous offrions, comme de nombreuses entreprises, une modeste « ristourne » pour le règlement en espèces.)

A ce moment-là, l'assistante devait marquer une pause pour laisser le client la remercier – quand il avait téléphoné pour demander des renseignements ou poser des questions. S'il gardait le silence, elle poursuivait en ces termes : « Quel type de jeune " lady " aimeriez-vous rencontrer ce soir? » Si elle sentait qu'il était perplexe ou hésitant, elle lui posait alors des questions plus précises :

« Quel âge devrait avoir la personne que vous aimeriez rencontrer? »

« Préféreriez-vous une fille grande ou de taille moyenne? »

« Préféreriez-vous une personne mince ou potelée? »

Il ne fallait surtout pas commettre l'erreur de demander à l'interlocuteur la couleur de cheveux qui avait sa préférence, car la majorité des hommes répondaient, dans ce cas, « blonde », et nous n'avions jamais assez de blondes pour satisfaire à la demande.

« Beaucoup d'hommes demandent l'impossible, expliquais-je aux nouvelles assistantes. C'est pourquoi, si vous pressentez que le client cherche une beauté parfaite, vous devez décourager son espoir insensé sans lui faire perdre la face et sans lui donner l'impression qu'il fait une grande concession en acceptant un rendez-vous avec l'hôtesse dont vous lui parlerez.

« Dans ce cas, vous avez plusieurs réponses à donner : soit vous

vous mettez à rire en disant : “ Si seulement j’avais une douzaine de filles correspondant à cette description! ”, soit vous vous exclamez : “ Quel dommage qu’il y ait si peu de filles de cette catégorie qui choisissent cette occupation! S’il y en avait davantage, j’aurais déjà eu les moyens de m’acheter des appartements sur Park Avenue ”, soit encore : “ C’est vraiment une fille de rêve que vous recherchez! ” – ici un soupir – “ Comme j’aimerais pouvoir vous en proposer une! ” »

Je poursuivais en ces termes : « C’est à ce moment-là que vous devez déterminer quelles sont les qualités qui comptent le plus à ses yeux. Grande? Forte en gorge? Belle? Consultez la liste des filles disponibles et choisissez deux ou trois candidates dotées de ces qualités. Si vous constatez qu’une fille répond particulièrement à ses vœux, dites-lui que vous disposez d’une jeune “ lady ” (ou de deux éventuellement) offrant des attraits fort proches de ceux qu’il recherche.

« Inutile cependant d’en remettre en lui disant qu’elle est “ parfaite ”, que vous êtes sûre qu’elle lui plaira, ou en lui tenant des propos de cet ordre. Il ne vous croira pas et vous sèmerez en lui le doute.

« Tout en consultant la liste, vous pouvez émettre des “ voyons..., voyons ”, pour bien l’assurer que vous tenez le plus grand compte de ses préférences. Rien ne semble moins naturel que de lui affirmer, dès qu’il a fini de les exprimer, que vous avez “ exactement ce qu’il lui faut ”. Donnez-lui l’impression que vous étudiez toutes les possibilités afin de lui faire croire que vous arrêtez le choix qui lui conviendra en y consacrant tout le temps et toute l’énergie nécessaires.

« Sortez les fiches des filles qui vous viennent à l’esprit et communiquez-lui, sur le ton de la conversation, la description qui y figure, sans qu’il soit besoin de suivre l’ordre dans lequel les renseignements ont été consignés. Soulignez les qualités qui correspondent à celles qu’il recherche. Minimisez les particularités indésirables sans, toutefois, les passer sous silence, car notre but est de vendre à la clientèle et non pas de la duper. Il faut expliquer, par exemple, que : “ Victoria a de longs cheveux châtains. Ils ne sont pas blonds, mais ils sont longs et magnifiques. ” Ou bien : “ Je crains qu’elle ne soit pas aussi grande que vous l’auriez voulu, mais elle a des jambes extraordinaires. ”

« S’il demande une personne très mince, ne lui faites pas perdre son temps en lui parlant d’une fille replète. Il saura que vous essayez de l’embrouiller, et il aura raison. Aussi, n’oubliez jamais ceci : si vous n’avez pas ce qu’il cherche, mieux vaut le lui dire.

« D’un autre côté, si vous pouvez satisfaire dans les grandes lignes à sa demande, dites-le-lui, en ne manquant pas de souligner les traits de l'hôtesse qui ne sont pas tout à fait conformes à ceux désirés. En cas de refus du client, et seulement dans ce cas, vous pouvez alors vous servir de l'atout que vous gardez en réserve, et lui proposer : " Si, en la voyant, vous estimez, pour une raison ou une autre, qu'elle n'est pas votre type, n'éprouvez aucune gêne à lui donner vingt dollars et à la renvoyer chez elle. Il ne vous en sera aucunement tenu rigueur. "

« Si l'exactitude de votre description le laisse sceptique, il vous faudra faire tomber ses préventions en utilisant, par exemple, l'argument suivant : " Bien sûr, je pourrais vous mentir et vous envoyer la première venue. Nous vous ferions passer à la caisse, mais vous ne nous rappelleriez jamais plus, n'est-ce pas? Si, par contre, je suis honnête avec vous, et vous envoie une fille du genre que je viens de décrire, vous saurez alors que vous pouvez avoir confiance en nous, et vous nous appelleriez à nouveau. Notre but est que vous nous rappeliez et que vous parliez de nous à vos amis. Est-ce que vous le feriez si j'essayais de vous mener en bateau? " N'oubliez pas que la plupart de ces types sont dans les affaires et qu'ils comprendront que nous voulons, de notre côté, y rester le plus longtemps possible.

« Il se peut maintenant qu'après votre description d'une ou de deux filles, il vous demande si vous n'en avez pas d'autres à lui proposer. Dans ce cas, vous devez l'assurer, avec diplomatie, que vous avez, bien sûr, d'autres filles disponibles mais que, compte tenu de ses préférences, celle ou celles dont vous lui avez fait la description représente(nt) le meilleur choix pour lui. S'il insiste, vous pouvez suggérer : " Voyons, maintenant... hum..., Denise pourrait peut-être faire l'affaire. " Faites-lui bien remarquer les particularités différentes de cette personne, et rappelez-lui qu'il peut toujours ne pas l'agréer.

« Inutile d'aller plus loin cependant. Si, à ce stade, il ne peut encore prendre de décision, il ne servirait à rien de lui offrir un quatrième choix. Il vaut mieux l'assurer, une fois encore, que vous tenez particulièrement compte de ses préférences et que, s'il veut bien nous rappeler plus tard ou un autre soir, nous pourrons peut-être lui proposer une hôtesse correspondant davantage à ses goûts. S'il décide de ne pas faire de réservation, remerciez-le aimablement d'avoir appelé, assurez-le que vous espérez pouvoir le satisfaire une autre fois, et prenez congé.

« S'il veut faire une réservation, vous savez déjà comment parler des méthodes de paiement et des autres détails techniques. S'il s'agit d'un nouveau client, vous devez également obtenir quelques renseignements le concernant en lui expliquant, par exemple : " Je suis sûre que vous comprendrez que nos hôtesses sont animées du désir d'être un peu informées sur les messieurs avec qui elles ont rendez-vous. Auriez-vous l'obligeance de m'indiquer votre âge, la nature de vos affaires et votre lieu de résidence? Je vous saurais gré d'avoir l'amabilité de le faire. "

« Vous pouvez terminer la conversation par un commentaire approprié à la situation, en le remerciant, par exemple, de nous avoir fait confiance, en lui souhaitant une agréable soirée, en l'assurant que l'hôtesse lui plaira, etc.

« N'avertissez pas l'hôtesse avant d'avoir obtenu l'autorisation nécessaire pour le chèque ou la carte de crédit – si le client ne doit pas régler en espèces – et vérifié l'adresse de son hôtel ou de sa résidence. Vous devez également consulter le registre des clients pour vous assurer qu'il n'est pas un NPO. »

« NPO » voulait dire « Ne pas obliger ». La plupart des hommes figurant sous cette rubrique étaient d'anciens clients qui s'étaient montrés soit grossiers soit déplaisants, ou dont l'appartement n'était pas agréable. Certains des NPO n'avaient jamais fait appel à nous mais avaient la réputation, d'après des filles d'autres agences, d'être des clients difficiles. Chaque fois que j'entendais parler d'un homme d'affaires qui avait réalisé une entreprise que je n'approuvais pas – par exemple, la construction d'une horrible tour dans un quartier résidentiel – j'ajoutais son nom à la liste au cas où il nous téléphonerait.

« Vous devez vérifier dans l'annuaire les nom, adresse et numéro de téléphone donnés par nos clients new-yorkais. Si ces indications n'y figurent pas, ou si le client vous a déjà signalé ce détail, appelez les " Renseignements ". Si la standardiste vous répond que le nom en question ne figure par sur sa liste, ou qu'il ne correspond pas à l'adresse indiquée, vous saurez alors que ce monsieur ne jouait pas franc-jeu avec vous. Si elle vous dit que le numéro du client est sur la liste rouge, vous saurez alors que l'adresse est correcte, et vous devrez présumer que le numéro de l'appartement qui vous a été donné est bien le bon. Jusqu'à présent, nous n'avons pas eu de difficulté à ce sujet.

« Pour les clients résidant dans un hôtel, appelez cet établissement et demandez à parler à, mettons, M. Jones en ajoutant : " Je crois qu'il est dans la chambre 1319 " – ou quelque chose de ce genre. Lorsqu'il décroche le téléphone, dites : " Bonsoir, M. Jones. Ici Lorraine, de l'agence " Cachet ". Je voulais tout simplement vous confirmer que Darlene sera chez vous à neuf heures. Merci. "

« Ce n'est qu'après avoir procédé à toutes ces vérifications concernant, entre autres, l'accord pour le paiement, la liste des NPO, l'adresse de l'hôtel ou la résidence – et *à ce moment-là* seulement – que vous pourrez appeler l'hôtesse pour lui donner les renseignements voulus.

« Pour les habitués, la procédure sera beaucoup plus souple. Un client qui nous appelle au moins deux fois par mois n'est généralement pas très tatillon au sujet des préférences qu'il a indiquées à l'origine. Peut-être ne voudra-t-il pas faire de concession sur certaines particularités (par exemple, l'ampleur de la poitrine, l'intelligence, la minceur), mais vous pouvez généralement ne pas tenir compte de celles concernant la taille, la couleur des cheveux et, parfois même, l'âge.

« Avec les habitués de longue date, vous pouvez être moins formaliste. Essayez, à mesure que vous les connaissez mieux, d'introduire une note plus personnelle dans vos relations avec eux, mais n'oubliez pas que les affaires sont les affaires et qu'il ne faut pas trop en dire au risque de trahir l'un quelconque de nos secrets.

« Une erreur facile à commettre avec un habitué est de lui recommander une fille qu'il a déjà vue. A l'examen de sa fiche, vous voyez qu'il a déjà eu rendez-vous avec, mettons, Darlene, et vous supposez, rien n'indiquant qu'il s'en soit plaint, qu'elle était pour lui le bon choix.

« Eh bien, vous feriez erreur : il faut s'abstenir de prendre ce genre d'initiative. A moins qu'un client ne vous précise qu'il aimerait revoir la même personne, partez toujours de l'hypothèse qu'il préférerait en rencontrer une nouvelle. De cette façon, nous ne le plaçons jamais dans la situation embarrassante qui serait la sienne s'il devait renvoyer la personne que nous lui avons adressée. »

Toute cette formation menait au premier soir où une nouvelle assistante prenait officiellement ses fonctions. Aussi bon qu'ait pu être l'enseignement qu'elle avait reçu, c'était toujours pour elle une expérience terrifiante. Non seulement elle devait se souvenir d'une foule de détails, mais elle devait aussi être capable de prendre rapidement de judicieuses décisions, car la sécurité des hôtesses en dépendait.

La première nuit où une nouvelle assistante assurait seule le service, je me tenais prête à répondre éventuellement à tout appel qui présenterait pour elle des difficultés. Il est arrivé une fois que, à peine entrée dans le bureau, une nouvelle assistante se soit trouvée comme paralysée : elle avait tout à coup oublié tout ce qu'elle avait appris. Je dus me précipiter et rester auprès d'elle jusqu'à ce qu'elle ait repris confiance et que sa mémoire fonctionne à nouveau.

Je me suis toujours arrangée pour qu'une nouvelle assistante commence à travailler un samedi, soirée la plus calme de la semaine. Pendant les trois premières années, « Cachet » était fermé le samedi mais, au cours de la quatrième, Liza, Ashley et Jaime vinrent me demander d'ouvrir également le samedi. « Si vous avez envie de travailler ce jour-là, leur répondis-je, je n'y vois aucune objection, mais moi, je ne travaillerai jamais le samedi soir, et vous devez me promettre que l'une de vous sera toujours de garde. » Elles furent d'accord, et l'agence fut désormais ouverte sept nuits par semaine.

Je l'ai déjà dit, nous racontions deux gros mensonges aux clients : que les filles étaient autorisées à ne travailler au maximum que trois nuits par semaine et qu'elles n'allaient qu'à un rendez-vous par soirée. Bien souvent c'était ainsi que les choses se passaient, ce qui tenait cependant beaucoup plus au jeu des circonstances qu'à l'observation d'un règlement.

Comme cela arrive presque toujours, un mensonge peut rapidement en entraîner un autre, et une assistante pouvait avoir à fournir, sur-le-champ, une explication au client ayant réservé une fille pour minuit lorsque celle-ci était inopinément priée de rester plus longtemps par celui qu'elle avait rencontré, disons, à vingt et une heures trente. L'assistante devait alors informer le client qui attendait son hôtesse pour minuit que la réunion d'affaires de Barbara se prolongeait, ou que Melody était retenue par le tournage d'une scène qui devait être reprise entièrement ou que Kate avait manqué son avion en provenance du Texas.

Les assistantes aimaient cet aspect de leur travail qui leur permettait d'improviser, mais je devais toujours leur rappeler de ne pas trop en faire. « L'excuse que vous donnez doit toujours sembler valable dans le cas de la fille dont vous parlez en particulier, leur disais-je, et elle doit être plausible. Je ne veux pas entendre ces sortes d'explications auxquelles les gamines ont recours comme, par exemple, “ c'est le chat qui a renversé le lait sur mon devoir ”. »

Parfois, les assistantes jugeaient nécessaire de prendre quelques autres libertés – lorsqu'il fallait, notamment, donner les mensurations d'une hôtesse. Beaucoup d'hommes éprouvent un respect déconcertant, quasiment révérenciel, pour ce genre de chiffres, mais ils ignorent souvent ce que ceux-ci représentent vraiment. Certains d'entre eux ne savent pas, par exemple, que c'est la taille des bonnets de soutien-gorge, et non celle du soutien-gorge, qui indique vraiment ce qu'ils veulent connaître. A ce propos, je n'oublierai jamais le ton sur lequel parlait Jaime lorsque je la surpris s'évertuant patiemment à fournir les explications suivantes à son interlocuteur : « Mais monsieur, vous ne comprenez pas, quarante-quatre double D est une *très, très* grande taille ! »

De temps à autre, un homme demandait un rendez-vous avec une hôtesse dont les mensurations précises devaient être 90-55-90. En toute honnêteté, est-ce qu'on voit souvent des filles avec un tour de taille de cinquante-cinq centimètres? Aucune de nos hôtesses, qui étaient pourtant toutes bien faites, n'avait une taille aussi fine. Nos clients étant incapables de faire la différence entre une taille de cinquante-cinq centimètres et une de soixante, nous leur disions, au besoin, ce qu'ils voulaient s'entendre dire.

Il en allait de même au sujet de la taille des hôtesses, et cela nous donnait l'occasion de jouer avec les chiffres. Gabriella était petite, et quand nous faisions sa description en précisant qu'elle mesurait un mètre cinquante-deux, personne n'était intéressé. Peut-être les hommes avaient-ils peur, comme l'un d'eux nous l'avoua, de se retrouver face à « un frêle petit oiseau ». Mais, à partir du moment où nous avons précisé au téléphone qu'elle mesurait un mètre soixante, Gabriella connut soudain un franc succès. Et aucun des clients qui la virent apparaître devant eux, juchée sur des talons de dix centimètres, ne s'est jamais plaint d'être victime d'une fausse publicité.

Les filles de grande taille étaient toujours recherchées, même par certains de nos clients dont la stature n'était pas particulièrement imposante. Cependant, la plupart des hommes petits ne tenaient pas à rencontrer une hôtesse plus grande qu'eux, ce qui nous obligeait à faire montre de subtilité et de diplomatie. Avec son mètre soixante-cinq, Frank se serait peut-être senti mal à l'aise auprès de Patty qui, elle, mesurait un mètre soixante-dix-sept et dépassait un mètre quatre-vingt-deux avec des talons, mais s'il se trouvait qu'elle fût son type, je faisais ainsi l'article :

– Vous savez, Frank, je suis sûre que Patty vous plaira. Elle est drôle, intéressante, et elle aime, comme vous, faire de la voile. Puisque vous n'envisagez pas de sortir avec elle pour dîner ou faire une promenade dans le parc, je ne crois pas vraiment que sa taille soit un handicap. Vous n'y ferez même pas attention. Ce serait dommage de perdre une occasion de rencontrer une jeune « lady » jolie, intelligente et assez exceptionnelle.

Se rendant à ma logique, Frank acceptait de voir Patty, et il va sans dire qu'il passait avec elle un moment très agréable. En général, si un client avait le sentiment que vous lui accordiez vraiment votre attention et que vous recherchiez ce qui lui conviendrait le mieux, il était disposé à tenter l'aventure. Après le départ de Patty, je téléphonais à Frank pour m'assurer que la soirée s'était passée aussi bien que je l'avais espéré et je m'entendais répondre :

– Vous aviez raison, Sheila, elle était extraordinaire. A partir de maintenant, je vous écouterai.

Il rejoignait ainsi le rang des clients qui estimaient que, puisque toutes les personnes que nous leur avions envoyées leur avaient plu, ils pouvaient à l'avenir s'en remettre à notre choix.

Pour un homme aux idées très précises quant aux mensurations, il y en avait bien deux que l'initiative d'appeler une agence d'hôtesses rendait nerveux ou honteux. D'une certaine manière, ce devait être angoissant pour eux de composer notre numéro sans avoir la moindre idée de ce qui les attendait au bout du fil. J'imagine très bien les questions qui leur traversaient l'esprit : « Pourquoi me demande-t-elle toutes ces précisions? Sait-elle garder secrets tous ses dossiers? Comment puis-je savoir si cette personne mérite ma confiance? Que se passerait-il si elle est en cheville avec la Mafia? » Certains de ces hommes, qui assumaient pourtant de lourdes responsabilités dans le monde des affaires, étaient parfois si troublés qu'ils avaient du mal à s'exprimer au téléphone. L'assistante avait donc aussi pour tâche de les rassurer et de leur donner le sentiment que nous allions être aux petits soins pour eux.

« Dois-je vraiment vous donner mon vrai nom? » demandaient-ils entre autres. L'assistante répondait dans ce cas : « Oui, vous devez nous le donner. Bien entendu, ce sera à titre strictement confidentiel. Sachez que, de notre côté, nous vous envoyons une personne en chair et en os, dont nous devons également nous soucier. Je comprends très bien que vous préféreriez ne pas donner votre nom, mais il me le faut pour des raisons de sécurité. »

Si elle estimait que cela pourrait faciliter les choses, l'assistante brodait sur le thème suivant : « Appelleriez-vous plutôt une de ces agences qui ne se soucient guère du genre de clients auxquels elles envoient leurs filles? Elles sont probablement aussi peu difficiles quant au choix du personnel qu'elles engagent. Je suis sûre que vous recherchez une fille décente, issue d'un milieu respectable, et non pas n'importe quelle créature qui viendra chez vous pour vous faire le portefeuille. Nous apportons le plus grand soin au recrutement de nos hôtesses, et nous veillons de même à bien choisir les clients auxquels nous les adressons. En outre, notre numéro de téléphone est imprimé noir sur blanc dans les " pages jaunes " de l'annuaire. Je conçois fort bien que vous soyez un peu inquiet, et je trouve cela normal. Après tout, vous ne savez pas qui je suis et nous ne nous sommes jamais rencontrés. Il vous faut tout simplement nous faire confiance. » De tels propos produisaient habituellement l'effet recherché.

Nous avions également notre part d'appels insolites. Nos *clients* étaient généralement des gentlemen – s'ils ne l'étaient pas, nous ne traitions pas avec eux –, mais il fallait voir (ou plutôt entendre) certaines des personnes que nous éconduisions! Je veux parler des cinglés, et non pas de la bande habituelle d'imbéciles et de toqués qui se font plaisir à bon marché en donnant des coups de téléphone obscènes à des agences d'hôtesses. Une fois, Jaime dut écouter un homme lui dire d'un ton sincère et d'une voix calme, après les paroles aimables d'usage, qu'il aimerait passer la soirée avec une femme qui allaite. Elle lui raccrocha au nez, ne sachant pas si elle devait en concevoir de l'humeur ou de la pitié, et me dit plus tard :

– Je croyais avoir déjà tout entendu! Il faut vraiment de tout pour faire un monde!

Cependant, tous les tordus ne se trahissaient pas si aisément ou si rapidement, et il fallait parfois plusieurs mois à une nouvelle assistante pour devenir experte dans l'art de les repérer. Un type, par exemple, nous appelait trois ou quatre fois par mois et, d'une voix parfaitement normale, posait des questions qui n'avaient rien de bizarre, mais, à la fin de la conversation, alors que nous lui demandions le numéro de la chambre de son hôtel, il raccrochait brusquement.

Un autre importun, que nous baptisâmes vite « le débile », avait coutume de nous appeler en se faisant passer pour un nouveau client. Il parlait d'une voix très douce : « Oui, je voudrais, s'il vous plaît, que vous me donniez quelques renseignements. » L'assistante lui dévidait alors le boniment habituel en faisant une description de deux ou trois filles qui étaient disponibles ce soir-là. Si elle mentionnait le nom de Margot, il l'interrompait vivement en disant : « J'ai déjà vu Margot. » Mais comme il nous donnait à chaque fois un nom différent, nous ne pouvions établir une fiche le concernant.

Si l'assistante contestait son assertion, il le prenait alors de haut et disait : « Ce n'est pas à *moi* qu'il faut le dire si je ne figure pas dans votre fichier. » Il se mettait alors à décrire, avec quelques détails, certaines particularités de Margot qui lui avaient été ingénument communiquées au cours d'appels précédents. Nous n'avons jamais pu savoir ce qu'il voulait exactement, mais, nuit après nuit, il était au bout du fil, et nous faisait perdre notre temps sans avoir apparemment le sentiment qu'il gâchait le sien.

L'appel le plus bizarre émanait d'un anonyme qui disait tout simplement : « Marsha a de faux nénés », et qui raccrochait. Il était exact que la partie supérieure du torse de Marsha semblait un peu trop belle pour être vraie, mais qui était cet homme, et pourquoi nous faisait-il ce commentaire? Nous ne l'avons jamais su.

Il y eut aussi ce type qui, avec une légère pointe d'accent anglais, voulait s'assurer que l'hôtesse ne se sentirait pas mal à l'aise s'il éprouvait l'envie irrésistible d'essayer ses vêtements après qu'elle les aurait enlevés. Peut-être aurions-nous pu céder à son caprice, mais comme il avait parlé au téléphone de déshabillage, nous dûmes couper court à la conversation : il était inutile de s'exposer éventuellement aux rigueurs de la loi régissant les communications.

Nous faisions, en effet, toujours très attention à ce que nous disions au téléphone. Dès l'instant où un client parlait de sexe ou y faisait seulement allusion, nous l'interrompions en disant : « Nous sommes navrées, mais vous vous êtes trompé d'agence. Nous n'avons rien à voir avec ce genre de chose. » Comme Lucy me l'avait souligné avant même que je songe à diriger ma propre agence d'hôtesses, les interlocuteurs comprenaient bien, pour la plupart, qu'on ne leur demandait pas de payer plus de cent dollars de l'heure pour le simple plaisir de deviser. Il était cependant toujours frustrant, dans une affaire telle que la nôtre, de ne pouvoir être plus explicite.

Ou plus direct – lorsque cela s'imposait. Nos assistantes agissaient invariablement avec tact et discrétion, mais il arrivait qu'un demandeur qui appelait pour la première fois se révélât franchement grossier : il demandait parfois après s'être fait décrire une des filles : « Est-elle propre? »

– Si elle est propre? répondait Jaime. Ma foi, elle semble être bien soignée de sa personne. Elle se lave les cheveux régulièrement, et je n'ai jamais remarqué de taches sur ses vêtements.

Si le demandeur insistait en mentionnant le terme « maladie », Jaime lui débitait alors son laïus médical habituel : « Monsieur, si l'une de nos jeunes femmes souffre d'une indisposition quelconque, ne serait-ce que d'un rhume, je ne l'autorise pas à travailler. Si vous craignez tant les maladies, je vous conseille d'emprunter l'escalier de l'hôtel : si une personne éternue dans l'ascenseur, qui sait ce que vous pourriez attraper? »

Une fois, l'une des assistantes retourna la balle dans le camp du demandeur en ces termes : « Comment savoir si vous êtes *vous-même* propre? Portez-vous des sous-vêtements impeccables? Vous brossez-vous les dents après les repas? Et puisque nous parlons de ces choses, est-ce que le col de votre chemise ne serait pas douteux, par hasard? »

La façon dont s'exprimaient certains hommes nous en disait plus que ce que nous voulions en savoir. Celui qui demandait : « Vous avez quoi, ce soir? » n'avait pour toute réponse que la tonalité du téléphone. Au demandeur qui précisait : « Je voudrais quelque chose d'un mètre soixante-cinq et qui soit blond », je répondais : « Je crois pouvoir vous trouver une poupée qui corresponde à cette description, car je présume que vous ne voulez pas parler de l'une de nos jeunes "ladies". Je vous conseille d'appeler ailleurs. »

La plupart des hommes qui nous téléphonaient étaient cependant plutôt raffinés, et leurs préférences et leurs demandes assez classiques et prévisibles. Presque tous avaient une prédilection pour les cheveux longs, et toute hôtesse qui portait les cheveux courts savait fort bien qu'elle le faisait au détriment de ses gains. Je dus même me passer des services de deux filles qui s'étaient fait faire une permanente parce que les clients n'aimaient pas leur chevelure frisottée, qui faisait négligé.

Les blondes étaient toujours en tête de liste, et nous n'en avions jamais assez. Par contre, les rousses n'étaient presque jamais demandées – j'ignore pourquoi – et il m'a souvent fallu refuser la candidature de rousses, pourtant ravissantes. Quand je travaillais chez Abraham & Straus, j'avais appris qu'il importait de se fier davantage au goût du client qu'au mien, ce qui explique pourquoi mon personnel ne comprenait jamais plus d'une rousse.

Les filles dotées d'une poitrine opulente avaient toujours du succès, et un client qui demandait une jeune « lady » bien lotie à cet égard acceptait rarement de se contenter de rondeurs plus modestes. C'est pourquoi nous envoyions des hôtesses aux formes moins généreuses aux clients sans inclination particulière, car nous étions toujours à court de celles que la nature avait amplement pourvues sur ce plan. De nombreux hommes demandaient à rencontrer une fille mince, mais ils étaient presque aussi nombreux à préférer une personne « un peu rondelette ».

Nous avions du mal à placer nos hôtesses noires parce que la plupart de nos clients américains les associaient dans leur esprit aux prostituées qui font le trottoir, ce qui était fort dommage, car les Noires qui travaillaient pour notre agence étaient absolument magnifiques. Les clients britanniques, en revanche, n'avaient pas de préjugé à cet égard, et je demandais aux assistantes de ne pas l'oublier chaque fois qu'elles décelaient un accent britannique au téléphone.

Les meilleurs clients étaient ceux qui demandaient que l'hôtesse soit gentille, intelligente et sache soutenir une conversation. Si un gentleman ne semblait pas autrement préoccupé par les mensurations de l'hôtesse ou s'il précisait qu'il tenait au plaisir de converser avec elle, je pouvais presque garantir que tous les deux passeraient un bon moment. J'ajouterai qu'il était parfois très difficile de donner satisfaction à un homme qui avait une idée préconçue des qualités physiques qu'il recherchait dans une hôtesse – même si nous lui adressions une personne avec toutes les qualifications requises.

Lorsqu'un nouveau client ou un habitué acceptait un rendez-vous avec une hôtesse que nous lui avions conseillée, l'une de mes assistantes ou moi-même l'appelions quelques minutes après le départ de celle-ci pour bien nous assurer que sa soirée avait été agréable. Si le client n'était pas du tout satisfait – ce qui était rare –, nous lui donnions toujours une compensation. L'assistante lui disait alors : « Je suis désolée de ce qui s'est passée. Nous faisons de notre mieux pour vous envoyer quelqu'un qui vous plaise, mais nous ne sommes pas infaillibles. Je suis navrée que vous ayez eu à subir cette expérience, et je fais une note pour vous envoyer, la prochaine fois que vous ferez appel à nos services, une hôtesse aux frais de la maison. » (Il va sans dire que celle-ci serait cependant rémunérée.)

Lorsque Liza commença à répondre, et que je lui exposai cette politique, elle crut que je plaisantais. « Si nous appliquons ce principe, comment pouvons-nous faire des bénéfices ? » me demanda-t-elle.

– Parce que *votre* travail consiste à assortir hôtesses et clients de manière si harmonieuse que ceux-ci ne doivent jamais prendre avantage sur nous en y trouvant à redire.

Comme je ne cessais de le souligner à mes assistantes, notre principal atout était le service. Si une hôtesse devait arriver à son rendez-vous avec plus de dix minutes de retard, nous appelions toujours le client pour nous en excuser. Il était important que le client n'ignore pas que *nous* savions qu'elle était en retard et que nous nous en préoccupions. Nos excuses le faisaient patienter et calmaient aussi son irritation.

Une fois, Claudette resta bloquée dans l'ascenseur de son immeuble en allant à son rendez-vous à Halloran House. On pouvait se fier entièrement à elle et comme elle n'avait toujours pas appelé une demi-heure après l'heure convenue, je téléphonai pour la troisième fois au client pour lui dire :

– M. Dexter, je ne sais vraiment pas ce qui se passe. Claudette est toujours à l'heure et, si elle a autant de retard cette fois, je suis sûre que c'est pour une raison valable. Je me rends bien compte que cela ne vous est pas d'un grand secours, mais je vais vous envoyer une autre personne – gratis. Vous pouvez soit la voir ce soir, soit attendre jusqu'à demain soir, et nous appeler alors.

M. Dexter choisit la deuxième proposition.

Jaime, qui m'aidait à répondre au téléphone ce soir-là, estima que j'avais été trop généreuse.

– Il n'a jamais appelé auparavant, remarqua-t-elle, et vous lui faites déjà une fleur ?

Elle oubliait que, dans le commerce, le client est roi. Je dois ajouter que, par la suite, M. Dexter nous téléphona chaque fois qu'il vint à New York et fit presque toujours une réservation pour rendez-vous avec dîner.

– J'ai été si impressionné par la façon dont vous avez réglé le problème, me confia-t-il le mois suivant, que jamais je n'envisagerais d'appeler une autre agence.

Jaime fut l'une de mes meilleures assistantes. Comme la plupart de nos filles, elle avait son diplôme d'études supérieures, et était issue d'une famille rangée et aisée. Elle était venue à

Manhattan, à l'instar de la plupart de mes collaboratrices, pour faire du théâtre.

– Quand vous arrivez à un certain âge, me dit-elle lorsque nous nous rencontrâmes pour la première fois, vous ne tenez pas à rendre constamment visite à papa pour lui demander de l'argent.

Elle avait grandi en Georgie et la transition avec Manhattan était rude. De temps en temps, elle allait retrouver sa famille, ses anciennes amies de lycée, et revenait toujours avec des sentiments partagés.

– Peut-être ai-je fait le mauvais choix, me dit-elle après l'une de ces visites. Mes amies là-bas sont toutes mariées et vivent dans des maisons fabuleuses. Mon loyer est deux fois plus élevé que le montant du remboursement de leur prêt hypothécaire, et je survis péniblement dans un immeuble retapé.

Comme c'était souvent le cas, Jaime m'avait été envoyée par une personne qui travaillait déjà pour moi. Elle était attirée par le salaire, mais elle hésita pendant plusieurs semaines avant d'accepter l'emploi, car elle ne savait pas comment réagirait son petit ami, à Boston, qui s'étonnerait de ne pouvoir la joindre certains soirs avant deux ou trois heures du matin. Elle lui dit finalement qu'elle travaillait la nuit dans un service de messages téléphoniques pour abonnés absents, ce qui était vrai, du moins en partie. Jaime avait vraiment du charme, suffisamment même pour travailler comme hôtesse, et elle avait caressé une ou deux fois cette idée sans jamais pouvoir sauter le pas.

– J'ai déjà fait suffisamment acte d'indépendance, me dit-elle. N'oubliez pas que je sors d'une école fréquentée en majorité par des filles de la bonne société.

Je lui répondis en riant :

– Je sais ce que c'est!

En même temps, Jaime enviait ouvertement les hôtesses et rêvait souvent d'en devenir une. Leur vie lui semblait excitante, risquée et prestigieuse, tandis que la sienne lui paraissait terne puisqu'elle restait assise toute la nuit dans un bureau pour répondre au téléphone. Elle ne se décida jamais à changer d'emploi, et je ne pouvais qu'en être ravie, car une bonne assistante était difficilement remplaçable, et Jaime était l'une des meilleures. Je n'avais pas besoin de lui dire ce qu'il fallait faire : elle prenait toujours de bonnes initiatives. De surcroît, comme plus d'un client le faisait observer, elle était sans pareille au téléphone.

Jaime entretenait des relations amicales avec pratiquement toutes les hôtesses, ce qui, j'en étais convaincue, ne devait pas toujours être facile. Techniquement, les hôtesses étaient les subordonnées des assistantes : c'étaient en effet les assistantes qui, en mon absence, décidaient de leurs affectations et leur donnaient les directives. En même temps, les assistantes se trouvaient placées dans une situation ambiguë, puisqu'elles gagnaient beaucoup moins d'argent que les hôtesses qu'elles supervisaient.

Les hôtesses et les assistantes éprouvaient sans doute des sentiments réciproques de respect et d'affection, mais les unes enviant les autres, une légère tension subsistait malgré tout entre elles. Du point de vue des hôtesses, le travail des assistantes semblait être de tout repos puisqu'elles n'avaient qu'à rester assises, vêtues de jeans ou d'un survêtement, pour donner des ordres et parler au téléphone. Les assistantes, de leur côté, assimilaient les hôtesses aux filles qui avaient du succès au lycée et se mettaient sur leur trente et un pour aller à des rendez-vous enchanteurs pendant qu'*elles* restaient collées sur leur siège dans l'attente de la sonnerie du téléphone.

A l'occasion d'une entrevue, une candidate à l'emploi d'hôtesse, qui avait déjà travaillé pour une autre agence, voulut connaître le pourcentage qui lui reviendrait sur le tarif horaire que nous appliquions. Quand je lui eus expliqué qu'environ soixante pour cent du gain revenaient à l'hôtesse, elle me demanda : « Et combien devrai-je donner à la téléphoniste? »

Je fus scandalisée. Aussi, depuis lors, je mis hôtesses et assistantes en garde en ces termes :

– Si jamais je surprends une hôtesse en train de donner seulement un cent à l'une des assistantes, je me verrai obligée de les mettre l'une et l'autre immédiatement à la porte. Si jamais je vois une hôtesse apporter ne serait-ce qu'une tasse de café à l'une des assistantes, je me verrai obligée de me passer de ses services. Et je vais vous dire pourquoi : quand ce petit jeu commence, il n'y a plus moyen de l'arrêter et, très vite, il n'est plus possible de maîtriser la situation. Les assistantes sont très bien payées, et reçoivent, de plus, une commission de l'agence.

Cela ne veut pas dire que les liens d'amitié et les affinités électives ne jouaient absolument aucun rôle dans la prise de décisions des assistantes, mais, dans toute la mesure du possible, nous faisions en sorte de garder la situation bien en main.

La stricte séparation que j'imposais entre le travail des assistantes et celui des hôtesses n'empêchait pas Jaime de voir un de nos clients. C'était cependant un cas tout à fait inhabituel, car aucun baiser, aucun attouchement, aucun contact intime, aucun rapport sexuel ne figurait jamais au programme de ses visites. Comme le disait Jaime, « pour cent sacs de l'heure, je crois que je peux m'en accommoder ».

Brad, le client dont il s'agissait, venait de dépasser la quarantaine. Comme de nombreux habitués qui avaient recours à nos services, il travaillait à Wall Street. Nous n'avons jamais bien su pourquoi les messieurs évoluant dans le monde de la finance étaient si nombreux à solliciter nos services mais, de fait, ils appelaient constamment. Comme Ginny se plaisait à le dire : « Quand la Bourse monte, les bourses se gonflent. »

Brad, vêtu d'un peignoir de bain sous lequel il portait un porte-jarretelles et des bas, venait lui-même ouvrir la porte de son appartement à Jaime. Dès qu'elle était confortablement assise sur le divan de la salle de séjour, il lui demandait négligemment si elle se souvenait avoir connu une expérience insolite à l'occasion d'une coupe de cheveux.

C'était l'entrée en matière rituelle pour que Jaime se lance dans une improvisation : elle inventait alors des histoires compliquées où il était question de cheveux fauchés par des ciseaux tandis que Brad l'écoutait, en transe, sur le bord de son siège. Plusieurs fois, elle lui parla d'Harriet, une fille particulièrement ravissante qu'elle avait connue à la résidence des étudiantes de son collège, et dont la chevelure se répandait en belles boucles dorées sur ses épaules. Harriet avait beaucoup plus de succès auprès des garçons, contrairement à Jaime qui n'avait censément jamais été conviée à un rendez-vous. Une nuit, dévorée de jalousie, Jaime s'était introduite dans la chambre d'Harriet pendant que celle-ci dormait et lui avait coupé ses longues boucles blondes étalées sur l'oreiller.

Parfois, Brad demandait à Jaime de se prêter à une petite comédie : elle était sa sœur et se rendait, en sa compagnie, chez le coiffeur où il passait le premier. Cependant, ses cheveux étaient si mal coupés que « sa sœur » ne voulait plus confier les siens au coiffeur, et c'est alors que Brad éclatait en sanglots. Mais d'habitude, c'était le rôle de Jaime d'élucubrer un récit et, pour plaire à Brad, c'était presque toujours celui d'une femme qui se faisait couper les cheveux et était très mécontente des résultats. Comme Brad était son seul client, Jaime pouvait se permettre de consacrer toute son énergie et toute son imagination à concocter ses histoires. En plaisantant, elle me dit un jour qu'elle pourrait bien en faire un livre qu'elle intitulerait *Des cheveux et des hommes*.

L'intermède des histoires terminé, Jaime se déshabillait, mais gardait les sous-vêtements qu'elle avait mis pour l'occasion, c'est-à-dire une paire de caleçons longs en coton et un soutien-gorge démodé aux bonnets pointus, ces deux articles étant jugés extrêmement sexy par Brad. Recouvert en tout et pour tout d'un drap blanc, celui-ci grimpait dans le « fauteuil du coiffeur » dans sa salle de séjour, et Jaime faisait semblant de lui couper les cheveux. Brad avait toute la panoplie des outils du coiffeur, mais il était visiblement agité par des désirs contradictoires car, tout en ne cessant de dire « coupez-les », il écartait constamment la tête du rasoir électrique que Jaime tenait à la main. Pendant toute cette comédie, il passait aux choses sérieuses en se faisant plaisir sous le drap. Avant le départ de Jaime, Brad la payait toujours avec quatre billets de cinquante dollars en lui disant de garder les vingt-cinq dollars supplémentaires « parce qu'il faut toujours donner un pourboire à son coiffeur ».

Pour tous les autres, Brad était un analyste financier respecté, qui avait particulièrement réussi. Rien, dans son comportement, ne laissait soupçonner qu'il portait souvent des dessous féminins sous son costume à fines rayures ou qu'il possédait une collection raffinée de perruques de femme. Il ne partageait sa vie secrète qu'avec Jaime. Quant à elle, il lui plaisait réellement, encore qu'elle eût coutume de dire en souriant que son seul et unique client « prenait son pied avec sa tête, littéralement parlant ».

8

Toute nouvelle recrue devait, dès le début, porter un nom d'emprunt. Plutôt que de lui en donner un arbitrairement, je la laissais libre de son choix, pourvu qu'il s'harmonise avec son allure et sa personnalité. Je m'efforçais toujours d'être accommodante, mais je dus tout de même mettre le holà lorsqu'une étudiante des beaux-arts, une blonde pétulante aux yeux bleus, insista pour se faire appeler Carmen.

Certains prénoms évoquent toujours pour moi des caractères spécifiques. Une fille se prénommant, par exemple, Natalie doit avoir de longs cheveux bruns. Alexandra correspond à une fille grande et d'allure majestueuse, tandis que je vois Ginger rousse et pleine d'allant. J'attribuai le pseudonyme de Melody à une fille nommée Carol : sa voix était si suave qu'elle avait pour moi les doux accents de la musique. Quand Wilma fut engagée, je sus immédiatement qu'elle s'appellerait Claudette, car elle était grande, sophistiquée et expérimentée. J'encourageais les étrangères à choisir des prénoms bien connus dans leur pays d'origine : Sonya pour une Allemande, Kristen pour une Scandinave, Gabriella pour une Brésilienne.

Non seulement ces nouveaux noms sonnaient agréablement aux oreilles de nos filles et leur facilitaient les choses, mais ils jouaient aussi un rôle important pour celles d'entre nous qui devaient décrire les hôtesses au téléphone. Lorsque moi-même ou l'une de mes assistantes faisions la description d'une fille à un client, nous devions, en quelques mots seulement, lui en donner l'image. Son nom d'emprunt pouvait donc être d'une grande aide à cet égard.

Un jour, j'eus la bonne idée d'acheter un livre intitulé *Comment appeler votre bébé* afin d'avoir un plus grand nombre de noms à ma disposition. (« C'est pour bientôt? » me demanda la caissière pendant que je payais. « Pas avant des années, lui répondis-je, je suis tout simplement bien organisée. ») Après avoir parcouru ce livre, je pris note d'une centaine de prénoms qui me plaisaient particulièrement, et commençai à demander aux nouvelles de choisir d'après cette liste.

Cette sélection était toujours, pour les filles et moi-même, une source de divertissement, et avant d'adopter le prénom sous lequel les hôtesses seraient désormais connues, certaines en essayaient et en écartaient plusieurs comme elles l'auraient fait de robes dans une boutique. Il m'arrivait d'opposer mon veto, car des prénoms tels que Monique, Noelle, Nicole et Tiffany faisaient penser à des racoleuses – or il était absolument hors de question que les clients puissent faire cette association d'idées avec nos hôtesses.

Plusieurs filles préférèrent néanmoins travailler sous leur vrai nom. Kate, par exemple, estimait que si elle devait tomber un jour sur une personne de sa connaissance, la situation serait déjà suffisamment compliquée pour qu'elle n'eût pas encore à expliquer pourquoi elle utilisait un pseudonyme. Cependant son extrême honnêteté faillit lui causer des ennuis. Avant de devenir hôtesse, elle avait travaillé pour une grande entreprise sidérurgique, et elle se sentait tout à fait à l'aise dans le monde des affaires. (En fait, son succès extraordinaire auprès des clients tenait à ce qu'elle était la seule de nos hôtesses intéressées par la lecture du *Wall Street Journal*.) Un jour, elle divulgua étourdiment à un client le nom de l'entreprise pour laquelle elle avait travaillé auparavant.

– Quelle coïncidence! s'exclama-t-il. Je dois justement jouer au golf samedi prochain avec votre ancien patron. Vous plairait-il que je mentionne que nous sommes amis?

Kate lui rétorqua aussitôt :

– Seulement s'il vous est agréable que je téléphone à votre femme pour lui dire la même chose.

Il la regarda d'un air stupéfait.

– Le feriez-vous vraiment?

– Non, à moins que ce ne soit absolument nécessaire – réplique qui mit un point final à ce petit dialogue.

Trois ou quatre autres filles étaient d'accord avec Kate pour estimer qu'un nom d'emprunt ne ferait qu'exacerber le sentiment de contrainte qu'elles éprouvaient déjà. Je n'ai jamais très bien compris ce genre de raisonnement, et je faisais toujours remarquer aux nouvelles recrues qu'un pseudonyme leur assurait une protection supplémentaire : « Quand nous faisons votre description à un client, qui vous dit que nous ne parlons pas à votre oncle ou à votre ancien proviseur de lycée? » Une hôtesse était néanmoins libre de travailler sous son vrai nom si elle y tenait.

Toutefois, beaucoup de filles jugeaient que le nom d'emprunt les aidait efficacement à dominer les sentiments d'appréhension et de culpabilité qui les troublaient au début. « Ce n'est pas moi qui fais cela, pouvait se dire une nouvelle, c'est cette autre personne que je fais semblant d'être. »

Pour les filles qui aimaient faire du théâtre, leur nouveau nom était une aubaine, car elles pouvaient, dès le lever du rideau, entrer dans la peau de leur personnage. La plupart des hôtesses restaient délibérément dans le vague quand il s'agissait de parler de leurs activités habituelles, mais Tricia, employée dans un bureau, aimait à raconter aux clients qu'elle était hôtesse de l'air à Eastern Airlines et qu'elle travaillait pour notre agence les jours où elle était libre. « Ça plaît beaucoup aux hommes, nous assurait-elle. Ils veulent toujours savoir si je fricote avec les pilotes. Et comment! leur dis-je, ce n'est pas pour rien qu'ils tiennent le manche à balai! »

Un soir, qu'elle débitait sa petite histoire sur son métier d'hôtesse de l'air, son compagnon écouta ses propos avec un vif intérêt – et non pas l'intérêt libidineux que les clients montraient habituellement. Mais lorsqu'il se mit à lui poser des questions précises sur le vol New York-Miami, elle commença à se sentir vraiment embarrassée. Elle finit par se rappeler ce que nous lui avions dit au sujet de ce monsieur, mais qu'elle s'était empressée d'oublier : c'était le président d'une grande compagnie aérienne régionale. A dater de cet incident, Tricia prit un peu moins à la légère sa manière de se comporter sous sa nouvelle identité.

Certaines hôtesses s'habituaient immédiatement à leur nom d'emprunt, mais d'autres avaient du mal à s'y adapter. La première fois que Melody se rendit à un rendez-vous, le portier de l'immeuble lui demanda :

– Qui dois-je annoncer?

– Carol, laissa-t-elle échapper.

Elle s'aperçut aussitôt de son étourderie et put faire rapidement la rectification qui s'imposait :

– Attendez, je me trompe. Dites que c'est Melody, parce que c'est comme ça que tout le monde m'appelle.

Le portier lui décocha un regard dubitatif pendant qu'il l'annonçait par l'interphone.

De temps à autre, je recevais l'appel larmoyant d'une fille m'informant que son client l'avait persuadée, après le troisième verre de champagne, de lui révéler son véritable nom. Je la calmais alors en lui disant que, du moment que nous connaissions le vrai nom du client, son adresse, son numéro de téléphone et plusieurs autres faits le concernant, la situation était beaucoup moins grave qu'elle le paraissait. Certains hommes étaient vraiment obsédés par l'idée de découvrir le vrai nom de leur hôtesse et pensaient, sans doute, que la révélation de ce secret symboliserait la certaine intimité qu'ils avaient établie avec elle et qu'un autre client ne connaîtrait pas. En fait, presque tous les clients voulaient croire que les hôtesses leur tenaient compagnie non pas parce qu'ils les rémunéraient, mais parce qu'elles les trouvaient irrésistibles.

Cela m'amuse toujours d'entendre les spéculations ou les tentatives d'analyse sur les « vrais » mobiles incitant les filles à mener ce type d'activités, car c'est pour moi un fait d'évidence, vérifié depuis longtemps, qu'une call-girl est simplement une femme qui hait davantage la pauvreté que le péché. Toutes nos filles s'étaient fait recruter pour gagner de l'argent, à part deux ou trois qui disaient chercher surtout l'aventure et une qui prétendait être surtout attirée par le sexe.

Je surpris un jour Camille en train de raconter à quelques-unes de ses collègues qu'elle était entrée à « Cachet » pour s'acquitter d'une mission secrète pour le compte de *Playboy.* Selon ses dires, ce magazine avait chargé cinq filles qui n'avaient jamais travaillé auparavant dans la profession de faire un rapport sur l'expérience qu'elles auraient acquise dans les bordels et les agences d'hôtesses les plus cotés de Manhattan.

Cela ressemblait fort à un conte, d'autant plus que Camille prétendait que *Playboy* l'avait payée dix mille dollars pour mener une enquête d'un mois et que si elle avait décidé de rester à l'agence, c'était parce qu'elle y trouvait les choses à son goût. Bon, pensai-je, si ça l'amuse de raconter cette histoire, je suppose que cela ne peut faire de tort à personne. Tess se plaisait à taquiner Camille, et ne cessait de lui demander quand l'article serait publié. Mais, pour d'étranges raisons, il semblait toujours être « bloqué par une action en justice ».

Compte tenu de leur tarif horaire, nos hôtesses faisaient partie des femmes exerçant l'une des professions libérales les mieux rémunérées dans le pays. Même si elle ne sortait pas toutes les nuits où elle était de service, une hôtesse gagnait, en 1984, cent dollars de l'heure. Comme la plupart des visites duraient plus d'une heure et que les clients leur donnaient généralement un pourboire, certaines de nos hôtesses arrivaient souvent à gagner jusqu'à mille dollars par semaine – et même presque le double pour un petit nombre d'entre elles. Comme Ginny aimait à le dire : « Peut-être ne suis-je bonne à rien, mais si je me conduis mal, au moins ce n'est pas pour rien! »

Naturellement, chaque fille avait des besoins d'argent pour des raisons différentes mais, le plus souvent ses gains servaient aux dépenses incompressibles telles que le loyer et la nourriture.

Certaines les dépensaient cependant en voyages, en objets de luxe, et d'autres en belles toilettes auxquelles elles avaient pris goût.

Bon nombre de nos filles travaillaient pour « Cachet » pour se payer des études, ou un stage de formation commerciale, ou des cours de musique, de danse, d'art plastique ou dramatique. Le coût de la vie à Manhattan est épouvantablement élevé, et même une fille qui gagnerait vingt-cinq mille dollars par an pour suivre un stage de formation de cadre supérieur aurait beaucoup de mal à régler ses factures sans l'appoint d'un deuxième revenu.

Si elles n'avaient pas choisi d'être hôtesses, la plupart des filles n'auraient pu occuper qu'un emploi de serveuse. Cependant, les meilleurs restaurants de New York, où les serveurs gagnent décemment leur vie, n'emploient pas de personnel féminin pour servir à table. Et puis, naturellement, l'argent faisait toute la différence : une bonne soirée pouvait rapporter à une hôtesse de « Cachet » deux fois plus qu'elle n'aurait gagné en une semaine à présenter les plats dans un restaurant.

Nos filles venaient des horizons les plus divers. Le père de Margot était juge. Suzanne se partageait entre notre agence, Radcliffe College et la faculté de médecine. Barbara, qui avait un diplôme de journalisme, entra à « Cachet » après avoir travaillé comme stagiaire chez un parlementaire. Dans la journée, Alexia était directrice de la branche américaine d'une entreprise allemande. Son père étant diplomate, elle refusait les rendez-vous avec des messieurs évoluant dans le milieu des ambassades ou avec des politiciens de crainte d'être reconnue.

Paige était l'héritière d'un grand-père qui fut un industriel célèbre : elle savait que le legs qu'elle recevrait à l'âge de quarante ans représenterait une grosse somme d'argent mais, en attendant, elle devait, comme nous tous, se démener pour survivre. Laurie était agent immobilier. Ariana avait été danseuse de music-hall et croupière à Las Vegas. Raviana était originaire de l'Inde, et vivait avec sa famille dans le Queens, ce qui nous compliquait la vie quand il fallait l'appeler chez elle.

Nancy, qui avait un corps de déesse, était d'une famille de fermiers de l'Indiana. Au collège, elle avait fait partie de l'équipe de basket-ball féminine, détail dont elle fit part un jour à l'un de nos clients qui travaillait pour une maison de courtage. Quelques semaines plus tard, ce client nous régla le tarif horaire habituel pour que Nancy puisse faire partie de l'équipe de basket-ball mixte de sa société engagée dans un match contre celle de son principal concurrent. Se faisant passer pour la nouvelle secrétaire, Nancy parvint à marquer plus de points que tous les hommes, à l'exception de deux. L'équipe de son client remporta le match, et Nancy revint au bureau avec quatre cents dollars en poche, plus un pourboire, en nous annonçant, manière de plaisanter, qu'elle venait de faire ses débuts de basketteuse professionnelle.

En dépit d'origines diverses et de personnalités très différentes, nos filles avaient au moins une chose en commun : elles étaient toutes inquiètes avant leur premier rendez-vous. Je ne manquais jamais de m'entretenir avec chaque nouvelle hôtesse revenant de sa première rencontre pour savoir comment cela s'était passé, et si je ne me trouvais pas au bureau ce soir-là, je l'appelais chez elle le lendemain. Sauf pour celles qui connaissaient déjà ce genre de travail, la première visite était toujours une épreuve difficile.

Il ne faut pas oublier qu'elles avaient été élevées dans l'idée que la licence et les relations sexuelles au petit bonheur étaient répréhensibles, et que faire l'amour pour de l'argent était un péché. Après cette première visite, une fille pouvait être troublée par de nombreuses réactions y compris la crainte qu'il y eût quelque chose de foncièrement mauvais en elle puisqu'elle n'éprouvait pas un sentiment de culpabilité comme elle s'y était attendue. Chaque fois qu'une fille venait m'en parler – ce qui, en soi, était naturellement un aveu de culpabilité –, j'essayais de la persuader que sa réaction était parfaitement normale et l'aidais à comprendre qu'elle n'avait aucune raison valable d'avoir mauvaise conscience.

– Réfléchissez bien, lui expliquais-je. Est-ce que vous faites vraiment quelque chose de mal? Vous recevez de l'argent, dont vous avez grandement besoin, d'un homme qui a certainement les moyens de le dépenser. Vous lui offrez un service réel sans que personne n'ait à en souffrir ou n'en soit la victime. Vous apportez un peu de divertissement et de fantaisie dans la vie de cet homme, qui était seul jusqu'au moment où vous lui êtes apparue. Imaginez combien il vous en saura gré, et dans quel abîme de félicité vous l'avez précipité!

On ne parlait jamais du commerce du sexe quand j'étais enfant, mais je n'ignorais pas que la plupart des gens le jugeaient condamnable. Cependant, au cours de ma brève période de travail chez Eddie, j'avais été amenée à rassembler des informations plus circonstanciées sur la question. Si certains hommes sont disposés à payer pour avoir des relations sexuelles, si certaines femmes sont disposées à faire l'amour à un prix qu'elles jugent honnête, et si personne n'y est contraint ou n'en est victime, où est, dès lors, le mal? Peut-être est-ce ma façon de voir toutes choses avec un œil d'entrepreneur, au sens économique du terme, bien sûr, mais lorsqu'une partie détient ce que veut l'autre et que les deux sont en mesure de passer accord, l'échange qui intervient alors est honnête et régulier.

On m'objectera que le commerce du sexe est différent parce que, soutient-on, la femme vend son corps. Mais une « travailleuse » ne vend pas *réellement* son corps : il s'agit là d'une expression toute faite. En réalité, elle laisse le client accéder à son corps pour une certaine période de temps et pour un certain prix, de la même manière qu'un consultant met son cerveau et son expérience à la disposition d'un client moyennant un tarif horaire, ou qu'un modèle d'artiste dispose de son corps moyennant une rémunération appropriée.

Peut-être n'est-ce pas là un raisonnement très romantique, mais le fait est que le sexe est un produit de base, comme le sont bien d'autres denrées, et que, à ce titre, il subit la loi de l'offre et de la demande. Partout dans le monde, il y a ceux qui sont en mesure de vendre et ceux qui cherchent à acheter. Il est ridicule de faire du sexe un domaine où ceux qui le veulent ne seraient pas autorisés à gagner leur vie avec leur corps. Notre société ne trouve rien à redire au fait qu'une masseuse soit rémunérée pour pétrir la chair de ses clients ou que des ouvriers, des athlètes ou des danseurs gagnent leur vie uniquement grâce à leurs ressources physiques. Pourquoi devrait-on faire une exception pour le sexe?

Les nouvelles n'étaient pas entièrement à l'abri d'un sentiment de culpabilité. Mais cela ne posa jamais de grave problème. Sans doute parce que les candidates enclines à se sentir profondément coupables ne se décidaient jamais à venir à la première entrevue, même si elles s'étaient imaginées qu'elles pouvaient devenir call-girls à temps partiel. Et si elles y venaient, elles comprenaient, avec juste raison que cet emploi n'était pas pour elles, et partaient avant même d'accepter un rendez-vous.

Aucune fille n'abandonna jamais ses activités parce qu'elle se sentait coupable, mais plusieurs hôtesses ne voulurent travailler que pendant des périodes de deux ou trois mois, séparées par de longs intervalles. Beaucoup d'autres avaient tout de même du mal à mentir à leur famille ou à leurs amis lorsqu'elles devaient expliquer pourquoi elles étaient occupées certaines nuits de la semaine ou pourquoi elles se trouvaient soudainement en possession de quelques dollars supplémentaires.

Toutefois, la plupart des nouvelles étaient agréablement surprises de constater que le travail leur plaisait et, surtout, que les clients se comportaient de façon très agréable. « Je m'étais attendue à ressentir un sentiment de culpabilité, me dit Kate, mais je n'ai jamais eu vraiment l'impression que je faisais quelque chose de mal. C'est sans doute grâce à l'attitude des clients. » Par contre, Natalie ne s'est jamais sentie totalement à l'aise, et m'avoua une fois qu'elle craignait toujours de trouver son père comme client. Nombreuses étaient les filles qui partageaient la même appréhension.

Convaincues ou non par mes propos rassurants, les nouvelles constataient rapidement que la plupart de leurs inquiétudes n'étaient pas fondées. L'une d'elles, qui avait vomi dans le taxi l'emmenant à son premier rendez-vous tant elle était angoissée, me confia, à son retour, qu'il avait été particulièrement flatteur pour son petit ego de s'entendre dire par un homme beau et qui avait manifestement réussi dans la vie qu'elle était extraordinaire. Les hôtesses revenaient fréquemment de leur première visite en m'avouant : « Je ne peux pas croire qu'on me paie pour ça! »

De l'autre côté de la barrière, les clients qui s'adressaient à nous pour la première fois nourrissaient aussi, j'en suis sûre, des appréhensions. Ceux qui n'avaient jamais appelé « Cachet » auparavant mais avaient eu recours à d'autres agences d'hôtesses avaient de bonnes raisons de craindre que la femme qui apparaîtrait sur le seuil de leur porte serait une créature taillée à coups de serpe et moulée dans des jeans serrés – très semblable à la prostituée stéréotypée que l'on voit à la télévision. Même si la lecture de notre annonce et leur conversation avec l'une de mes assistantes ou moi-même avaient pu les rassurer, ils étaient toujours soulagés d'ouvrir leur porte à une jolie femme, séduisante et bien habillée.

Pour rassurer les nouveaux clients, j'instituai, à leur intention, une politique leur accordant généreusement un droit de refus. Si le client se montrait inquiet, je lui disais : « Si, pour une raison ou pour une autre, vous estimez, au premier coup d'œil, que la jeune " lady " n'est pas du genre que vous espériez, n'ayez pas scrupule à lui donner vingt dollars et à la renvoyer chez elle. On ne vous en tiendra pas rigueur, et si vous tenez à nous rappeler, nous vous enverrons une autre hôtesse. »

Comme nous faisions toujours une description honnête de nos filles, fort peu de clients donnèrent suite à cette offre. Tout comme les hôtesses qui étaient heureuses de savoir qu'elles avaient la latitude de prendre congé à tout moment, les clients se félicitaient d'apprendre que cette politique s'appliquait également à eux.

Nombre de filles constataient que leur rôle d'hôtesse leur permettait de se comporter avec plus d'assurance avec les hommes en général et les aidait à démythifier ces êtres traditionnellement auréolés d'autorité. Nos filles étaient jeunes, et la plupart connaissaient peu d'hommes dans la force de l'âge. Bien sûr, elles avaient été étudiantes, mais leurs condisciples étaient encore bien tendres. Et, tout à coup, elles rencontraient de vrais hommes – des hommes plus âgés, qui avaient de l'expérience et avaient réussi.

Pour une fille de vingt ans, les hommes mûrs et arrivés faisaient partie d'un autre monde. En dépit de tous les changements intervenus dans notre société, les jeunes femmes sont encore souvent intimidées par les hommes – surtout lorsqu'ils sont riches et influents comme l'étaient beaucoup de nos clients. Mais l'image inquiétante qu'elles s'en faisaient s'estompait progressivement en les connaissant mieux. Un certain nombre d'hôtesses me confièrent que leur travail leur procurait un sentiment de confiance, nouveau pour elles, vis-à-vis des hommes, qu'elles pouvaient dorénavant considérer comme leurs égaux et non plus comme leurs supérieurs.

Nous faisions ostensiblement commerce du sexe, mais les hôtesses offraient, en réalité, l'agrément d'une compagnie et d'une certaine intimité. Presque toujours, l'hôtesse et son client passaient la plus grande partie de la soirée à converser, car les hommes aiment à parler de leurs difficultés. Je ne veux pas dire par là que nos clients avaient plus de problèmes que tout un chacun mais, comme la plupart des hommes, ils n'avaient guère d'occasions d'en parler.

Je ne pense pas être la première à avoir remarqué que les conversations entre hommes ne revêtent pas souvent le caractère intime de celles des femmes. Seule une activité commune – par exemple, la réparation d'une voiture ou une partie de tennis – donne aux hommes l'occasion de parler à cœur ouvert. C'est pourquoi les clients appréciaient énormément de pouvoir se défouler, et de pouvoir s'ouvrir sans complexe à une jeune femme étrangère à leur milieu, non seulement chaleureuse et sympathique, mais aussi, ce qui n'était pas le fruit du hasard, très séduisante.

Les hommes racontent aux call-girls ce qu'ils ne révèlent ni à leur prêtre, ni à leur thérapeute, ni même à leur femme. Les filles recueillent ainsi une foule d'histoires et de secrets – concernant l'argent, la politique, les petites amies, et même les épouses. Dans de nombreux cas, elles jouent le rôle de thérapeute auprès d'hommes mis en confiance par les prévenances dont ils sont l'objet et par le caractère anonyme de relations qui leur permet de parler sans retenue de leurs problèmes, de leurs craintes et de leurs fantasmes.

De nombreux hommes croient qu'une call-girl est, par nature, avertie des choses de ce monde et que son expérience sexuelle (réelle ou imaginaire) lui en donne une vision encore plus sereine. Après tout, elle est censée être experte dans l'art de plaire aux hommes. Le client raisonne ainsi : si elle sait me *plaire*, elle doit donc pouvoir me *comprendre*. En même temps, elle ne peut pas me juger, car elle n'est évidemment pas dans une situation qui le lui permette. Voilà pourquoi elle est la compagne idéale d'une brève rencontre.

Cette équation comporte un autre élément : la call-girl est

suffisamment réaliste pour comprendre ce qu'est la véritable nature de la sexualité masculine – c'est ce qui la distingue des autres femmes que le client connaît. Elle sait que le sexe, indépendamment de ce qu'il peut représenter, remplit également une importante fonction sur le plan de la thérapeutique et du divertissement, quelle que soit la nature des relations. Par conséquent, sachant comment satisfaire certains besoins de l'homme, elle est femme à consentir, tout au moins professionnellement, certaines privautés que les autres femmes qui meublent la vie du client persistent à considérer comme des actes immoraux ou comme des signes de faiblesse.

Au début, de nombreuses hôtesses craignaient que les clients ne les traitent avec mépris. D'autres pensaient que l'homme dominerait toujours la situation puisqu'il les payait pour leur compagnie. Toutes ces réactions étant loin d'être négligeables, je m'efforçais de bien faire comprendre à chaque fille que c'était *elle,* en fait, qui avait la haute main sur le client. « Tout dépend de votre attitude, leur expliquais-je. Si vous vous comportez de façon à avoir le dessus, vous l'aurez sûrement. » Ce n'est qu'après un certain nombre de rendez-vous que certaines hôtesses furent capables d'agir en ayant cette recommandation à l'esprit, mais avec le passage du temps, la plupart d'entre elles se rendirent compte que la maîtrise de la situation était un art qui s'accomplissait de lui-même.

Au moins sous un certain angle, l'exercice de la profession de call-girl n'est pas différent de celui d'autres métiers. Inévitablement, les hôtesses rencontraient des clients difficiles ou étaient confrontées à des situations embarrassantes, et celles qui étaient mentalement préparées à régler ce genre de problèmes avaient toujours une longueur d'avance sur les autres. C'est ainsi qu'en présence d'un client qui ne lui plaisait pas particulièrement, Tricia avait l'habitude de réagir contre sa prévention en le mettant au défi de montrer qu'il avait cependant des qualités cachées.

En général, les hôtesses qui avaient le plus de succès étaient celles qui étaient capables de passer un bon moment avec les clients les plus dissemblables. « L'agrément du moment est contagieux, ne cessais-je de leur répéter. Si vous montrez au client que vous êtes contente d'être en sa compagnie, il lui sera difficile de ne pas en faire autant. Il faut que vous reveniez chaque soir en nous disant que votre visite fut un franc succès. »

En dépit de tout ce que j'avais pu leur dire au sujet de leur job, la plupart des nouvelles s'attendaient à rencontrer de pauvres types, ou des individus d'une espèce encore pire. Aussi, étaient-elles toujours surprises de constater que les stéréotypes qu'elles avaient imaginés ne correspondaient nullement à la réalité. « Voici comment vous devez voir les choses, ne manquais-je pas de leur rappeler. Estimez-vous avoir beaucoup en commun avec la fille de joie classique? Eh bien, si elle a ses clients, nous, nous avons les nôtres. »

Nous comptions parmi nos habitués un certain nombre de gentlemen de l'ancienne école, charmants, courtois et d'une éducation parfaite, espèce que la plupart des filles avaient rarement eu l'occasion de côtoyer auparavant. Le fait de rencontrer, dans l'appartement d'un hôtel, un homme bien mis qui, vous ayant débarrassée de votre manteau, prenait place à vos côtés pour déguster une bouteille de bon vin ou de champagne, gardait une tenue irréprochable, vous traitait avec respect et, lorsque la soirée prenait une tournure plus intime, se comportait avec tact et élégance, contrastait si fortement avec les craintes de certaines filles qu'il leur fallait souvent plusieurs semaines pour se persuader qu'elles ne rêvaient pas.

Afin que les premières visites d'une hôtesse se passent sans incident, je faisais en sorte qu'un certain nombre de règles strictes soient respectées. Les dix premières fois environ, une nouvelle ne rencontrait que des habitués que nous connaissions bien, et qui avaient plu aux autres hôtesses sans aucune réserve de leur part. Elle n'était jamais priée d'aller retrouver un client qui s'était montré difficile d'une façon ou d'une autre, ou qui était boycotté par les autres filles ou était réputé prendre occasionnellement un verre de trop.

Nous avertissions toujours le client chaque fois que nous lui envoyions une nouvelle hôtesse afin qu'il fasse de son mieux pour la mettre à son aise. A la pensée de recevoir le premier la visite d'une débutante, ces messieurs baignaient dans le ravissement. Il est même arrivé par deux fois que l'hôtesse était visiblement si nerveuse que le client insista pour qu'aucune relation intime n'ait lieu pendant la visite.

Ensuite, je ne manquais pas de demander au client ses impressions sur la nouvelle hôtesse. Parfois, une fille était si troublée au cours de sa première visite qu'elle pouvait à peine parler, ou qu'elle bavardait, fumait ou buvait trop. Sa manière de se comporter avec le client pouvait aussi être très différente de celle qu'elle avait adoptée lors de son entrevue avec moi. Aussi, était-il indispensable de recueillir également les impressions de la clientèle.

Au début, nombre d'hôtesses ne tenaient pas à rencontrer leurs collègues, car elles s'étaient fait, comme le reste de notre société, une certaine idée des call-girls à partir de magazines, de films et d'émissions télévisées. Elles craignaient, par ailleurs, que les autres filles ne fussent un tantinet vulgaires, mais elles éprouvaient un grand soulagement lorsqu'elles constataient qu'elles leur ressemblaient, étaient jolies, intelligentes, chaleureuses et tout à fait saines.

Pour mieux intégrer les nouvelles dans le groupe et nous donner un peu de distraction, je commençai à organiser des soirées d'anniversaire en l'honneur des filles. Je me faisais un plaisir d'aller choisir le gâteau favori de celles dont nous célébrions l'anniversaire dans les pâtisseries spécialisées. « Quel job extraordinaire, pensais-je, que d'être payée à faire le tour des pâtisseries pour y choisir des gâteaux d'anniversaire! » Ces réunions avaient lieu au bureau, le soir, et tout le personnel venait prendre un morceau de gâteau et une coupe de champagne.

Ces soirées connurent un grand succès. C'était l'occasion idéale pour les nouvelles de rencontrer certaines de leurs collègues, tandis que celles dont nous fêtions l'anniversaire prenaient plaisir à se voir congratuler. Souvent, une ou deux de nos actrices récitaient l'un de leurs monologues comiques et, toujours, l'une d'entre nous se levait pour entonner une chansonnette. Un été, le clou d'une de ces petites fêtes fut le numéro magistral exécuté par Ginny, qui ne se faisait pas beaucoup prier pour nous mimer une soirée avec « M. Languette », un de nos clients affublé de ce surnom en raison du très grand intérêt qu'il portait à la pratique du cunnilingus. Ginny prenait, pour l'enfourcher, un coussin du divan qui représentait la tête du client. Ensuite, elle s'allongeait sur le dos en imprimant progressivement plus de vigueur à ses remuements et à ses trémoussements, et accompagnait le tout de bruits si réalistes que nous nous tordions toutes de rire. Mais Ginny n'en continuait pas moins sa démonstration jusqu'à son « orgasme », que nous saluions de nos acclamations et de nos applaudissements nourris, et d'une tournée de champagne.

Beaucoup de nos filles se lièrent d'amitié parce qu'elles se voyaient assez souvent et travaillaient parfois ensemble. Elles puisaient dans ces relations nées d'activités communes un sentiment de sécurité et le réconfort d'une estime mutuelle renforcée par la détention du même secret profond et inavouable.

Je n'avais nullement besoin de faire admettre aux nouvelles que notre agence était unique, les clients le faisaient toujours beaucoup mieux que moi. Dès qu'une nouvelle était engagée, ils le savaient et ils s'ingéniaient à l'assurer qu'elle avait fait le bon choix, qu'elle aimerait les autres hôtesses et que Sheila était honnête et juste. On préfère toujours jouer pour une équipe gagnante, et les filles étaient fières de faire partie de l'agence d'hôtesses la plus cotée.

Voilà pourquoi je fus ravie la première fois que des hôtesses me téléphonèrent pour se plaindre de la tenue vestimentaire d'une de leurs collègues : quatre filles étaient parties ensemble rejoindre un groupe de quatre messieurs et, le jour suivant, trois d'entre elles m'appelèrent à tour de rôle pour se plaindre de la tenue de la quatrième qu'elles jugeaient trop voyante et peu adaptée aux circonstances. Elles s'indignaient de la mauvaise impression que cette toilette pouvait donner d'elles-mêmes et de l'agence. Dans une très grande mesure, elles faisaient ainsi leur propre police. J'étais informée aussi par téléphone si une fille buvait trop, parlait trop (ou pas assez) ou agissait d'une façon qui apparaissait déplacée aux yeux de ses collègues. Je recevais parfois aussi des coups de fil de clients qui avaient trouvé qu'une hôtesse était trop maquillée, ou trop bavarde, ou « faisait trop professionnelle ».

Plus d'une fois le client promit à l'hôtesse avec laquelle il venait de passer une soirée très agréable de l'appeler le lendemain soir pour l'emmener dîner. La soirée suivante, elle ne cessait alors de m'importuner : « M. Edwards n'a pas encore appelé? Il m'a promis de m'emmener ce soir. » J'étais navrée de la voir si excitée à la pensée d'une soirée qui – je le savais – ne se concrétiserait probablement pas.

– Bien sûr que vous lui plaisez, l'assurais-je, mais, à certains égards tout au moins, les hommes que vous voyez par l'intermédiaire de l'agence sont exactement comme ceux que vous rencontrez dans la vie. Je veux parler de ce mensonge en trois mots : « Je vous appellerai » qu'ils se sentent presque obligés de dire, surtout après avoir eu des relations intimes avec vous.

Quand ils paient pour s'offrir une compagnie féminine, la plupart des hommes préfèrent rencontrer chaque fois des filles différentes. Après tout, cela ne leur coûte pas plus cher, et ils n'ont rien à donner sur le plan affectif. Lorsque M. Edwards rappelait la soirée suivante, ou peu de temps après, et ne précisait pas qu'il voulait voir Amy, j'essayais donc de ne pas faire de peine à celle-ci en lui disant que oui, bien sûr, M. Edwards avait appelé, mais pour dire qu'il ne pouvait pas se libérer ce soir-là.

Il arrivait que mes bonnes intentions fassent long feu. Alors qu'Amy était assise dans le bureau, une autre fille entrait et se mettait à parler avec enthousiasme de la soirée fabuleuse qu'elle avait passée avec l'homme auquel Amy pensait déjà comme étant « le sien ». Dans ce cas, je prenais Amy à part et lui disais gentiment qu'il ne fallait voir là rien de personnel, mais que la plupart des hommes qui recouraient à nos services voulaient donner à chaque rencontre le piquant de la nouveauté.

Les filles n'étaient pas les seules à s'attacher parfois; cela arrivait également à leurs partenaires. Je citerai ici un exemple extrême : nous avions un client qui avait rencontré Sunny presque toutes les semaines pendant toute une année. Un soir qu'elle n'était pas disponible, il accepta, à contrecœur, la visite d'une autre hôtesse. Il en fut cependant si bouleversé qu'il nous appela à trois reprises cette semaine-là pour nous demander de ne pas révéler sa « trahison » à Sunny.

Une seule fois, un client et une hôtesse tombèrent amoureux l'un de l'autre. Un après-midi, Camille appela pour me dire qu'elle ne travaillerait pas le reste de la semaine.

– Je vais passer quelques jours avec l'homme que j'ai vu hier soir, me dit-elle, et je ne veux pas le faire en vous tenant dans l'ignorance. Que voulez-vous, quand je suis entrée dans sa chambre d'hôtel, il nous a suffi d'un simple regard pour comprendre que c'était pour de vrai.

Ce devait l'être, car leurs relations durèrent près de deux ans. Pendant presque toute cette période, au su de cet homme, Camille continua à travailler.

Une des raisons pour lesquelles nous avions connu un tel succès dès le début est que, à l'instigation de Lucy, nous avions fait un effort particulier de publicité auprès des diplomates et des hauts dignitaires, dont le flot déferlait régulièrement, chaque automne, à New York, pour l'ouverture de l'Assemblée générale de l'Organisation des Nations Unies. Chaque année, l'ONU publie une liste des adresses de tous les diplomates en poste, et il est facile d'y repérer les célibataires. Nous envoyâmes notre brochure à plusieurs centaines de ces messieurs, avec des résultats fort satisfaisants.

Au début des années 80, l'arrivée aux États-Unis de bataillons d'hommes d'affaires arabes fut un autre facteur en notre faveur. Au début, nos hôtesses étaient tout excitées à l'idée de rencontrer des clients arabes, car ils avaient la réputation d'allier le charme à l'extrême richesse. En réalité, la plupart de ceux qui nous appelèrent se révélèrent des clients épouvantables.

Cela tenait en partie à leur éducation : leurs préjugés à l'égard des femmes étaient quasiment du même ordre que ceux qui avaient été autrefois inculqués aux Blancs du Sud à l'égard des Noirs. De nombreux clients arabes ne pouvaient tout simplement accepter que notre affaire appartienne à des femmes et soit gérée par des femmes, et ils se montraient souvent grossiers à mon égard ou à l'égard de mes assistantes. Quand nous envoyions une hôtesse rendre visite à un client arabe, il arrivait qu'il l'ignorât complètement pendant les deux premières heures, ou qu'il la renvoyât carrément si elle avait dépassé depuis longtemps l'âge de vingt et un ans.

Suzie fut l'une des rares hôtesses de « Cachet » (et de toute autre agence d'hôtesses d'ailleurs) qui était tout à la fois grande, blonde, forte en gorge et vraiment belle. Une fois, en compagnie de six autres filles, elle alla rejoindre un groupe de dignitaires arabes qui avaient organisé une soirée dans une très vaste suite d'hôtel, et commandé un repas fin et du champagne pour leurs visiteuses.

– Ce n'étaient pas des gentlemen, me dit-elle. La conversation ne les intéressait pas. Ils n'ont pas arrêté de lancer des propos salaces. Ils ont regardé la télévision pendant des heures et se sont comportés comme si nous n'existions même pas. De temps en temps, l'un d'eux emmenait l'une des hôtesses dans une chambre pendant quelques instants. C'était épouvantable, et je mourais d'envie de partir. Tard dans la soirée, l'un des gorilles me conduisit dans une chambre, où se tenait un homme très petit, qui ne connaissait pas plus de cinq mots d'anglais. Mais, d'après le comportement des gorilles, je vis bien qu'il s'agissait d'un personnage important. Nous nous mîmes à l'aise, et il se montra alors charmant, affectueux et caressant, le contraire de ses compatriotes. Il ne cessait de répéter : « Vous revenez, vous revenez. » Quand je suis partie, le gorille m'a donné un pourboire de trois cents dollars.

Quelques mois plus tard, Suzie étant encore allée avec plusieurs autres hôtesses rendre visite à un groupe d'Arabes, un garde du corps lui fit signe d'entrer dans l'une des chambres où se trouvait, lisant son journal, le même homme qui lui avait tant plu la dernière fois. Lorsqu'il leva les yeux et la vit, il se mit à crier son nom et à l'étouffer sous ses baisers.

Chaque fois que nous traitions avec un groupe d'Arabes, nous ne savions jamais exactement qui réglerait la facture. Quand nous finissions par découvrir le responsable, celui-ci tentait toujours de faire baisser le prix. Il trouvait toujours de bonnes raisons pour que je lui consente un fort rabais. Ces gens nous accablaient d'intarissables prétextes : ou bien ils avaient des amis qui allaient arriver la semaine suivante et ne manqueraient pas de nous appeler sur leur recommandation, ou bien ils estimaient qu'ils ne devaient pas payer pour le temps que les filles consacraient généreusement à la danse et à la dégustation du champagne.

– Je vais vous expliquer, leur disais-je au téléphone. Supposez que vous alliez dans un magasin de vêtements, que vous vouliez acheter un beau complet de cinq cents dollars et que vous décidiez de ne pas prendre le gilet. Est-ce que le magasin devrait vous accorder un rabais de vingt pour cent parce que vous ne voulez pas le gilet?

Lorsqu'ils sont en groupe, les Arabes demandent souvent un certain nombre d'hôtesses comme on passe commande de pizzas :

s'ils sont quatre, il leur faut six filles. Ils les examinent dès leur arrivée, arrêtent leur choix en se chamaillant et renvoient avec un pourboire celles qui ne sont pas retenues.

Ces visites duraient généralement des heures. A une heure du matin, heure officielle de fermeture de l'agence, je m'accordais un petit somme en attendant l'appel des filles m'annonçant qu'elles s'en allaient. Deux ou trois heures plus tard, le téléphone sonnait et, immanquablement, je me retrouvais en grande discussion avec un client arabe pour une question d'argent. Il insistait évidemment pour me faire admettre que le prix était négociable, mais je tenais bon.

– Il m'est impossible d'imaginer que vous puissiez faire une chose pareille, disais-je. J'ai peine à croire qu'un gentleman comme vous accepte de payer une certaine somme et revienne ensuite sur sa parole. Il m'est impossible de croire que vous puissiez être ce genre de personne.

Si le client restait sourd à cet appel, j'en rajoutais en faisant allusion à son « honneur », ce qui provoquait souvent le résultat escompté. Après avoir mené ainsi quelques négociations délicates, je commençais par leur parler de leur honneur dès le premier coup de téléphone et, plus tard, j'y faisais à nouveau allusion avec succès.

Si tous mes efforts échouaient, je m'énervais et leur disais :

– Écoutez-moi bien, il ne s'agit pas ici d'un marché de chameaux au milieu du désert. Le prix est le prix, et il n'est pas négociable.

Je détestais devoir recourir à ce genre de langage, mais quand je n'avais pas le choix, la méthode manquait rarement son but.

Le plus fascinant de tous nos clients arabes était un prince saoudien de dix-neuf ans, qui venait souvent à New York escorté d'une demi-douzaine de gorilles, toujours attachés à ses pas, et d'un personnage qui goûtait tous ses aliments pour prévenir toute tentative d'empoisonnement. Cette suite princière occupait habituellement tout un étage d'un hôtel de luxe de Manhattan.

Le malheureux n'était jamais autorisé à quitter l'appartement de son hôtel, sauf pour aller jouer au tennis ou faire de la natation – et même alors, seulement si les lieux avaient été évacués et passés au peigne fin pour y détecter la présence éventuelle de bombes. Livré entièrement à lui-même, il n'avait personne à qui parler, à part sa famille, ses gardes du corps et deux ou trois cousins, et passait le plus clair de son temps à regarder la télévision. Il avait tout ce que l'argent peut offrir, mais il était malheureux.

D'après les filles qui le virent, c'était un être doux, qui parlait très bien anglais. Né prince, il n'avait pas eu une véritable enfance. Un jour, il confia timidement à Jerri, venue lui tenir compagnie, qu'il aimerait surtout – et il espérait qu'elle ne s'en formaliserait pas – sauter sur le lit et faire avec elle une bataille de polochons.

Une autre fois, il fit venir six filles à son hôtel pour fêter son anniversaire. Dans la journée, il avait envoyé l'un de ses gorilles faire des achats chez Tiffany afin de pouvoir offrir un petit cadeau – un bracelet en or – à chacune des hôtesses. Dès leur arrivée, tout le groupe, y compris les gorilles, se mit à jouer à des jeux d'enfants tels que chat perché, colin-maillard et prise de foulard, où tous les partisants finissent par se retrouver au sol en une mêlée confuse. Le clou final fut un long et bruyant combat de polochons.

Les filles qui allèrent à ce rendez-vous en parlèrent pendant des mois. Elles s'étaient toutes beaucoup diverties, mais avaient été fort attristées de voir ce petit prince prisonnier de sa richesse. Quand Jerri lui demanda pourquoi il ne pouvait pas sortir pour visiter la ville, il répondit simplement : « Je n'ai pas la permission », comme si cette explication était suffisante. Apparemment, il avait appris à accepter sa condition de prisonnier.

La troisième année, je fus enfin en mesure de lancer deux idées commerciales qui me trottaient dans la tête depuis quelque temps. L'un de nos concurrents offrait un rendez-vous de deux heures pour trois cents dollars, et il faisait une telle publicité que je présumai fatalement que ses affaires marchaient bien. A ce moment-là, nous prenions cent soixante-quinze dollars de l'heure, mais l'idée d'un minimum de deux heures était fort séduisante. Je décidai d'ouvrir une deuxième agence sous le nom de « Finesse », qui offrirait un rendez-vous de deux heures pour deux cent cinquante dollars.

Mon raisonnement était fort simple : si une annonce appâtait un certain nombre de clients, nous en attirerions probablement le double si nous en faisions passer une deuxième sous un autre nom. Personne n'était censé savoir que les deux agences étaient dirigées à partir du même bureau.

Lorsqu'il fut question de pourvoir en personnel la deuxième agence, j'évoquai toutes les filles dont je n'avais pas retenu la candidature. Nombre d'entre elles étaient, certes, séduisantes, mais pas assez jolies pour « Cachet ». Cependant, après avoir vu des centaines de candidates travaillant pour d'autres agences, je me rendis compte que beaucoup des filles que j'avais écartées étaient encore plus séduisantes que celles offertes par la concurrence. Et puis, je détestais leur dire non. Dans leur majorité, elles étaient déterminées à travailler comme hôtesses et, tôt ou tard, elles auraient une entrevue avec d'autres agences qui les recruteraient. Beaucoup m'avaient plu, et j'avais mauvaise conscience de ne pas avoir retenu leur candidature, car je savais que je les abandonnais ainsi à tous les Eddie du monde simplement parce qu'elles n'avaient pas la chance d'être un peu plus jolies.

Mais lorsque je commençai à mener les entrevues en vue de recruter pour la deuxième agence, il me fut impossible de déterminer en vertu de quels critères les candidates pouvaient être classées en deux catégories : pourquoi une fille que je ne jugeais pas assez jolie pour « Cachet » le serait-elle pour « Finesse »? Si l'idée était défendable sur le plan théorique, je n'arrivais cependant pas à la mettre en pratique.

Je décidai de donner corps à mon projet de création de « Finesse », mais d'employer, pour cette deuxième agence, le même personnel que celui qui travaillait pour « Cachet ». Le tarif de deux cent cinquante dollars fixé pour les rendez-vous par l'intermédiaire de « Finesse » étant inférieur à celui appliqué par « Cachet » pour une visite de deux heures, j'offrais aux filles qui acceptaient ces rendez-vous un pourcentage plus élevé. Je dus cependant abandonner ce projet lorsque je constatai que très peu de clients étaient intéressés. Apparemment, j'avais placé la barre trop haut, et je n'ai jamais compris comment faisaient nos concurrents pour s'en tirer.

Trois mois après l'ouverture de « Finesse », les affaires se trouvant pratiquement au point mort, je décidai de faire la part du feu et de mettre davantage l'accent sur la qualité des services rendus plutôt que sur les prix pour marquer la différence entre les deux agences dans nos annonces publicitaires. « Cachet » évoquait une atmosphère amicale et accueillante, et sa devise était : « Le service le plus digne de confiance à New York. » En revanche, « Finesse », qui offrait un service légèrement plus onéreux pour la première heure, mais également un rabais au cas où la visite durait deux heures, visait l'homme sensible à la concurrence, qui avait besoin de croire qu'il s'adressait à l'établissement le plus exclusif de la ville. La devise en était : « Nous n'accueillons pas n'importe qui. » Autrement dit, il fallait prouver qu'on était à la hauteur pour traiter avec nous.

Lorsqu'un nouveau client appelait au numéro de « Finesse », voici ce qu'il s'entendait dire : « Nous menons cette affaire ici, à New York, depuis un certain nombre d'années mais, jusqu'à une période assez récente, vous ne pouviez vous mettre en rapport avec nous que sur recommandation. Je serais heureuse de vous donner de plus amples renseignements nous concernant et de m'entretenir avec vous au sujet du type de jeune " lady " que vous recherchez. Si vous voulez bien me dire où vous résidez, je vous rappellerai sur ma ligne privée. »

Bien entendu, il n'y avait pas de « ligne privée », mais cela faisait sérieux, et si le demandeur laissait un numéro, l'assistante le rappelait pour lui communiquer les renseignements supplémentaires suivants :

« Nous sommes très exigeantes au sujet des jeunes " ladies " qui travaillent pour nous. Dans la journée, elles doivent occuper un emploi, ou suivre des cours, ou s'efforcer activement de faire carrière dans les arts ou la présentation de mode. Avant d'engager une personne, nous vérifions soigneusement toutes ses références. Les hôtesses qui travaillent pour notre agence sont des jeunes femmes ayant besoin d'un petit revenu supplémentaire pour s'en sortir. Elles ne sont autorisées à travailler que trois nuits par semaine et à rencontrer qu'un seul monsieur par soirée. »

Comme je le disais aux assistantes qui, naturellement, répondaient aux appels pour les deux agences, l'image de « Finesse » devait avoir « l'attrait du mystère ». « Finesse » augmenta sans conteste notre courant d'affaires, bien qu'il s'avérât que les clients de cette agence n'étaient guère différents de ceux qui appelaient « Cachet ».

La publicité pour « Finesse » était vraiment caractéristique. La plupart des agences d'hôtesses qui faisaient de la publicité dans l'annuaire du téléphone laissaient le soin aux responsables des « pages jaunes » de concevoir leur annonce, mais j'ai toujours constaté que, si on veut attirer des gens sérieux, il faut le faire de *façon sérieuse*. Nous avions déjà conçu une très belle annonce pour « Cachet », mais je décidai néanmoins de faire appel, pour celle de « Finesse », à Kenyon & Eckhardt, une agence de publicité renommée (Chrysler faisait et fait toujours partie de ses clients). Avec son logo en lettres vermillon, l'annonce de « Finesse » provoqua un grand nombre d'appels.

Ma deuxième décision commerciale porta sur la création d'une nouvelle catégorie d'hôtesses. Au fil des ans, nous avions augmenté deux ou trois fois nos tarifs et, en 1984, nous prenions cent quatre-vingt-quinze dollars de l'heure, sur lesquels les filles retenaient cent dollars. A ma grande surprise, je constatai que ces augmentations de prix n'entraînaient pas une baisse correspondante des affaires, bien au contraire : nous reçûmes des demandes d'hommes qui voulaient savoir si nous avions des filles *plus chères* et sans doute plus belles que les autres.

Cela me fascinait. Il y avait donc des hommes qui pouvaient s'offrir la compagnie d'une de nos filles pour un prix déjà élevé mais qui, apparemment, n'en auraient que plus de plaisir s'ils pouvaient dépenser davantage! En femme d'affaires avisée, je ne pouvais que répondre à la demande évidente du marché : si tous ces hommes étaient si désireux de payer davantage, eh bien, j'allais augmenter mes tarifs, que diable!

C'est alors que j'eus l'idée d'instituer la catégorie des « filles S » (Super), c'est-à-dire celles qui étaient d'une beauté exceptionnelle – et pour lesquelles le tarif était de vingt-cinq pour cent plus élevé. Une fille S devait répondre à cinq conditions : elle devait être grande, belle, blonde, âgée de moins de vingt-cinq ans et avoir des formes parfaites. J'avais heureusement deux ou trois filles dotées de toutes ces qualités, ce qui me permit de créer une nouvelle catégorie uniquement pour elles.

L'une de nos premières filles S fut Suzie, qui avait une crinière blonde, de grands yeux verts, une poitrine ferme et un corps à l'avenant. Elle était également fière du postérieur dont la nature l'avait dotée – le plus beau d'Amérique! J'avais toujours pensé que certaines des filles photographiées dans *Playboy* n'existaient vraiment pas dans la vie courante et que le magazine les faisait apparaître sous un jour flatteur grâce à des jeux d'éclairage et à d'autres astuces techniques, mais je changeai d'avis lorsque je rencontrai Suzie.

Fille d'une ancienne reine de beauté, Suzie avait, en fait, été incitée à entrer dans une agence d'hôtesses par sa mère. Celle-ci lui avait envoyé un article sur les agences d'hôtesses publié par *Cosmopolitan,* où figurait la remarque suivante : « Des centaines de jeunes hommes et de jeunes femmes gâtés physiquement par la nature gagnent leur vie en offrant le charme de leur compagnie contre rémunération... mais sans qu'il soit question " ni d'amour ni de baisers ". Ils gagnent de vingt mille à cent mille dollars par an rien que pour passer des soirées dispendieuses dans des restaurants de classe et assister aux premières de Broadway ou à des réceptions fréquentées par des célébrités. »

L'article mentionnait bien que certaines agences d'hôtesses offraient des faveurs sur le plan sexuel, mais l'impression générale qu'on en retirait était que beaucoup d'entre elles ne le faisaient pas. Comme l'écrivait également *Cosmopolitan* : « Les experts s'accordent généralement à estimer que si une agence fait de la publicité dans les " pages jaunes " et accepte les cartes de crédit, et si la police locale n'a jamais été saisie de plaintes à son sujet, il ne s'agit vraisemblablement pas d'un piège à call-girls. » C'était là une hypothèse plausible – mais fausse.

Suzie fit partie de l'une des douzaines de filles qui nous téléphonèrent pour une entrevue après la publication de cet article. Lorsqu'elle apprit que nous n'étions pas aussi innocentes que le magazine le lui avait fait croire, elle rentra chez elle et pleura pendant des heures. Mais comme elle était sans un sou, elle décida de faire tout de même un essai. Elle était très nerveuse lorsqu'elle se rendit à son premier rendez-vous, mais parvint à se détendre quand elle vit que son partenaire était jeune et plutôt timide. La seule chose insolite qu'il fit fut de lui montrer quelques photographies de son chat.

Plusieurs clients tombèrent amoureux de Suzie. Il faut dire qu'elle était non seulement superbe, mais aussi douce et accommodante. Une fois, l'un d'eux vint exprès à New York pour passer le week-end avec elle. Sa femme n'avait apparemment pas cru à la petite histoire qu'il lui avait racontée, car elle appela « Cachet » le soir et demanda à parler à son mari – elle avait trouvé notre numéro de téléphone sur la facture des appels longue distance de la famille. Un problème de cette nature ne s'était jamais posé auparavant, mais j'avais averti les assistantes que, dans ce cas, elles devaient dire que nous étions une agence de travail intérimaire, ce qui était assez proche de la vérité. Fait surprenant, il ne vint pas à l'esprit de cette femme de demander pourquoi une agence de cette nature répondait au téléphone le samedi soir, à onze heures.

Liza, qui prit l'appel, expliqua qu'elle n'était que secrétaire et qu'elle n'avait jamais entendu parler de l'intéressé. L'épouse raccrocha finalement, mais Liza ne savait que faire : devait-elle appeler le pauvre malheureux à son hôtel pour lui dire ce qui s'était passé? Dilemme fort intéressant – mais je lui conseillai de ne pas appeler.

– Pourquoi gâcher leur soirée? dis-je. Attendons que Suzie soit sur le point de partir. Ne vaut-il pas mieux qu'il l'apprenne à ce moment-là? Du moins aura-t-il de doux souvenirs lorsqu'il rentrera à la maison pour se faire chanter pouilles.

Peut-être est-ce ainsi que la nature répartit ses faveurs, mais il était évident que les filles S étaient aussi écervelées qu'elles étaient belles. Il fallait constamment leur recommander d'entretenir leurs cheveux et de porter des vêtements bien repassés. Elles étaient toujours en retard aux rendez-vous et étaient fort négligentes pour les questions d'argent. Si elles ne repassaient pas au bureau aussitôt après une visite, il pouvait s'écouler des semaines avant qu'elles ne pensent à verser la somme revenant à l'agence. Nous avons toujours eu, parmi nos hôtesses, quelques filles qui n'ont jamais été autorisées à rentrer chez elles sans passer avant par le bureau – règle qui s'appliquait chez Eddie à *toutes* les filles –, et les filles S en faisaient invariablement partie.

La plupart des filles S ne semblaient pas très intelligentes non plus. J'avais entendu dire que la beauté et l'intelligence n'allaient pas de pair, mais je ne l'avais jamais cru jusqu'au jour où je remarquai, avec ces filles tout au moins, que ce vieil axiome semblait être vrai. Il l'était certainement en ce qui concerne Tina, qui reconnaissait qu'elle était incapable de mettre tous les atouts de son côté. Elle refusait de se compliquer la vie avec des préservatifs ou un diaphragme, car elle pratiquait, m'assurait-elle, la régulation des naissances – tenez-vous bien – grâce aux prévisions astrales.

Elle constata bientôt – ce qui n'est guère surprenant – qu'elle était enceinte – la seule fois, incidemment, qu'une de nos filles se trouva dans cet état. Lorsque Tina me dit qu'elle voulait garder le bébé, je décidai que le moment était venu d'avoir avec elle une petite conversation. Quelques semaines auparavant, Tina avait vu deux de nos clients noirs, et je m'inquiétais de la réaction de son petit ami si le bébé venait au monde avec une peau foncée.

– Mais non, m'assura-t-elle. Le bébé est bien de mon petit ami.

– Me voilà soulagée, répondis-je. Mais comment en êtes-vous si sûre?

– C'est très simple, répliqua-t-elle. Je n'ai jamais eu un seul orgasme avec un client!

9

Les professions exercées par nos clients et leurs secteurs d'activités étaient fort divers et recouvraient la gamme la plus complète, ou presque, qui se puisse imaginer, qu'il s'agisse du négoce du poisson, des fleurs, des jouets, des fournitures de bureau, des ordinateurs, des instruments chirurgicaux, du matériel de guerre ou de l'exploitation de boîtes de nuit. Nous avions des médecins et des avocats, des banquiers et des courtiers, des brasseurs d'affaires et des consultants. Nous avions des membres de conseil d'administration de société qui venaient à New York chaque mois. Nous avions même un juge, ainsi que deux ou trois hauts fonctionnaires.

Après la fermeture forcée de notre agence, *Newsweek* publia un article précisant que « des noms bien connus dans la quasi-totalité des domaines d'activité matérielle ou spirituelle, à l'exception de l'Église » figuraient sur la liste de nos clients. Si cette estimation était bonne, elle n'était cependant pas tout à fait exacte. Nous avions, en fait, quelques ecclésiastiques, notamment un prêtre catholique, qui aimait fumer de la marijuana pendant qu'il faisait brûler de l'encens, et un rabbin orthodoxe, qui tenait à garder au lit son vêtement liturgique à franges.

Nous avions aussi un nombre important de diplomates étrangers, surtout pendant l'automne, à l'époque où se réunit l'Assemblée générale des Nations Unies. Bon nombre de ces messieurs occupaient des postes élevés dans leur gouvernement respectif, encore qu'ils fussent beaucoup trop discrets pour nous indiquer leur poste officiel au téléphone. Mais lorsqu'un interlocuteur aimable, s'exprimant fort bien avec un accent étranger, appelait du Plaza ou du Waldorf Towers, il n'était pas besoin d'être de la CIA pour deviner qui venait d'arriver dans notre ville. En outre, pour aussi réservé qu'il fût au téléphone, le client était enclin à se départir de sa discrétion devant une bouteille de champagne et en compagnie d'une jeune et jolie femme qu'il voulait impressionner.

Nous comptions toujours sur un doublement du volume des affaires à partir du mois d'octobre. L'ouverture annuelle de l'Assemblée générale attirait immanquablement, outre les délégués, une foule d'hommes d'affaires et de marchands d'armes qui, en grand nombre également, s'adressaient à nous. Certains nous appelaient pour sacrifier à leur propre plaisir, mais de nombreux autres le faisaient pour faciliter une transaction, retourner une faveur ou assurer une compagnie agréable à un groupe de clients dans un bon restaurant ou une boîte de nuit.

« Regine », boîte de nuit luxueuse établie dans toutes les grandes villes du monde, était particulièrement en vogue auprès des diplomates et des hôtesses qui adoraient se faire très élégantes pour y passer la soirée. C'était également un des lieux favoris de nos clients arabes qui nous posaient cependant un certain problème, car il n'était pas facile de trouver, pour leur compagne d'un soir, une robe de cocktail qui ne heurtât pas leur sensibilité. De nombreux Arabes se sentaient en effet mal à l'aise auprès d'une fille qui portait une robe dénudant son cou, ses épaules ou ses bras, ou une robe collante ou trop provocante.

Nous avions notre part de clients célèbres qui se fiaient à notre discrétion, promesse que je continue à tenir. Nous avions également de nombreux clients pas à proprement parler célèbres, mais qui occupaient une place éminente dans leurs domaines d'activité respectifs, et dont les noms étaient connus dans le monde des affaires – P-DG, banquiers d'affaires, producteurs de théâtre, directeurs d'agence de publicité et restaurateurs.

Nous n'étions pas peu fières de nos clients et de leur réussite, et nous avions accroché dans le bureau un « tableau des célébrités », où nous affichions des coupures d'articles de journaux et de magazines citant divers projets et transactions auxquels ces hommes avaient participé quand ils n'étaient pas, bien sûr, dans la tenue d'Adam. Il n'était pas rare qu'un article consacré à la carrière d'un de nos clients paraisse à la première page de la rubrique des affaires du *New York Times* ou du *Wall Street Journal*. Lorsqu'il y était question d'un important accord commercial, l'une de nos hôtesses au moins l'avait généralement entendu mentionner quand il n'en était encore qu'au stade de projet, et tirait particulièrement gloire d'en avoir eu la primeur avant sa publication.

Il était bien convenu, naturellement, que le personnel de l'agence ne devait jamais faire allusion, en dehors du bureau, au tableau des célébrités, car il était destiné à l'usage strictement interne, mais les hôtesses goûtaient la lecture de ces coupures de journaux qui contribuaient ainsi à leur rappeler constamment que notre agence était celle que choisissaient certains des hommes d'affaires les plus en vue dans le monde.

Quant aux clients célèbres, ils n'étaient guère différents des autres, à deux petites exceptions près : ils avaient tendance à donner des pourboires plus généreux, et ceux qui vivaient à New York avaient habituellement un réfrigérateur bien garni. Ce dernier détail vaut d'être noté, car les hôtesses auprès de nos clients locaux qui vivaient seuls et prenaient leurs repas au restaurant – et ils étaient nombreux – devaient s'estimer heureuses si elles trouvaient chez eux, au fond d'un placard, une boîte poussiéreuse de soda. Les célébrités vivaient souvent dans des demeures plus raffinées, où leurs domestiques veillaient à l'approvisionnement de leur garde-manger et de leur réfrigérateur.

Nous comptions parmi nos clients célèbres un joueur de hockey qui faisait appel à nous chaque fois qu'il venait jouer à New York. Toujours nerveux avant le match, il tenait à se libérer de sa tension. Lorsque Shawna arrivait dans sa chambre, il commandait au service d'étage une bouteille de champagne pour elle et du Perrier pour lui, car il refusait de boire une goutte d'alcool la veille d'un match.

Un autre client célèbre était une personnalité éminente de la télévision. Son mariage ayant été un échec quelques années auparavant, il en était resté fort affecté, et était incapable de parler d'un autre sujet. A le voir sur le petit écran, il paraissait décontracté, amusant et beau parleur mais, dans la vie de tous les jours, il était lugubre et ne cessait de se lamenter sur son compte, au point que la plupart des filles qui l'avaient vu une fois ne tenaient nullement à lui rendre une deuxième visite.

Il y avait aussi ce musicien de rock britannique bien connu, qui voulait que l'hôtesse apporte avec elle tout un assortiment de vêtements, des maillots de bain aux robes de soirée. Ayant toujours voulu être photographe de mode, il se munissait d'un appareil photo – dépourvu de pellicule – avec lequel il faisait semblant de prendre toute une série de clichés tout en donnant des instructions : « Superbe, bébé; O.K.; regarde maintenant vers la gauche; souris; ne bouge plus; voilà, c'est fabuleux. » Parfois, il avait ensuite des relations sexuelles avec l'hôtesse, mais pas toujours.

Camille et lui s'entendaient vraiment à merveille et, à un moment donné, il la vit chaque nuit de la semaine où il séjourna à New York. Un mois plus tard, il nous rappela en demandant Camille. Cette fois, quand elle entra dans l'appartement de son hôtel, il était en train d'écouter l'enregistrement d'une chanson qu'il avait composée pour elle. L'année suivante, cette chanson faisait partie de son nouvel album, et l'une des stations FM locales ne cessa de la diffuser.

Christine se rendit un jour chez un autre musicien de rock célèbre et, lui ayant appris incidemment qu'elle travaillait dans la mode, il tint absolument à ce qu'elle l'aidât à fouiller dans ses placards et à agencer les divers éléments de ses tenues pour éliminer ceux qui ne convenaient pas. Pendant tout le temps que dura cette visite, des filles ne cessèrent de l'appeler au téléphone au point que, au moment de partir, Christine ne put que lui demander : comment se faisait-il qu'il avait recours à nous alors que toutes ces filles s'offraient à lui? Il lui répondit qu'il préférait se trouver en compagnie d'une personne qui le considérait comme un être humain et non comme une célébrité. « Les filles qui me téléphonent se fichent pas mal de *moi*, poursuivit-il. Ce sont des baiseuses de vedettes. Elles me désirent parce que je suis célèbre et parce qu'elles veulent pouvoir dire à leurs amies qu'elles ont couché avec moi. Les filles de votre agence, au moins, sont de véritables êtres humains, et je préfère de beaucoup leur compagnie. »

Je pouvais, certes, comprendre pourquoi une vedette de rock préférait nos filles à toutes celles qui lui couraient après, mais j'ai été très surprise de recevoir les appels d'un photographe de mode très connu, qui passait ses journées avec certaines des femmes les plus belles et les plus charmeuses qui soient au monde, et n'ai pu m'empêcher de lui dire un soir au téléphone :

– Je ne voudrais pas vous paraître indiscrète, mais vous éveillez ma curiosité : comment se fait-il que vous faites appel à nous alors que vous voyez tous les jours tant de belles femmes qui seraient heureuses, pour la plupart, de vous rejoindre au lit?

– C'est très simple, me répondit-il. Les mannequins qui veulent coucher avec moi ne s'intéressent qu'à une seule chose : l'aide que je peux leur apporter dans leur carrière. Elles essaient toujours de m'impressionner, et ce n'est pas drôle d'être avec elles. Les filles que vous m'envoyez sont beaucoup plus gentilles, et plus intelligentes aussi, ce que j'apprécie vivement.

Célèbres ou non, la plupart de nos clients étaient des gentlemen, ce qui était essentiel pour nous. Comme je l'ai déjà dit, nous les encouragions, dès le début, à s'affirmer comme tels, puisque les assistantes leur donnaient du « monsieur » quand elles s'adressaient à eux et employaient toujours les termes de « jeunes ladies » quand elles parlaient de nos hôtesses. Point n'était besoin cependant de leur rappeler les bonnes manières, car ils avaient naturellement de la classe et savaient se montrer affables.

Il n'en demeure pas moins que certains de ces messieurs avaient des occupations peu communes, tel Lenny, un auteur pornographique bien connu, qui écrivait pour une publication particulièrement sordide. Connaissant sa réputation, les filles ne tenaient pas tellement, au début, à aller chez lui, en partie parce qu'elles craignaient de voir un jour imprimée noir sur blanc la narration détaillée de leurs visites. Le fait que l'appartement de Lenny était décoré comme un bordel de La Nouvelle-Orléans n'ajoutait pas non plus à leur enthousiasme.

Cependant, celles qui rencontrèrent Lenny furent toutes surprises par ses prévenances, sa générosité et sa technique amoureuse.

Une fois, Debbie lui demanda :

– Mais pourquoi écrivez-vous toutes ces cochonneries?

– Mon petit chou, lui répondit-il, c'est ça que les gens veulent lire. Que veux-tu, il faut bien gagner sa vie!

Les rares clients qui n'étaient pas déjà des gentlemen étaient tout de suite mis au pas. Un nouveau client s'étant jeté une fois sur Barbara dès qu'elle avait franchi la porte, celle-ci fit promptement demi-tour.

– Je ne comprends pas pourquoi elle a agi ainsi, me dit-il plus tard au téléphone.

Je lui expliquais que nos hôtesses avaient coutume d'abord de prendre un siège, de faire un peu la conversation et, peut-être, de déguster un verre de vin avant de passer au point suivant de l'ordre du jour. Quand il le fallait, ce qui était rare, je ne mâchais pas mes mots au client :

– Je ne dirige pas cette agence pour ceux qui veulent seulement aller tout de suite au lit. Si vous ne pensez qu'à ça, appelez une autre agence.

La grande majorité de nos clients préféraient faire connaissance avec l'hôtesse avant de passer au lit. Nos filles, quant à elles, n'avaient guère l'expérience des hommes âgés de plus de trente ans, et les nouvelles étaient soulagées de constater que la plupart de nos clients ne tenaient pas à passer immédiatement aux choses sérieuses, mais souhaitaient faire tout d'abord un brin de conversation – tout au moins pendant quelques instants.

Nous reçûmes, une fois, une plainte d'un client qui avait tout de même passé une soirée très agréable avec Melinda, une nouvelle recrue. Une demi-heure après son arrivée chez le client, elle éprouva quelque nervosité et, ne sachant pas comment mener les opérations, se leva soudainement en s'exclamant : « Qu'est-ce qu'il fait chaud ici! » et se mit en devoir de retirer son corsage.

– Peut-être ne suis-je pas normal, me dit le client, mais j'ai trouvé que c'était aller un peu vite en besogne, et sa précipitation a gâché toute l'atmosphère de la soirée.

Le lendemain, je rappelai à Melinda qu'elle devait guetter le signal subtil que donnaient les hommes lorsqu'ils sont prêts à aborder la partie la plus intime de la soirée.

Je ne crois pas qu'une seule fille qui ait travaillé pour moi ait omis de me demander au début : « Qu'est-ce qu'on doit faire avec les détraqués? » Généralement, les filles craignaient de rencontrer des hommes qui voudraient peut-être les ligoter ou leur demander de se livrer à des pratiques inavouables. Je leur expliquais patiemment, à maintes reprises, que la plupart des détraqués et des pervers savaient exactement à quoi s'en tenir au sujet des « perversions » qu'ils recherchaient et n'allaient pas gaspiller leur argent avec une call-girl qui ne comprendrait même pas ce dont ils voulaient parler. Les hommes de cette catégorie appellent des agences hautement spécialisées pour satisfaire leurs goûts particuliers. Bien entendu, les assistantes ne donnaient jamais suite à une demande émanant d'un interlocuteur dont les propos leur semblaient bizarres.

Quant aux hommes potentiellement violents, ils se gardaient bien d'appeler une agence d'hôtesses comme la nôtre, qui prenait la peine de se faire confirmer le nom, l'adresse et le numéro de téléphone du client. Il arrivait parfois qu'une hôtesse rencontrât un personnage fort désagréable, mais nous n'avons jamais eu à déplorer un seul acte de violence. Un incident de cette nature était-il possible? Bien sûr – de même qu'il est possible d'être victime d'un accident en marchant simplement sur le trottoir. Grâce aux consignes méthodiques de prudence que nous avions adoptées, le risque était cependant minime.

L'âge de nos clients oscillait généralement entre vingt-huit et cinquante ans, avec quelques exceptions. Depuis peu septuagénaire, Fred était du style grand-papa gâteau. Retraité, il vivait en Floride et, toutes les six semaines environ, prenait l'avion pour venir à New York surveiller ses investissements immobiliers.

Il suivait immanquablement la même routine : il rencontrait, à dix-sept heures très exactement, l'une de nos hôtesses dans le hall du club privé de Manhattan où il était descendu. Il emmenait sa compagne prendre un verre à l'Algonquin, dîner au Four Seasons et assister à un spectacle à Broadway. Puis, la soirée se terminait dans sa chambre pour le coup de l'étrier et autres intermèdes.

Il était si courtois et si charmant qu'il était le grand favori des hôtesses. Il s'arrangeait toujours pour arriver le premier à la porte – sans donner toutefois l'impression qu'il se précipitait – afin de l'ouvrir à sa compagne. Au restaurant, il la débarrassait, d'un geste élégant, de son manteau, la guidait délicatement vers sa chaise et, quand le garçon venait à leur table, commandait les mets de leur choix avec affabilité. Ce comportement contrastait violemment avec celui de leurs relations habituelles, et qui avaient atteint leur majorité dans les années 60, époque où les bonnes manières étaient jugées dérisoires.

Toutes les filles ne souhaitaient cependant pas rencontrer des hommes d'un certain âge. Il est vrai que les hommes âgés de plus de cinquante ans ont souvent perdu la ligne et qu'il était parfois pénible pour les hôtesses de converser avec quelqu'un qui aurait pu être leur père. Il faut dire aussi que les facultés diminuant avec l'âge, il fallait parfois à ces clients plus longtemps qu'aux autres pour commencer à s'éveiller.

Notre plus jeune client était un adolescent, fils d'un très gros banquier d'affaires, qui séjournait dans l'appartement de fonction de la banque pendant ses vacances scolaires. Je soupçonnais qu'il était puceau lorsqu'il nous appela pour la première fois. C'est Jeannie qui alla lui rendre visite. Après une demi-heure de conversation, elle disparut dans la salle de bains et en ressortit, quelques instants plus tard, parée de superbes dessous noirs : la vision qu'elle offrait avec ses longs cheveux roux et sa peau claire était saisissante. Son jeune client en resta pétrifié. Un moment après, son visage se crispa et, poussant un gémissement, il se rua dans la salle de bains, où il resta enfermé quelque temps avant qu'elle puisse le persuader d'en sortir. Apparemment, le pauvre garçon avait été si excité par la beauté d'une femme en chair et en os et aux dessous suggestifs que l'inévitable s'était produit et que tout avait été consommé avant d'avoir commencé. Il était affreusement embarrassé, mais Jeannie se montra très compréhensive et, un peu plus tard dans la soirée, elle l'initia aux rites de la virilité. Il nous appela plusieurs fois après son dépucelage – toujours pendant les vacances scolaires – mais il ne voulait voir personne d'autre que Jeannie.

Les hommes qui devinrent nos clients avaient fait appel à nous pour les raisons les plus diverses. Certains parce qu'ils espéraient qu'une call-girl de grande classe leur ferait connaître de suprêmes raffinements dans leurs ébats. D'autres parce qu'ils étaient des bourreaux de travail, dont l'emploi du temps et le rythme de vie ne leur laissaient pas le loisir d'avoir une vie personnelle. Ils travaillaient sans interruption pendant des journées entières sur un projet compliqué ou une affaire importante et, au jour J, quand tout était réglé, se rendaient compte que leur vie était complètement déséquilibrée. D'autres encore, qui étaient en relation d'affaires avec Hong Kong ou le Japon, parce qu'ils étaient astreints à des horaires impossibles ne leur permettant guère d'entretenir des relations sociales. Ils se retrouvaient chez eux à l'aube pour constater qu'ils n'avaient fait que travailler pendant dix jours d'affilée et qu'ils n'avaient personne à qui parler.

Plus que toutes les autres grandes villes du monde, New York est peuplée d'hommes dont la vie est totalement dévorée par le travail. Albert, par exemple, était cambiste dans une grande banque. Comme il se tenait en liaison constante avec l'Angleterre, l'Allemagne ou le Japon, il travaillait à des heures irrégulières et n'arrivait plus à faire clairement la distinction entre le travail et le farniente. Il emportait toujours avec lui un petit écran informatisé, alimenté par piles, qui le tenait au courant des dernières fluctuations du mark ou de la livre, et qu'il ne cessait de couvrir du regard – même au lit!

Nous avions, certes, quelques clients qui auraient eu sans doute du mal à se trouver une compagne sans notre assistance, mais nous en avions aussi beaucoup qui étaient si séduisants et avaient si bien réussi dans la vie que la plupart des femmes célibataires de Manhattan auraient fait n'importe quoi pour sortir avec eux. Comment se faisait-il donc qu'ils n'avaient ni épouse ni maîtresse? Même ceux qui en avaient recouraient tout de même à nous. D'autres nous appelaient entre leurs liaisons. De nos jours, même les célibataires les plus accomplis n'ont que rarement la possibilité, en dehors de leur lieu de travail – qu'ils considèrent, pour la plupart, comme tabou –, de se ménager aisément et décemment des rencontres. Pour un homme qui en a les moyens, il est souvent plus facile, plus expéditif et moins contraignant de payer pour un rendez-vous plutôt que de chercher une partenaire dans un bar de célibataires ou par l'intermédiaire des petites annonces.

A New York, selon des estimations fiables, le nombre des femmes célibataires hétérosexuelles excède d'un million celui de leurs homologues masculins, ce qui ne veut pas dire, si ce chiffre est bien exact, qu'il soit facile pour un homme de trouver une compagne. En raison du manque d'hommes, les femmes célibataires se sont lancées dans une quête sans merci à la recherche d'un compagnon, ce qui n'est pas toujours du goût de l'objet de leur poursuite. A en croire nos hôtesses qui recevaient souvent les confidences des clients sur leur vie amoureuse, nombreux étaient ceux qui se plaignaient des femmes qui se montraient trop agressives dans leur chasse à l'homme ou simplement trop pressées de contracter mariage.

Certains hommes espéraient, en fait, trouver une compagne par l'intermédiaire de notre agence, et il est souvent arrivé qu'un client s'attache particulièrement à une fille et ne cesse de la demander. Quand cela se produisait, l'hôtesse venait habituellement me voir pour me dire : « Sheila, je crois qu'il s'attache trop à moi, et je me sens coupable de lui prendre son argent. » J'étais toujours fière d'une fille qui me tenait pareils propos, car elle faisait passer les principes avant son portefeuille.

Mario, un chanteur d'opéra professionnel qui portait un intérêt particulier à l'occultisme, se trouva dans cette situation. La première fois qu'il fit appel à nous, nous lui envoyâmes Camille et, pas plus tôt arrivée dans son appartement, il commença par lui tirer les cartes. Il dut y lire un message positif car il ne voulut jamais voir personne d'autre. Les conversations qu'il avait avec Camille duraient pendant des heures. Après quelques visites, il lui demanda de l'épouser. Alors, à la demande de Camille, nous expliquâmes avec ménagement à Mario que son grand amour nous avait quittées pour aller s'établir à Phoenix.

En pareil cas, nous disions généralement au client que l'hôtesse nous avait quittées, et nous l'encouragions à en voir une autre. Mais nous devions rappeler à chaque fille qui allait lui rendre visite par la suite de lui répondre, s'il demandait des nouvelles de la première hôtesse – ce qui arrivait souvent –, qu'elle ne travaillait plus pour notre agence.

Au célibataire qui avait les moyens de nous appeler, nous offrions ce que tout homme recherche dans ses fantasmes, c'est-à-dire l'assurance de rencontrer la perle rare. Il savait que la fille que nous lui enverrions serait séduisante. Il savait qu'elle arriverait à l'heure, qu'elle serait élégamment vêtue et qu'elle serait en mesure de mener une conversation intelligente. Il savait surtout qu'elle ne serait là que *pour lui.* Avec une fille de « Cachet », au diable les pleurnicheries, les ratiocinations féminines et les bouffées d'inquiétude provoquées par les engagements non tenus ou, plus prosaïquement, par l'horloge biologique. Elle ne serait pas là pour essayer de l'impressionner ou pour s'assurer qu'il figurait au rang des candidats « possibles ».

Le client savait également qu'elle ne ferait pas toute une histoire pour sacrifier à la bagatelle et qu'il pourrait coucher avec elle sans être soumis à une condition quelconque et sans éprouver un sentiment de culpabilité. Il savait, en outre, qu'il ne serait pas tenu à se surpasser sous les draps, car la fille que nous lui enverrions ne serait pas cette femme nouvelle, intimidante, insatiable et aux orgasmes multiples dont *Esquire* ou *Playboy* ne cessaient de l'entretenir à longueur de colonnes. Elle serait là pour son plaisir à lui, et non pas pour le sien, et s'il n'avait pas envie de prendre des initiatives, il pourrait lui demander d'assumer la direction des opérations.

Ces considérations valaient surtout pour l'homme qui se retrouvait célibataire après avoir été marié. De nombreux clients fraîchement divorcés ou séparés n'étaient simplement pas prêts – ou capables – d'avoir avec une femme des relations dans la pleine acception du terme, et certains d'entre eux redoutaient fort d'avoir affaire au nouveau type de femme qui était apparu à l'époque où ils étaient encore mariés. Dans quelques cas, le divorce les avait également rendus sexuellement insuffisants et les hôtesses jouaient le plus souvent le rôle de thérapeutes.

Mais ce n'était pas seulement sur le plan sexuel qu'un homme récemment divorcé pouvait avoir besoin d'aide. John, par exemple – avocat spécialisé dans l'immobilier –, passa une heure chaque semaine avec Claudette à une certaine époque. Lorsqu'elle se rendit chez lui pour la première fois, elle vit que son nouvel appartement était pratiquement vide. Petit à petit, cédant aux encouragements de Claudette, John acheta du mobilier. En peu de temps, Claudette se mit à jouer auprès de lui le rôle de décoratrice, lui suggérant, par exemple, de mettre un tapis beige dans la salle de séjour, une table rouge dans la cuisine, et ainsi de suite. Dès que son appartement fut complètement meublé, John cessa de nous appeler, ce qui était à prévoir.

Nous avions quelques clients qui faisaient appel à nous surtout pour la parade, car ils étaient tout fiers de prouver qu'ils pouvaient s'offrir les call-girls les plus chères de New York. Pour ces hommes, les filles étaient non seulement des objets de prix, mais également des auditrices de choix : ils passaient en effet toujours beaucoup de temps à leur montrer, par exemple, leur collection d'objets d'art en ne manquant pas d'attirer leur attention sur la valeur de chaque pièce. Cependant, les filles enrageaient de constater que ces hommes, qui faisaient complaisamment étalage de leur richesse, leur donnaient rarement des pourboires, et plus d'une devait contenir sa fureur lorsqu'elle voyait un de ces clients attendre la monnaie – cinq malheureux dollars sur les deux cents qu'il lui avait remis en quatre coupures de cinquante.

Plusieurs clients qui avaient recours à nos services étaient atteints de handicaps physiques. L'un d'eux, par exemple, était aveugle tandis que d'autres étaient cloués dans un fauteuil roulant. Devenu paraplégique à la suite d'une blessure reçue au Viêt-nam, Bill avait l'habitude de garder l'hôtesse qui lui rendait visite pendant deux ou trois heures. Il aimait parler, jouer aux échecs, au jacquet, ou tout simplement regarder la télévision avec elle. Puis, vers la fin de la soirée, il lui demandait de se déshabiller et de ne garder que ses dessous. Il la faisait s'étendre près de lui sur le lit, la serrait simplement contre lui, promenait ses mains sur son corps tandis qu'elle l'étreignait en retour. Bill était séduisant, doux et affectueux, mais les filles revenaient toujours de leurs visites chez lui en proie à une indicible tristesse. Lorsque l'hôtesse me parla de son état en me faisant le compte rendu du premier rendez-vous avec lui, nous ne pûmes, ni l'une ni l'autre, retenir nos larmes.

Un autre client était, lui, légèrement défiguré, et en était si complexé qu'il croyait être un objet de répulsion pour les filles.

Lorsqu'il attendait la venue de l'hôtesse, il laissait habituellement la porte de son appartement entrebâillée pour qu'elle puisse entrer et venir le rejoindre dans sa chambre après avoir traversé la salle de séjour maintenue dans l'obscurité. Quand j'appris la raison de cette mise en scène, je décidai de lui en parler :

– Je sais que vous préférez que les choses se passent ainsi, mais vous devez comprendre que, pour une nouvelle hôtesse qui vient vous voir, c'est une expérience vraiment effrayante que d'avoir à tâtonner pour trouver son chemin dans l'obscurité d'un appartement qu'elle ne connaît pas. Elle est ainsi portée à croire qu'elle rend visite à un fou.

Nous avons fini par nous mettre d'accord sur l'arrangement suivant : il attendrait dans sa chambre, comme à l'accoutumée, l'hôtesse le connaissant déjà, mais devrait ouvrir la porte à celle qui viendrait pour la première fois.

Nos clients mariés nous appelaient pour des raisons quelque peu différentes de celles des célibataires. Nombreux étaient des voyageurs esseulés – beaucoup de célibataires entraient également dans cette catégorie. D'autres se trouvaient prisonniers de mariages malheureux ou avaient épousé des femmes qui, pour diverses raisons, n'éprouvaient aucun goût pour les ébats sexuels.

Frank, par exemple, était un banquier de la soixantaine et avec qui Melody passa, une fois, quelques heures. Comme elle s'apprêtait à partir, il se mit tout à coup à pleurer. Quand il se fut ressaisi, il lui expliqua que sa femme était invalide depuis deux ans, qu'il avait fait un effort terrible pour nous appeler et qu'il était hanté par la crainte de ne plus jamais pouvoir faire l'amour. Tous ces sentiments refoulés s'étaient accumulés en lui, et voilà que, tout à coup, ils se donnaient libre cours. Melody n'eut pas le cœur de partir et de le laisser dans cet état alors qu'il avait un besoin si évident de s'épancher. Elle consentit donc à rester une heure de plus gratuitement, ce dont Frank lui fut extrêmement reconnaissant.

Quand il revint à New York, Frank demanda à voir Melody de nouveau. Cette fois, il l'emmena dîner à Windows on the World, au World Trade Center, où il lui confia que son fils, qui venait d'avoir trente ans, s'était mis en tête de se marier. Ne serait-il pas possible, dès lors, de ménager une entrevue entre Melody et son fils?

– Je sais bien que vous gagnez confortablement votre vie en ce moment, lui dit-il, mais si vous et mon fils preniez les choses au sérieux et si vous acceptiez de quitter votre travail, je serais très heureux de combler la différence pendant la première année.

Melody répondit à Frank qu'elle se sentait honorée par cette proposition, et qu'elle l'étudierait, mais elle ne donna jamais suite à son offre.

Stacey rendit une fois visite à un client qui venait du Middle West, où il possédait une affaire de bois de charpente. Plusieurs mois auparavant, il avait subi l'opération de la prostate et, depuis lors, n'avait pu se résoudre à essayer de faire l'amour avec sa femme parce que, comme de nombreux hommes dans sa situation, il craignait de ne plus en être capable. Il n'avait jamais appelé une agence d'hôtesses auparavant, et c'était pour lui l'occasion de vérifier s'il était encore en possession de tous ses moyens. L'expérience fut couronnée du plus grand succès, et il débordait de gratitude. « C'était presque comme si je lui avais redonné vie », me raconta Stacey le lendemain.

Nous avions aussi un certain nombre de clients new-yorkais qui nous appelaient lorsque leur épouse s'était absentée, et, chaque été, le nombre des appels émanant d'hommes qui avaient installé leur femme et leurs enfants dans une résidence secondaire au bord de la mer ou à la montagne augmentait de façon spectaculaire. C'est ainsi que Jack, qui était propriétaire d'une agence de publicité, nous appela au moins trois fois par semaine pendant tout un été, pendant que sa femme et ses enfants étaient dans les Hamptons [1]. La veille de leur retour, il se rendit compte tout à coup qu'il avait rencontré toutes les hôtesses de l'agence, à l'exception de trois. Déterminé à réparer cette omission, il décida de les faire venir toutes les trois, l'une après l'autre, ce soir-là.

Pendant les deux premières années, je ne comprenais vraiment pas pourquoi les hommes mariés étaient si nombreux à nous appeler et, sans bien y avoir réfléchi, j'acceptais l'idée conventionnelle que tout ne devait pas aller pour le mieux dans leur foyer. Mais, petit à petit, je compris qu'en recherchant la compagnie d'une femme prévenante et affectueuse, le voyageur ne le faisait pas nécessairement par réaction contre son mariage. En fait, plus il entretenait des relations affectives avec sa femme, plus il était habitué au charme de sa compagnie, et moins il pouvait supporter l'idée d'avoir à affronter la solitude de nombreuses soirées interminables.

Celui qui part pour de longs voyages peut aisément entrer chaque fois dans un monde différent. Soudain, ses moyens de défense naturelle n'existent plus, et il lui arrive de faire des choses qui ne lui viendraient jamais à l'esprit quand il est chez lui. Je ne veux pas dire que le fait d'apprendre que mon mari aurait téléphoné à une agence d'hôtesses pendant un voyage d'affaires me laisserait parfaitement indifférente, mais je ne verrais pas là le signe que notre couple se désunit.

1. Stations balnéaires sur la côte sud de Long Island. *(N.d.T.)*

Il va sans dire que la solitude n'était pas la seule raison pour laquelle les hommes mariés nous appelaient. Bon nombre de nos clients cherchaient également à apporter un peu de variété dans leur vie amoureuse. Ce phénomène bien connu qui affecte le sexe masculin a été ici baptisé de l'expression « effet Coolidge » à la suite d'un petit incident légendaire survenu pendant le mandat du président Calvin Coolidge. Selon la petite histoire, le président et Mme Coolidge s'étaient rendus dans une ferme d'État, où on leur fit faire séparément la visite des lieux. Passant près de la basse-cour, la présidente demanda au gérant de l'exploitation combien de fois par jour le coq exerçait son office.

– Des douzaines de fois, répondit-il.

– Veuillez, je vous prie, en informer le président, dit-elle alors.

Quelques minutes plus tard, le président Coolidge passa, lui aussi, près de la basse-cour et posa la même question :

– Combien de fois par jour le coq exerce-t-il son office?

– Des douzaines de fois, répondit le gérant.

– A chaque fois avec la même poule? demanda le chef du pouvoir exécutif.

– Oh non, monsieur le président. Chaque fois avec une poule différente.

– Très bien, dit le président. Veuillez, je vous prie, en informer Mme Coolidge.

Indépendamment de l'effet Coolidge, la call-girl qui vient rendre visite à son client pendant deux heures offre généralement un contraste frappant (et, je dois l'avouer, totalement injuste) avec celle qui est sa femme : elle est fascinante, ne le critique jamais, ne souffre jamais de maux de tête, n'est jamais trop fatiguée, ne porte jamais de rouleaux sur la tête et n'a jamais besoin de l'entretenir d'un sujet qui l'a travaillée pendant toute la semaine.

Le nombre d'hommes mariés qui nous appelaient était, somme toute, assez élevé, et certaines de nos filles en étaient troublées. La plupart d'entre elles projetaient de se marier un jour et trouvaient inquiétant d'avoir sous les yeux – pour ne pas dire sur le corps – des preuves aussi tangibles de l'infidélité conjugale. Voilà pourquoi certaines hôtesses préféraient rendre visite à des célibataires, peut-être aussi parce que ceux-ci étaient généralement à peu près de leur âge. Heureusement, d'autres préféraient les hommes mariés parce que, disaient-elles, ils savaient mieux les apprécier.

Presque toutes finirent par comprendre qu'elles préféreraient de beaucoup que leur mari fasse appel, en cas de voyage d'affaires, à une agence d'hôtesses plutôt que d'entretenir une liaison. En effet, avec une call-girl, les limites de l'aventure sont clairement définies à l'avance, tandis qu'un véritable attachement amoureux peut représenter une menace beaucoup plus lourde pour le couple. Ceci explique que deux de nos clients avaient recours à nos services avec le consentement de leur épouse – une femme enceinte de huit mois nous appela même pour offrir à son mari les services d'une hôtesse comme cadeau d'anniversaire – mais ce genre d'initiative était tout à fait exceptionnel.

Je crois que les femmes devraient être plus réalistes et accepter l'idée que la plupart des hommes ont besoin – ou éprouvent le très vif désir – de connaître une expérience sexuelle nouvelle de temps à autre. Découvrir que son mari ou son amant a une liaison est, j'en conviens, une affaire sérieuse, mais s'il profite d'une rencontre occasionnelle d'un soir lorsqu'il est en déplacement, cela ne veut pas dire qu'il se détache de sa femme ou de sa compagne. Il s'agit tout simplement d'un petit plaisir que les hommes s'accordent épisodiquement.

Je dois dire au passage que les hommes ne demandaient pas tous à rencontrer une fille qui fût belle. Une catégorie de clients comprenait les bûcheurs que nous avons tous connus au lycée, et dont l'excellence des résultats scolaires n'avait d'égal que leur insuccès dans leurs relations avec les filles. Devenus adultes, ils avaient réussi financièrement, mais ne savaient toujours pas comment s'y prendre avec les femmes et continuaient d'être intimidés par les beautés qui ne leur avaient pas fait l'aumône d'un regard vingt ans plus tôt. Bien qu'ils fussent, dès lors, en mesure d'acheter les faveurs qu'ils n'avaient pu obtenir pour rien dans leur prime jeunesse, ils préféraient généralement une femme au charme plutôt discret à une jolie fille dont la beauté les aurait mis mal à l'aise.

Ils n'étaient pas les seuls à préférer avoir rendez-vous avec les filles les moins belles. Certains hommes trouvaient, en effet, qu'une belle fille les intimidait sur le plan sexuel, alors que d'autres se figuraient que ces femmes étaient vaniteuses, égoïstes, ou même assez sottes.

Bert, membre du conseil d'administration de plusieurs sociétés, n'accordait de l'importance qu'à l'intelligence. Alors que la plupart des clients nous questionnaient au sujet des caractéristiques physiques de nos hôtesses, Bert, lui, ne s'intéressait qu'aux filles intelligentes et bien éduquées. « Savez-vous pourquoi il me plaît? me dit une fois Kate. Parce que, s'il aime bien parler, il aime bien aussi *écouter.* »

Un homme qui savait écouter avait toujours beaucoup de succès, autant que celui, naturellement, qui aimait faire des cadeaux. Peter, qui dirigeait une chaîne de magasins dans le sud du pays, demandait toujours, en faisant ses réservations une semaine à l'avance, quelle était la taille des vêtements de l'hôtesse. Il l'accueillait en disant : « Je vous ai apporté un présent mais, si vous le voulez, il vous faudra le trouver. » Il s'agissait généralement d'une robe ou d'un tailleur à la dernière mode et, de temps à autre, d'une enveloppe contenant mille dollars en espèces qu'il avait cachée dans la doublure d'un rideau ou sous un tapis.

Un autre client offrait, lui, de beaux sacs à main importés d'Italie, mais le plus intéressant et le plus généreux de tous était le bel Art, l'heureux propriétaire de l'une des boîtes de nuit les plus prestigieuses de New York.

Art avait une autre qualité : en relation d'affaires avec un fabricant réputé de crèmes glacées, il en avait toujours un assortiment très varié dans son congélateur. Il n'était donc pas surprenant qu'il fût l'un de nos clients les plus prisés, et Ginny, qui raffolait des crèmes glacées, me laissa une fois une note me disant que si je devais accorder un jour une faveur à Art, elle serait ravie d'aller lui rendre visite à titre gracieux.

Une fois, Alexandra se rendit à un rendez-vous avec un client arabe, qui la renvoya chez elle vingt minutes après son arrivée – avec un pourboire de mille dollars. Une autre fois, Margot nous raconta qu'après avoir passé la soirée chez un client qui était sur le point de déménager, celui-ci demanda à son chauffeur de la reconduire chez elle dans sa voiture personnelle, où il avait fait charger gravures, chaises, rideaux et lampes qu'il ne voulait plus et que Margot était évidemment ravie d'emporter.

Nous avions également notre lot de clients beaucoup moins enthousiasmants, et certains étaient si antipathiques qu'aucune de nos hôtesses ne tenait à les revoir. Plusieurs de ces messieurs étaient pourtant riches comme Crésus et vivaient dans des appartements magnifiques, mais ils étaient d'une arrogance insupportable. L'un d'eux, que j'avais dû rayer de nos listes parce que plus personne ne voulait lui rendre visite, essaya de me convaincre que j'avais dû faire erreur et que les hôtesses – six en tout : cela fait beaucoup! – avaient dû le confondre avec un tiers. Ces gens étaient franchement détestables, mais j'en ai toujours eu pitié, car ce devait être affreux pour eux de ne pouvoir, avec tout l'argent dont ils disposaient, réserver un rendez-vous même par l'intermédiaire de « Cachet ».

Si nous avions voté pour élire le client le moins apprécié, le candidat le mieux placé aurait été certainement Charles, « l'homme au bikini ». Les filles l'appelaient ainsi parce qu'il portait toujours un slip bikini et que, pour des raisons qui lui étaient personnelles, il lui suffisait d'entendre prononcer le mot « bikini » pour entrer en action. « L'homme au bikini » se figurait toujours être le champion de lutte qu'il avait été au lycée. Il avait donc besoin que les hôtesses l'assurent continuellement qu'il était toujours aussi fort et aussi musclé à trente-quatre ans qu'il l'avait été à dix-sept.

En parfait Narcisse, Charles, qui avait fait installer des glaces dans tout son appartement, prenait interminablement des poses devant un miroir à trois faces pendant que sa visiteuse devait le contempler et l'admirer. Ayant installé un télescope sur son balcon et gardant une paire de jumelles à côté de la fenêtre, il racontait aux filles qu'il se « savait » observé par ses voisins, surtout quand il était au lit, où il s'attardait à essayer des poses à l'intention de spectateurs imaginaires.

A un certain moment, nous avons eu parmi nos hôtesses une fille répondant au nom de Jessica qui, en raison de sa personnalité sans éclat, n'était pas l'une des plus sollicitées. C'est pourquoi ma curiosité fut éveillée lorsque « l'homme au bikini » demanda à rencontrer Jessica pour la troisième fois, alors qu'elle n'avait jamais incité les autres clients à la récidive. Comme j'interrogeais Jessica sur les raisons de cet engouement, elle me répondit :

– Il n'est pas si mal que ça! Je lui fais plaisir en m'attendrissant sur sa personne pendant qu'il pose devant ses miroirs. Je lui dis par exemple : « Oh, Charles, vous êtes tellement sexy! »

Cet homme voulait tout simplement être admiré, et quand j'eus compris qu'il avait besoin qu'on poussât des cris d'admiration devant sa personne, toutes les filles qui lui rendirent visite surent comment le rendre heureux.

Tony était un expert fiscal éminent, esprit brillant, qui aimait argumenter avec les hôtesses sur n'importe quel sujet, ou presque. Il passa une fois quatre-vingt-dix minutes à se quereller avec Kate au sujet du marché à options, question qu'elle connaissait fort bien. Au cours de ce débat, Tony but une bouteille entière de scotch, et comme il devenait de plus en plus insultant, Kate menaça de partir. Tony se calma alors rapidement, redevint très gentil et, quelques minutes plus tard, demanda à Kate de l'épouser.

Harold était un autre client difficile, non pas en raison de sa personnalité, mais parce qu'il gardait une douzaine de chats dans son appartement. La première hôtesse qui alla chez lui me rapporta que l'odeur émanant de la caisse des chats était si désagréable qu'elle refusait de retourner chez lui. J'envoyai donc une autre hôtesse au deuxième appel, mais elle eut la même réaction que la première. La troisième fois, j'informai l'hôtesse disponible des deux plaintes précédentes et lui laissai le soin de décider d'aller ou non à ce rendez-vous. Elle se résolut à s'y rendre, mais me confirma, à son retour, que la litière était une chose vraiment épouvantable.

Quand Harold m'appela de nouveau, je lui expliquai que nous ne pourrions plus envoyer personne dans son appartement tant qu'il ne se serait pas débarrassé de ses chats. Je détestais devoir laisser tomber un client aussi aimable que lui, mais je ne pouvais transgresser les règles que je m'étais fixées en priorité.

Si j'accordais, en effet, beaucoup d'importance à la clientèle, je n'en accordais pas moins au défi auquel il me fallait constamment répondre : trouver et m'attacher un nombre suffisant de jeunes personnes aimables. Une fois que j'avais recruté une fille qui me convenait, je devais m'efforcer de la garder, et le meilleur moyen d'y parvenir était de veiller à rendre son travail aussi agréable et aisé que possible. Je savais que chaque hôtesse fixerait elle-même une limite au nombre d'expériences désagréables qu'elle pourrait supporter avant de renoncer à ce job, et qu'il était de mon devoir de réduire au minimum ces expériences. En outre, il était bon de faire savoir aux hôtesses que la patronne veillait au grain.

Une de nos expériences les plus alarmantes eut lieu lorsque Marguerite se rendit chez Doug, un nouveau client new-yorkais. Il semblait un peu déprimé, tendu même, et elle pensa que ce rendez-vous le rendait nerveux. Comme il avait, de toute évidence, besoin de parler, Marguerite s'installa sur le divan pour l'entendre lui faire part de ses problèmes. Tout à coup, quelqu'un frappa à la porte à coups redoublés en appelant Doug. Celui-ci ne répondant pas, le visiteur essaya d'enfoncer la porte à coups de pied. Craignant qu'il ne s'agisse d'une descente de police pour une affaire de stupéfiants, Marguerite, la peur collée au ventre, se leva précipitamment et courut se réfugier dans la chambre à coucher. Doug finit par ouvrir la porte et, d'après la conversation qui lui parvint, Marguerite comprit qu'au début de la soirée, Doug avait téléphoné à une association de prévention du suicide qui avait dépêché des gens chez lui pour s'assurer qu'il ne lui était pas arrivé malheur. Doug raconta plus tard à Marguerite que sa compagne depuis deux ans l'avait quitté pour son meilleur ami, le laissant ainsi doublement trahi et solitaire.

Un certain nombre de nos clients les plus difficiles étaient pourtant des gens bien qui, malheureusement, avaient trop touché à la cocaïne. C'est vers 1982 que la cocaïne commença à connaître un succès foudroyant dans la classe moyenne, et que certains de nos jeunes clients s'y adonnèrent avec enthousiasme. La cocaïne est une drogue particulièrement insidieuse : nous le savons pour avoir été témoins de la lente dégradation d'êtres sensibles et talentueux. Je citerai l'exemple d'un client qui, au début, était l'un de nos grands favoris. Deux ans plus tard, nous refusions tout net d'avoir affaire avec lui. Nous avons constaté que le comportement des cocaïnomanes change du jour au lendemain, et il était frustrant de ne pouvoir intervenir.

Un de nos clients nous appelait souvent lorsqu'il était sous l'effet de la drogue. Sur un ton toujours désespéré, il se lamentait : « Une heure? Je ne peux pas attendre une heure. Il me faut quelqu'un *tout de suite.* » Ce n'est vraiment pas une partie de plaisir que de tenir compagnie à des cocaïnomanes, car il faut les écouter – ils parlent tout le temps, le plus souvent d'eux-mêmes – et supporter leur paranoïa fréquente et leur hostilité occasionnelle. L'agence ne restait pas ouverte après une heure du matin surtout parce que c'était l'heure à partir de laquelle la plupart des drogués téléphonaient. C'était également l'heure à partir de laquelle un grand nombre d'autres agences faisaient le plus gros de leur recette.

La plupart de nos clients qui prenaient de la cocaïne ou fumaient de la marijuana en offraient naturellement aux filles. Je n'étais pas naïve au point de croire que je pouvais leur interdire d'accepter, je préférais plutôt leur souligner la nécessité de s'en abstenir. En dépit de ce que les pouvoirs publics et les écoles veulent nous faire croire, des millions d'Américains se droguent, et aiment se droguer, sans en abuser, de même que des millions d'Américains sont capables de consommer de l'alcool d'une façon socialement acceptable. Autrement dit, c'était une chose que de s'adonner à la drogue et une autre que d'en abuser, mon souci étant de veiller à ce que les filles qui décidaient d'en prendre comme passe-temps le fassent en compagnie et à bon escient. Il va sans dire qu'aucun de nos clients et aucune de nos filles ne prenait de drogue dure.

Il était absolument interdit à une hôtesse de fournir de la drogue aux clients. Certains d'entre eux qui évoluaient dans le monde des entreprises tenaient à essayer la marijuana ou la cocaïne, mais ne connaissaient personne qui puisse leur en procurer. Du fait que notre affaire frisait l'illégalité, ils demandaient parfois aux hôtesses de les aider à en trouver. Une arrestation pour fait de prostitution est une chose, mais une arrestation pour trafic de drogue est une affaire beaucoup plus sérieuse. Certaines agences d'hôtesses sont fortement impliquées dans des affaires de drogue, et c'est le plus souvent pour cette raison – et non pour des faits de prostitution – que les autorités leur font fermer boutique. Si ce problème s'était présenté dans notre agence, j'aurais immédiatement mis à la porte l'hôtesse responsable.

D'une façon générale, les filles préféraient de beaucoup les fumeurs de marijuana aux cocaïnomanes. La marijuana tend à provoquer une réaction paisible, et celui qui la fume adopte un comportement drôle et aimable lorsqu'il est « parti ». En revanche, la cocaïne rendait souvent nos clients grossiers, querelleurs et, finalement, assommants, car ils ne cessaient de rabâcher leurs histoires.

Sur le plan des relations sexuelles proprement dites et à l'exception de certains qui étaient des amants expérimentés – bien qu'ils fussent plus nombreux qu'on pourrait le croire, ils n'étaient cependant pas en nombre suffisant au dire des filles –, les hôtesses préféraient un client qui fût, selon leur expression, « rapide et facile ». Comme cette activité pouvait soumettre leur corps à une fatigue non négligeable, les filles se plaignaient chaque fois qu'elles avaient affaire à un client qui « en prenait vraiment pour son argent ». Un certain nombre de nos clients étaient surnommés « les marathoniens », notamment ceux qui étaient connus pour se satisfaire en privé avant l'arrivée de l'hôtesse afin de prolonger l'expérience en sa compagnie. Alors que la plupart des femmes s'intéressent aux techniques sexuelles qui aident l'homme à se contenir plus longtemps, nos hôtesses, elles, échangeaient toujours des conseils sur la façon d'accélérer les choses.

L'anatomie masculine présente une extrême variété, et certaines de nos hôtesses de petite taille refusaient les clients plus que généreusement pourvus. Quant au vieux débat sur le point de savoir si les dimensions influent sur la satisfaction sexuelle de la femme, la plupart de nos hôtesses convenaient avec Ginny que « c'est le chanteur, et non pas la chanson, qui donne tout son charme à la mélodie ».

Nombreux sont les hommes qui se comportent au lit d'une façon avec une call-girl et d'une autre, complètement différente, avec leur femme ou leur compagne. Certains, par exemple, refusent d'embrasser une hôtesse sur la bouche. D'autres saisissent l'occasion pour expérimenter de nouvelles techniques ou de nouvelles positions. D'autres encore, qui sont peut-être de très bons amants dans un autre contexte, en profitent pour rester allongés sur le dos et laisser l'hôtesse mener toutes les opérations.

Les nouvelles hôtesses étaient toujours surprises de constater que nombre de nos clients étaient si « rapides et faciles » que la partie intime de la soirée prenait fin presque avant d'avoir commencé – bien que pratiquement tous ces hommes eussent juré qu'ils n'avaient jamais rien connu de semblable auparavant. Les filles en étaient secrètement ravies, mais elles étaient suffisamment compatissantes pour comprendre que cette piètre performance pouvait signifier que leur partenaire était confronté à un réel problème psychologique, et qu'il fallait donc lui prodiguer des marques de tendresse et de compréhension. Peut-être nos clients représentaient-ils un éventail caractéristique de la population mâle, et peut-être l'éjaculation précoce est-elle un phénomène plus répandu qu'on ne le croit communément? Peut-être aussi était-ce le fait d'attendre la venue d'une belle inconnue et d'être transportés par l'idée qu'elle venait spécialement chez eux pour les rendre heureux qui excitait ces hommes?

Cependant, le style de « Cachet » ne convenait pas à tous les types d'homme. La plupart de nos clients appréciaient les bons sentiments et le respect mutuel qui s'établissaient entre eux et les hôtesses mais, de temps à autre, l'un d'eux nous expliquait au téléphone qu'il ne ferait plus appel à nous à l'avenir parce que nos hôtesses étaient « trop gentilles ». Parfois, après une soirée où rien ne s'était passé sur le plan sexuel, le client m'appelait parce qu'il pensait que je pourrais chercher des ennuis à l'hôtesse. « Je voulais simplement que vous sachiez, dit une fois un client, que si nous n'avons *rien* fait, ce n'est pas parce qu'elle ne me plaisait pas, mais parce qu'elle était si *gentille* que je n'ai pas voulu. » Un client qui recherchait la pratique d'exercices « dégoûtants » ou honteux avait généralement intérêt à appeler une autre agence.

Compte tenu de la nature de nos activités, notre agence donnait plutôt dans le classique, ce qui n'empêchait pas que des clients demandent, à l'occasion, que les hôtesses viennent costumées à leur rendez-vous. Quand Tricia, par exemple, raconta à des clients qu'elle était hôtesse de l'air, certains d'entre eux la supplièrent de venir la fois suivante en uniforme. Suzie fut une fois priée d'arriver dans la tenue de majorette en chef, d'autres en prostituée type, en adolescente des années cinquante – cheveux ébouriffés et socquettes –, en bibliothécaire, ou infirmière ou bergère. Un homme exprima même le désir de voir arriver l'hôtesse au rendez-vous en habit de religieuse, mais aucune volontaire ne se manifesta.

Le client pouvait alors demander à l'hôtesse de jouer une certaine scène pour le libérer de ses fantasmes et, ma foi, si elle n'y voyait pas d'objection, je n'en voyais pas non plus. Une fois, un client pria Melody de faire semblant d'être son professeur d'anglais de lycée qui le réprimandait pour ne pas avoir fait ses devoirs. « Cela m'a rappelé un cours de théâtre, me dit plus tard Melody, un cours particulièrement assommant, car ce type a voulu répéter la scène une douzaine de fois au moins. »

Ce genre de pratiques entrait dans la catégorie du « masochisme léger », et si un habitué en faisait la demande, nous nous efforcions de la satisfaire. Bien entendu, nous informions auparavant l'hôtesse pour qu'elle ne se trouve jamais dans une situation qu'elle ne pourrait maîtriser ou supporter. Nous autorisions les insultes et les écarts légers, mais pour tout exercice beaucoup plus osé, nous adressions le client à une femme que je savais être une professionnelle dans ce domaine – comme la baronne von Stern, dont j'avais visité la maison lorsque je faisais mon enquête avant d'ouvrir l'agence avec Lucy.

En général, les seules visites qui sortaient de l'ordinaire étaient celles réunissant un client et deux ou plusieurs filles. Nous appelions ces visites des « parties de bridge » : nous devions utiliser un langage de convention au téléphone, et nous pensions que la prétendue recherche d'un autre joueur pour une partie de bridge pouvait apparaître fort innocente.

Les hôtesses recevaient une rémunération supplémentaire pour ces parties de bridge : dès l'instant où l'un des « joueurs » se dépouillait d'un article vestimentaire, chacune d'elles devait recevoir cinquante dollars de plus de l'heure – qu'elle gardait intégralement. (Je précise, au passage, que d'autres agences ne faisaient pas payer de supplément pour ce genre de visite.)

Au début, lorsque je demandais aux hôtesses si elles consentiraient à avoir des relations intimes avec une autre de leurs collègues en présence d'un client, la plupart refusèrent même d'envisager cette idée, mais ne tardèrent pas à revenir sur cette décision à mesure qu'elles liaient plus étroitement connaissance. « Jouer au bridge » était pour elles non seulement plus lucratif, mais toujours plus amusant, car elles se prêtaient à ce jeu en compagnie d'une amie et collègue. Comme me le dit l'une d'entre elles : « Quand je suis seule avec un homme, c'est pour moi une besogne à accomplir. Quand une autre fille se joint à nous, j'ai, au contraire, l'impression de m'amuser. »

En outre, comme les filles le découvrirent rapidement, on peut généralement faire le simulacre de l'amour avec une autre femme. Il était implicitement convenu entre les filles qu'elles n'étaient évidemment ni lesbiennes ni même bisexuelles, mais que, si le client le voulait, elles étaient prêtes à lui en donner l'illusion, moyennant d'ailleurs un tarif de cinquante dollars supplémentaires de l'heure. En fait, quand la rumeur circula que l'une des hôtesses semblait prendre plaisir plus que de raison à cette comédie, la plupart des autres filles refusèrent de l'accompagner à des « parties de bridge ».

Certains clients goûtaient fort le spectacle de deux filles dans leurs enlacements, et d'autres préféraient participer au divertissement. Parfois, le client voulait tout simplement que deux ou plusieurs femmes le caressent. Il pouvait ne rien se passer entre les femmes, ou fort peu de chose, et même, parfois, le jeu ne comportait aucune activité sexuelle proprement dite.

Un de nos clients, un homme très riche qui dirigeait une importante entreprise industrielle, avait coutume de demander que cinq ou six filles viennent le rejoindre dans l'appartement de son hôtel. Il n'eut jamais de rapports sexuels avec aucune d'entre elles et ne leur demanda jamais de se livrer entre elles à d'aimables ébats. Apparemment, il se régalait tout simplement de la présence autour de lui de ces filles aux dessous affriolants, qui buvaient du champagne, riaient de ses plaisanteries, et lui donnaient l'impression d'être un sultan. La plupart des filles me demandaient à cor et à cri d'aller à ces rendez-vous – ce qui n'était pas étonnant –, mais je devais veiller à ne pas envoyer une hôtesse trop timide, qui aurait refusé de se mettre en vedette comme les autres.

Comme les hommes évoquaient souvent leurs fantasmes avec les filles, et comme ils rêvaient surtout d'une double présence féminine dans leur lit, l'idée d'une « partie de bridge » venait souvent au client pendant une visite. Si l'heure s'y prêtait et si l'hôtesse y était disposée, elle pouvait alors lui suggérer d'appeler le bureau pour demander qui était disponible, ou lui proposer : « Je connais une autre fille qui travaille pour Sheila et qui, de temps en temps, joue à des petits jeux avec moi. Voulez-vous que je vois si elle est libre ce soir ? » Je conseillais toujours aux filles qui voulaient « faire un bridge » de se trouver une partenaire avec qui elles aimeraient partager ce genre d'activité. Dans certains cas, les filles qui faisaient équipe au « bridge » chorégraphiaient leurs mouvements à l'avance afin que leurs échanges érotiques semblent plus réalistes.

Mais si le client suggérait d'inviter une autre fille, et si l'hôtesse alors en sa compagnie n'était pas intéressée par cette proposition, elle pouvait lui répondre par exemple : « Non, je n'y tiens pas, mais la prochaine fois que vous téléphonerez à l'agence, pourquoi ne pas dire que vous aimeriez " jouer au bridge " ce soir-là ? » Formulé en ces termes, ce conseil donnait de plus au client l'impression qu'il se voyait accorder le privilège d'être instruit de notre code confidentiel, certains hommes trouvant alors absolument irrésistible cette alliance du secret et de leur fantasme sexuel.

De temps en temps, un client nous demandait une hôtesse pour un rendez-vous auquel devait également prendre part sa femme – ou sa compagne. Dans ce cas, si l'hôtesse donnait son accord, nous doublions le tarif horaire, car elle devait se mettre à la disposition de deux personnes en même temps. Cette sorte de sollicitation était rare, mais lorsqu'elle était formulée, je conseillais toujours à l'hôtesse de ménager particulièrement l'amour-propre de l'autre femme. C'est en réalité presque toujours l'homme qui a l'idée d'une réunion de cette nature, et lorsque sa femme ou sa compagne s'y rallie, elle le fait généralement avec beaucoup de réticence. Une fois sur deux au moins, rien ne se passait sur le plan sexuel, car la compagne du client était visiblement si mal à l'aise que l'hôtesse le prenait à part et lui faisait comprendre qu'il n'avait pas intérêt à poursuivre la réalisation de son projet.

Quelques clients avaient pris l'habitude de jouer régulièrement au « bridge » et d'autres n'y jouaient qu'une fois par an, pour célébrer une occasion toute particulière. Bien qu'assez onéreuses, les « parties de bridge » se prolongeaient souvent pendant plusieurs heures. Plus d'un homme me confia alors que la soirée qu'il avait passée avec deux de nos filles constituait pour lui la plus grande émotion sexuelle de sa vie. Je me demande combien d'autres chefs d'entreprises pourraient se targuer de satisfaire ainsi leur clientèle?

10

Au début de 1984, alors que notre affaire entamait sa cinquième année d'existence, je me rendis compte que je ne pouvais passer le reste de ma vie à diriger une agence d'hôtesses-accompagnatrices. Je venais de dépasser la trentaine et commençais à faire des plans pour l'avenir et à caresser l'idée du mariage. J'étais, certes, très attachée à mon travail, mais il me fallait bien reconnaître que l'homme dont je tomberais amoureuse n'épouserait jamais la propriétaire d'une agence d'hôtesses. Sans doute me serait-il possible de laisser la poussière du passé recouvrir discrètement cet épisode de ma vie, mais seulement si j'y mettais fin une bonne fois pour toutes. Si je ne voulais pas rester célibataire toute ma vie, il me fallait, tôt ou tard, retrouver des activités plus classiques. Autrement dit, il était temps de penser à mener de nouveau la vie de Madame Tout-le-Monde.

En même temps, je ne tenais nullement à vivre dans la *gêne*. Au cours des quatre années précédentes, j'avais dépensé mon argent aussi vite que je l'avais gagné, sans me préoccuper du lendemain. A l'aube de cette cinquième année, cependant, je décidai qu'il était temps de penser sérieusement à faire des économies et de me montrer prévoyante en les plaçant. J'espérais trouver un jour une occupation beaucoup plus acceptable aux yeux de la société – soit en montant ma propre affaire, soit en travaillant pour une affaire déjà bien établie – tout en sachant que, quelle que soit la voie que je choisirais, il me faudrait deux ou trois ans avant de commencer à gagner décemment ma vie. Tout ce que je pouvais donc faire sur le plan pratique était de veiller à me ménager une poire pour la soif.

J'avais commencé à m'intéresser aux divers moyens de mettre de l'ordre dans mes finances et de les faire fructifier. J'avais déjà lu plusieurs ouvrages et articles consacrés à la gestion financière et compris qu'il suffisait de me documenter pour décider de mes propres investissements. Pour me constituer un pécule, un diplôme d'études économiques ne m'était pas plus nécessaire qu'il ne me l'avait été lorsque je m'étais lancée, pour la première fois, dans les affaires.

Je décidai de rester jusqu'en 1990 à la tête de mon agence et de placer mon argent au lieu de le dépenser. Jusqu'alors, j'avais géré mes finances beaucoup trop négligemment et dépensé presque tout ce que j'avais gagné pour satisfaire tous mes caprices, surtout dans le domaine vestimentaire, où j'étais incapable de résister à la moindre tentation. J'achetais habituellement des vêtements élégants, classiques et apparemment inusables mais, à chaque saison, je faisais l'acquisition de plusieurs ensembles du dernier cri, en sachant fort bien qu'ils seraient probablement démodés l'année suivante. Je dépensais également sans compter pour des accessoires raffinés tels que sacs en cuir et bijoux excentriques en justifiant leur coût élevé par l'excuse apparemment logique qu'une femme qui prétend évoluer dans le domaine de la mode doit être habillée en conséquence.

Je tiens à bien préciser, cependant, que je n'étais pas « riche » au plein sens du terme. La presse a fait de moi une millionnaire et tout le monde croyait vraiment que j'avais fait fortune. Certes, il entrait beaucoup d'argent dans les caisses de l'agence, mais il en sortait presque autant. Mes dépenses étaient énormes : gros budget de publicité, notes de téléphone astronomiques, salaires des assistantes, loyer du local commercial, frais d'impression des brochures, et ainsi de suite.

Côté rentrées, nos recettes souffraient de graves limitations. Nous acceptions les cartes de crédit Mastercharge et Visa, mais n'avions jamais pu passer accord avec American Express, qui refusait de traiter avec les agences d'hôtesses. (La carte de crédit de l'American Express étant la plus utilisée pour régler les notes de frais au compte des entreprises, j'avais tout essayé pour arriver à m'entendre avec cet organisme de crédit, sans succès toutefois.) Nous perdions également un nombre considérable de clients en raison de nos interdits, puisqu'il n'était pas question d'envoyer les hôtesses en dehors de Manhattan, ou dans des hôtels autres que ceux de premier choix, ou dans les locaux professionnels des clients. Le fait de refuser des réservations après une heure du matin représentait très certainement un manque à gagner appréciable, car cette pratique dans notre industrie équivalait à fermer à neuf heures du soir un restaurant de Manhattan. Enfin, le fait d'être si stricts quant au choix des hôtesses et des clients ne faisait que contribuer à restreindre encore nos recettes.

Je ne pleure pas misère : nous nous arrangions pour faire des bénéfices et bien que je fusse loin de baigner dans l'opulence, je vivais fort à l'aise. Dans la mesure où je ne me lançais pas dans des dépenses extravagantes, je pouvais habituellement m'offrir ce qui me plaisait et ce qui donne plus de piquant à la vie. Je ne parle pas de diamants, de Rolls-Royce ou de vacances fabuleuses. La plus grande folie que je me suis permise fut un séjour de deux semaines, en 1984, dans un centre culturiste du Vermont, qui m'a coûté deux mille dollars.

Une option financière que je ne retenais même pas aurait été d'épouser un homme riche ou de me mettre en quête d'un papa gâteau qui aurait réglé instantanément mes problèmes d'argent. Je n'ai rien contre les hommes riches – loin de là – mais je ne me sentirais jamais tranquille de savoir qu'un autre que moi tiendrait les cordons de la bourse.

En fait, je considère que j'ai eu une chance exceptionnelle avec les hommes : jusqu'à présent, je n'ai eu que des amoureux adorables et délicats. Je suis toujours restée en très bons termes avec eux et j'ai toujours estimé que les femmes étaient stupides d'écarter comme amis éventuels d'anciens amants pour la simple raison que les relations n'auraient plus un côté romantique. Un ancien amant est une personne qui vous a bien connue et vous a entourée de prévenances, et je ne vois pas en vertu de quels autres critères il est possible de fonder une plus solide amitié. En outre, lorsque l'on tombe amoureux, on admire beaucoup, par définition, la nature ou la personnalité de l'autre. Même si la passion s'est éteinte, on peut toujours apprécier ces qualités qui vous ont séduite au début.

En dépit de la nature de l'affaire que je dirigeais, une morale sexuelle très orthodoxe a toujours guidé ma conduite, à la surprise de ceux qui présument qu'une femme à la tête d'une agence d'hôtesses doit croire à la liberté sexuelle. Rien n'est cependant plus loin de la vérité. Ce n'est pas à la liberté sexuelle que je crois, mais à la liberté du *choix*. Si un homme décide d'appeler une agence d'hôtesses et qu'une fille accepte de lui rendre visite, je n'en ai que plus de plaisir à contribuer à rendre la rencontre aussi agréable et enivrante que possible. Mais lorsqu'il s'agit de ma propre vie, je suis monogame et plutôt traditionaliste. Tel est *mon* choix. Lorsque je noue une relation, je me sens engagée aussi longtemps qu'elle dure.

Il ne me plaît pas non plus que les choses prennent aussitôt une tournure intime. J'ai toujours tendance à maintenir une certaine réserve à l'égard des nouvelles personnes que je rencontre, et je n'apprécie point que ceux que je viens de rencontrer pour affaires se donnent la liberté de m'appeler par mon prénom.

Je ne goûte guère non plus cette habitude qu'ont les Européens de s'embrasser constamment. J'estime aussi qu'on n'a absolument pas à accorder un baiser et encore moins d'autres libertés – à la fin d'un rendez-vous. Lorsque j'ai des relations étroites avec un homme que je connais bien, je suis empressée, amoureuse et affectueuse et, comme de nombreuses femmes, il m'est plus facile de donner que de recevoir mais, à franchement parler, les relations sexuelles uniquement pour le plaisir ne m'ont jamais attirée.

C'est pourquoi, de nos jours, le comportement des célibataires me met plutôt mal à l'aise, l'une des règles non écrites étant, semble-t-il, qu'il faut aller au lit avec l'homme au troisième rendez-vous ou cesser de le voir. J'ai toujours eu du mal à accepter cette idée car, pour moi, il serait absurde de s'engager ainsi, dès le troisième rendez-vous, même avec un homme dont je serais folle.

Je soupçonne que de nombreux autres célibataires, hommes ou femmes, pensent de même, bien qu'ils ne résistent pas tous aux contraintes qui les font se précipiter au lit. Certaines femmes couchent avec des hommes parce qu'elles ont peur d'être rejetées ou parce qu'elles pensent qu'il faut en passer par là pour être tenues et serrées dans les bras d'un homme. Et certains hommes essaient de coucher avec des femmes parce qu'ils croient qu'elles n'attendent pas autre chose ou que le sexe est une façon rapide et aisée de découvrir la réalité des sentiments qu'ils leur inspirent. Mais il est d'autres moyens de marquer son intérêt. J'ai toujours constaté que certains mots s'avéraient un moyen très élégant à cet égard. Si je veux qu'un homme sache que j'aimerais poursuivre la relation entre nous, je le regarde droit dans les yeux à la fin de la soirée, je prends sa main et lui dis avec un charmant sourire : « J'ai passé un moment très agréable ce soir et j'aimerais vous revoir. » Le message est toujours reçu cinq sur cinq.

Avant de m'occuper d'une agence d'hôtesses, j'ai toujours eu des liaisons durables. Cependant, en prenant de l'âge, j'ai compris que j'étais devenue un peu trop tributaire des hommes. Certains êtres ne peuvent jamais apprendre à vivre seuls – c'est l'une des raisons pour lesquelles les services d'hôtesses font toujours des affaires. Ce phénomène est encore plus grave chez les femmes : avec le temps, j'ai vu nombre de mes amies maintenir des relations pitoyables avec des hommes qui, à l'évidence, ne les valaient pas, tout simplement parce qu'elles étaient convaincues qu'il était encore préférable d'avoir un homme sous la main – n'importe quel homme en fait, aussi bourré de défauts fût-il – que de se trouver seules.

Une femme qui est épouvantée à l'idée d'être seule est condamnée à choisir le mauvais numéro. Comme de nombreuses femmes de ma génération, j'ai fait délibérément l'effort d'être indépendante et de ne pas avoir systématiquement besoin d'un homme pour donner un sens à ma vie. Si je *veux* être avec un homme en particulier, fort bien, mais ce doit être parce que j'ai fait ce choix – et non parce que j'y suis contrainte – et parce que j'y suis poussée par la sincérité de nos sentiments réciproques – et non par la crainte de devoir me retrouver seule.

En même temps, il n'est que trop facile d'aller dans l'autre sens. J'ai connu de nombreuses femmes qui se répandaient en critiques contre chaque homme qu'elles rencontraient. Lorsque mes hôtesses venaient me demander conseil au sujet de leur vie amoureuse, je me surprenais souvent à les aider à faire la distinction entre un homme qui n'en valait tout simplement pas la peine et un homme qui se trouvait ne pas correspondre à leurs nobles idéaux qui, souvent, étaient peu réalistes.

En les écoutant, j'étais frappée par le fait que, sans même le savoir, elles comparaient souvent les hommes qui étaient dans leur vie à leurs amies féminines. « Ce n'est pas équitable, leur disais-je. N'oubliez pas que la plupart des hommes ont des années de retard sur nous sur le plan de la maturité passionnelle, de la connaissance de soi et de la capacité de donner. Si vous voulez juger les hommes d'après des normes applicables aux femmes, vous ne serez jamais heureuses. »

Comme la plupart des conseils, celui-ci était, bien entendu, plus facile à dispenser qu'à suivre. Il m'arriva de passer un an avec un homme qui était si égocentrique qu'il ne remarquait jamais que je ne parlais pas de mon travail. Circonstance aggravante, je supportais cette situation ridicule. « Comment vont les affaires? » demandait-il, faisant naturellement allusion à mon entreprise mythique d'accessoires de mode. « Pas mal, merci », répondais-je, et nous passions à un autre sujet car il ne voulait jamais en savoir davantage. A la réflexion, nos relations avaient au moins un avantage certain : comme il ne me posait jamais de questions sur mon travail, j'évitais les mensonges.

Je déteste mentir et pendant toutes les années où j'ai mené une double vie, j'ai fait de gros efforts pour ne pas mentir plus qu'il n'était nécessaire. Chaque fois que je me trouvais avec des amis qui ignoraient la véritable nature de mes occupations, je préférais ne pas trop en dire à ce sujet. Il était cependant moins difficile de garder mon secret que je ne l'avais cru, car je constatai que les gens sont généralement si occupés à parler d'eux-mêmes et si heureux d'avoir un bon interlocuteur prêtant attention à leurs propos que des années peuvent s'écouler avant qu'ils ne se rendent compte que vous n'êtes guère prolixe. Chaque fois que des questions m'étaient posées, j'y répondais en restant dans le vague et détournais rapidement la conversation sur les occupations de la personne qui les avait posées ou sur tout autre sujet moins dangereux.

Lorsque mes amis m'interrogeaient de façon précise sur mon affaire d'accessoires de mode, je répondais aussi franchement que possible – sans parler, bien sûr, de l'agence. Si quelqu'un voulait savoir quels étaient les magasins pour lesquels j'achetais, je faisais observer que mes clients étaient dispersés dans tout le pays. Allais-je visiter les magasins? Non, les clients venaient à New York et nous menions beaucoup de transactions par téléphone.

Je dévoilai la vérité à une poignée d'amis parce que je savais qu'ils ne seraient pas choqués par mes révélations et que je pouvais compter entièrement sur leur discrétion. J'ai toujours été en bons termes avec des homosexuels et je constatai que leur compréhension me permettait de les mettre dans le secret. Ils m'ont toujours donné leur appui, peut-être parce qu'ils vivaient, eux aussi, à l'écart du code moral de la société bourgeoise.

En revanche, il ne m'était certainement pas possible de révéler mon secret à quiconque appartenant, par exemple, à la Société des descendants du Mayflower, dont je continuais à fréquenter les réceptions. Bien que mon arrière-grand-mère en fût, elle-même, membre, j'aurais dû, en vertu du règlement, engager moi-même une longue procédure en vue d'être agréée. Je continuai néanmoins d'être fort bien accueillie par les membres de la Société, qui étaient ravis chaque fois qu'une jeune personne montrait qu'elle tenait à participer à leurs réunions.

Certains ont jugé surprenant qu'une femme de ma profession puisse s'intéresser à la Société du Mayflower. Et pourquoi pas? Elle faisait partie de mon patrimoine après tout, et où est-il écrit que les protestants anglo-saxons n'ont pas le droit d'avoir des racines? En outre, les participants aux réunions de la Société me plaisaient vraiment et il me semblait que cette attirance était réciproque. Entre autres choses, ces personnes m'ont aidée à élargir mon horizon social en m'invitant à des réceptions et en prenant, à l'occasion, l'initiative de me présenter à leurs fils ou à leurs neveux. Comme je n'avais pas la chance de rencontrer de nouvelles personnes par l'intermédiaire de mon travail, j'avais ainsi un moyen agréable de faire des connaissances intéressantes.

Les hommes passent dans votre vie, mais les amies vous restent à jamais fidèles. Pendant toute cette période, je maintins d'étroites relations avec plusieurs de mes amies, qui n'avaient aucune idée de la véritable nature de mes activités. Nous nous rencontrions souvent pour aller au restaurant ou au cinéma, ou pour faire des emplettes le jeudi soir et le samedi dans les grands magasins, où je les aidais à choisir de nouvelles toilettes. Bien entendu, il ne leur venait pas à l'idée que je faisais régulièrement ce genre de courses dans le cadre de mes occupations, mais j'avais plaisir à les accompagner, car j'ai toujours aimé la mode et ne me lassais jamais d'aller chez Saks, sur la Cinquième Avenue.

J'entretenais des liens d'amitié avec David, qui fut pendant longtemps le compagnon de Leslie, une amie de toujours. Elle ne souscrivait apparemment pas à ma théorie selon laquelle il est appréciable de maintenir de bonnes relations avec d'anciens compagnons, mais j'estimais que la rupture consommée entre elle et David ne devait pas forcément entraîner celle de mes liens d'amitiés avec l'un ou avec l'autre. David dirigeait sa propre affaire de consultants, et je suis sûre qu'il aurait pu me donner de bons conseils dans le domaine des affaires si je lui avais révélé la vérité au sujet de mes activités. Cependant, j'ai toujours eu le sentiment qu'il les jugerait sévèrement, ce qui m'incitait à ne rien lui dire de mon occupation réelle et à lui parler d'autre chose.

Naturellement, je gardai des rapports – mais pas très suivis – avec ma famille. Mon frère avait pris de l'envergure et était passé cadre supérieur mais, depuis mon entrée au pensionnat, nous n'avions jamais eu l'occasion de bien nous connaître. Je le voyais à Noël, à Thanksgiving et au mariage de membres de la famille, mais c'était tout.

Je voyais ma mère un peu plus souvent. Elle venait chaque année à New York pour mon anniversaire, et nous déjeunions ensemble avant d'aller voir une exposition. Je n'avais pas à lui mentir, car elle ne posait jamais de questions précises sur mon affaire. Nous parlions et bavardions surtout au sujet de la famille. Elle s'était remariée avec un chef d'orchestre et professeur de musique autrichien – un type très bien – et j'étais contente qu'elle ne soit plus seule.

J'avais presque entièrement perdu mon père de vue. Un jour, cependant, Grand-Maman Sydney ayant insisté pour que nous nous rencontrions plus souvent, il m'appela avant de venir pour affaires à New York en me demandant de réserver une table dans un restaurant de mon choix. Il fut charmant ce soir-là et lorsqu'il me demanda où j'en étais, je décidai que je n'avais rien à perdre à lui dire la vérité.

– Tu avais l'habitude de proclamer que tu ne trouverais pas à redire à ce que je fasse des ménages, à condition que je les fasse bien, commençai-je en ces termes. Eh bien, crois-moi si tu veux, il se trouve que je dirige une agence d'hôtesses qui est, en fait, la meilleure de New York.

J'avais peur que cette révélation ne le bouleverse mais, à ma surprise et à mon grand soulagement, il se montra fasciné. Comme tous ceux à qui je l'avais faite, il me posa une foule de questions.

– Quand as-tu commencé?
– Combien de filles travaillent pour toi?
– Quel est le tarif?
– Tu n'as pas peur de la police?
– Quelle allure ont les clients?
– Où trouves-tu les filles?

Il trouva toute cette histoire stupéfiante, mais ne put en croire ses oreilles quand je lui dis que nous acceptions les cartes de crédit.

– Et pendant combien de temps envisages-tu de mener cette affaire? me demanda-t-il.

Je lui parlai de mon plan quinquennal et lui dis que j'espérais bien trouver un autre job plus respectable lorsque j'aurais quitté « Cachet ».

Il se montra très optimiste et me rassura :

– En fait, tu diriges une entreprise, ce qui te donne une grande expérience. Ce que tu fais aujourd'hui n'est pas très reluisant, mais n'oublie pas que tu es en train d'acquérir des compétences. Je suis sûr que tu pourras en tirer parti lorsque tu te lanceras dans de nouvelles activités.

Ce n'était pas ce que j'attendais de lui, mais j'étais soulagée de voir qu'il ne se laissait pas emporter par un noble courroux et qu'il ne me critiquait pas. C'était aussi la première personne à souligner que j'avais acquis des connaissances commerciales qui pourraient m'être fort utiles dans une entreprise future.

Le cercle principal de mes amis se composait d'un groupe de personnes avec qui je passais les week-ends d'été à Westhampton, station balnéaire en vogue de Long Island. Nous partagions une grande maison de bois pleine de coins et de recoins, avec neuf chambres et une grande terrasse qui en faisait le tour, au milieu d'une agglomération étendue d'une trentaine d'habitations du même type. La plupart des colocataires de cette maison étaient de jeunes membres des professions libérales qui fuyaient la ville chaque fin de semaine pour jouer au tennis, s'étendre sur la plage et se divertir à l'exception de quelques bourreaux de travail, qui tenaient à apporter avec eux leurs dossiers.

Pour moi, cette vie de groupe contrastait heureusement avec la tension de la ville, car cette résidence d'été ressemblait beaucoup à un foyer mixte d'étudiants, où ceux qui vivent dans votre bâtiment ne sont généralement pas considérés comme des partenaires romantiques possibles. Il régnait ainsi une chaude et franche camaraderie entre les hommes et les femmes, ce qui procurait à tous une grande détente et changeait agréablement de la vie à Manhattan, où les occasions de lier au hasard des amitiés faciles avec des membres du sexe opposé sont rares.

Dans chaque maison, les hommes traitaient les femmes comme leurs sœurs : ils nous plaçaient sous leur protection et se montraient discrètement soupçonneux lorsque les occupants des maisons voisines venaient nous faire des avances. Chaque chambre étant partagée par deux ou trois membres de notre petite société, il était donc difficile de trouver un coin pour s'isoler. On faisait connaissance dans l'atmosphère détendue de la plage et on se retrouvait plus tard, de retour à la ville, à des fins plus sérieuses.

Des soirées étaient organisées tous les samedis, et la première année où j'allai à Westhampton, deux autres filles et moi-même ne pouvions comprendre pourquoi personne ne nous invitait jamais à danser. Un soir que nous étions assises dans la cuisine, nous demandant ce qui, en nous, pouvait bien décourager les cavaliers, l'un des anciens du groupe entra et nous expliqua que les hommes avaient tellement l'habitude d'être poursuivis par les femmes, toujours en plus grand nombre, qu'ils étaient devenus passifs et les laissaient prendre l'initiative. C'était un peu gênant au début, mais dès que j'eus accepté ce fait, je m'amusai beaucoup plus.

J'attendais vraiment avec impatience ces week-ends qui me fournissaient l'occasion idéale d'échapper aux contraintes de l'agence. J'avais toute confiance dans Jaime, Liza et Ashley, qui en assumaient la bonne marche, et je savais que je pouvais compter sur elles s'il fallait m'appeler d'urgence.

Il était rare que la conversation roulât sur mes moyens d'existence, mais lorsque c'était le cas, je racontais toujours ma petite histoire. Comme j'avais travaillé à la société Abraham & Straus et à The Cutting Edge, j'en savais assez pour pouvoir répondre aux questions qu'on me posait. Mais ce n'était presque jamais le cas, car la plupart des personnes de notre groupe travaillaient dans des banques ou des agences de publicité. Cependant, une année, j'eus une petite émotion lorsqu'une femme, nouvellement entrée dans le groupe, se trouva être l'une des représentantes d'un fabricant important de sacs à main. Heureusement, elle ne montra guère d'empressement à me parler affaires et n'insista pas – comme je le redoutais – pour me faire venir dans la salle d'exposition de son entreprise « examiner la gamme des articles ».

A Westhampton notre groupe fréquentait surtout une plage privée et un club de tennis. Je demandai un jour à être admise au club et fus acceptée mais, quelques jours plus tard, l'un des membres du comité d'administration m'appela et me conseilla de refuser cet honneur. Apparemment, la colocataire d'une fille qui avait travaillé une fois pour moi, et qui avait appris mon nom, se trouvait être une amie d'une femme siégeant au comité, et comme ce nom était fort peu commun, elle avait deviné qui j'étais. Si je retirais ma candidature, m'entendis-je dire, personne n'en saurait rien, mais si j'insistais, on se verrait contraint de révéler publiquement mon secret. On m'autorisait cependant à fréquenter le club, mais il n'était pas question de permettre à une Madame d'en être membre à part entière.

J'aimais vraiment mon affaire et, en écrivant ces lignes, les heureux sentiments qu'elle m'inspirait me reviennent en mémoire. Il y a deux ou trois ans, j'aurais donné beaucoup pour avoir le privilège d'être aussi franche au sujet de mes activités. Il n'est pas facile de garder un secret quand on est fier de ce qu'on a accompli, et j'avais tout lieu d'être fière, notamment, de la réputation de qualité et d'intégrité que s'était acquise une affaire aussi complexe et de ma capacité à la diriger. Si notre entreprise avait été aussi importante qu'Abraham & Straus, des domaines aussi divers que le personnel, la publicité, la formation, les opérations et la comptabilité auraient été pris en charge par des départements différents. Pourtant, sans avoir obtenu le diplôme d'administration des affaires – ni même suivi le cours normal des études universitaires –, je dirigeais avec succès une affaire délicate en obéissant tout simplement à mon instinct, en tirant parti de mes expériences et en ayant l'œil à tout.

D'après tous les témoignages, personne n'avait jamais mené aussi bien une agence d'hôtesses comme la nôtre. Nous étions les meilleures dans ce domaine – combien de fois nous est-il donné dans la vie de pouvoir avancer pareille prétention? Il était donc très frustrant pour moi de devoir apposer sur cette réussite le sceau du secret.

Tout le monde n'était pas pour autant dans l'ignorance. Les filles qui travaillaient pour moi étaient certainement très conscientes de notre réputation, ainsi que celles qui travaillaient dans d'autres agences et qui venaient pour une entrevue. Les clients le savaient également, et nous complimentaient souvent, les filles et moi, pour la qualité de nos services. C'est pourquoi j'ai toujours pris plaisir à répondre au téléphone, même après avoir recruté des assistantes pour m'aider au bureau. Nuit après nuit, des connaisseurs venus du monde entier, qui avaient réussi dans la vie, me disaient combien ils aimaient et respectaient mon agence et combien ils appréciaient la façon dont nous les traitions. Plusieurs de nos clients qui voyageaient beaucoup me faisaient savoir qu'ils étaient si impressionnés par « Cachet » et « Finesse » qu'ils ne faisaient plus appel à aucune autre agence d'hôtesses dans d'autres villes parce que le contraste était trop prononcé. Je n'oublierai jamais le client qui me confia, après avoir traité avec moi, qu'il ne « s'abaisserait » jamais à s'adresser ailleurs.

Ces compliments étaient terriblement flatteurs, mais ne dissipaient pas entièrement le regret que j'avais de ne pouvoir parler de mes activités quand je me trouvais avec des amis. Il est regrettable que, de nos jours, le travail soit le seul sujet de conversation en société et que, dans une grande mesure, tout au moins au début, le jugement porte sur ce que vous faites et non sur ce que vous êtes. Je trouvais pénible de ne pouvoir faire allusion à ma carrière quand ceux qui se trouvaient en ma compagnie ne cessaient de parler de la leur.

Il était encore plus frustrant de parler au téléphone à certains des célibataires représentant les plus beaux partis de New York sans pouvoir les rencontrer. Il n'aurait tenu, certes, qu'à moi, car certains de ces messieurs demandaient toujours aux assistantes, et surtout aux hôtesses, quelle était la mystérieuse Sheila qui tirait si bien les ficelles dans les coulisses. « Dites de moi ce que vous voulez, leur conseillais-je, à condition qu'il n'y ait rien de vrai dans ce que vous racontez. » Ainsi, dispersés aux quatre coins du pays, des centaines d'hommes se représentaient probablement dans leur esprit une image légèrement différente de ce que Sheila Devin était réellement.

Je ne m'étais jamais réellement considérée comme une Madame alors que, à bien y réfléchir, j'en étais vraiment une. Un mythe se crée toujours autour des Madames, elles éveillent la curiosité de tous et en particulier celle des clients. John Steinbeck a écrit que la Madame combine « le cerveau d'une femme d'affaires, la pugnacité d'un boxeur professionnel, la chaleur amicale d'une compagne et le tempérament d'une tragédienne ».

Merci, John, j'apprécie le compliment. Pour exploiter ce côté mythique et, également, personnaliser notre image, je disais aux filles et aux assistantes de faire régulièrement mention du nom de Sheila dans leur conversation avec les clients. Je voulais que ceux-ci sachent que la barre était bien en main et que, même si une partie de notre personnel changeait au fil des ans, la direction était toujours aussi stable.

La très grande différence entre une Madame traditionnelle et moi était que je ne rencontrais pas les clients. D'une part, je ne voulais pas courir le risque de retrouver un client dans ma vie extérieure, lui dévoilant ainsi que la femme qu'il connaissait sous le nom de Sheila Devin menait une existence distincte sous celui de Sydney Barrows. D'autre part, j'étais jeune et assez séduisante, et ne tenais pas à faire face à la situation pénible où les clients en viennent aux propositions. Il était déjà assez désagréable qu'au téléphone, des clients, qui, bien sûr, ne m'avaient jamais vue, m'offrent parfois des sommes considérables pour coucher avec eux. Apparemment, pour certains d'entre eux, la perspective d'aller au lit avec la Madame représentait un défi irrésistible. Lorsque je refusais aimablement, les hommes en étaient souvent affectés, et plus d'un client était convaincu que si son offre avait été suffisamment généreuse, je l'aurais certainement acceptée.

Je soupçonne que certains de ces messieurs avaient peut-être à l'esprit la blague classique de l'homme qui aborde une femme séduisante en lui demandant :

– Est-ce que vous coucheriez avec moi pour dix mille dollars?

– Je ne dirais peut-être pas non, répond-elle avec un sourire.

– Et est-ce que vous coucheriez avec moi pour dix dollars?

– Pour qui me prenez-vous? réplique-t-elle avec indignation.

– Ma chère, conclut-il alors, nous avons déjà réglé la question de confiance. Il ne nous reste plus maintenant qu'à discuter le prix.

11

L'année 1984 s'avançait à grands pas, et j'étais convaincue qu'elle serait la meilleure depuis que nous nous étions lancées dans cette affaire. Mais j'étais trop optimiste. Je ne pouvais me tromper plus lourdement : nous connûmes tous les ennuis possibles et imaginables – et pire encore.

En décembre 1983, deux semaines avant Noël, un inconnu téléphona pour dire à Liza qu'atteint lui-même par la limite d'âge, il sollicitait des dons pour une Association de policiers retraités. Aimerions-nous faire une contribution?

Liza flaira une mauvaise plaisanterie, mais comme elle n'en était pas sûre, elle ne voulut prendre aucune décision. « Cela ne dépend pas de moi, dit-elle, il faudra que j'en parle à Sheila. » L'homme remercia et dit qu'il rappellerait le lendemain soir.

De même que Liza, je ne savais que penser de cette démarche. A supposer que le quémandeur n'eût rien de suspect, c'était la première fois que nous avions affaire à un policier. D'après une croyance qui semble fort répandue, les agences d'hôtesses graisseraient couramment la patte aux gens de la police, ce qui n'était certes pas notre cas, et je n'avais d'ailleurs jamais entendu dire qu'une quelconque agence de New York ait eu à en passer par là.

Partant de l'hypothèse que notre solliciteur était sincère et qu'il n'avait tout simplement pas deviné quelle était la véritable nature de notre affaire, je dis à Liza de prendre le nom et l'adresse de son association, à laquelle j'enverrais une contribution, en ajoutant, sur un ton désinvolte :

– Pourquoi pas? Cela fera bon effet à mon procès.

Liza, qui croyait fermement au karma et à la destinée, ne trouva pas cela amusant.

Quelle que fût son identité, cet homme ne rappela jamais. En y réfléchissant, je me demande si la police n'avait pas ainsi tenté d'en savoir davantage sur la marche de notre agence. Il se peut, par ailleurs, que cette requête fût innocente. Je ne le saurai jamais.

Deux semaines plus tard, Ashley vint me trouver tout excitée pour me dire :

– Vous allez croire que je suis folle, mais le sac-poubelle que j'ai sorti hier soir a aujourd'hui disparu. Je sais pourtant que ce n'est pas le jour où les éboueurs passent. Je ne vous en aurais pas parlé si la même chose ne s'était pas déjà produite la semaine dernière. Vous ne pensez pas, comme moi, qu'on vole nos ordures?

Cette idée me semblait délirante, mais il fallait penser à tout. A partir de ce jour-là, je fis déchirer en tout petits morceaux par les assistantes toutes les notes et toute la paperasserie et, quelques semaines plus tard, achetai un broyeur. C'était une lourde dépense pour notre modeste affaire, mais notre sécurité n'était-elle pas à ce prix?

Celle-ci constituait, naturellement, l'un des aspects les plus délicats de mon travail : je devais décider si, en fait, il n'était pas justifié de se montrer un peu paranoïaque.

Les incidents se multiplièrent. Peu après la disparition des ordures, Kelly me dit avoir remarqué deux hommes qui se tenaient près de la porte de notre immeuble, dont ils surveillaient les entrées et les sorties. Son frère était dans la police, et c'est sans doute pour cette raison qu'elle était convaincue que ces hommes étaient des inspecteurs en civil.

– Ils essayaient de ne pas se faire remarquer, m'assura-t-elle, mais j'ai bien vu qu'ils me surveillaient.

Tout près du bureau, au coin de la rue, il y avait un bar d'homosexuels, d'où sortaient souvent certains des habitués pour bavarder avec les filles attendant un taxi. Une nuit, un de ces hommes raconta à Kate qu'il avait vu plusieurs policiers fureter aux alentours et observer les allées et venues dans l'immeuble. Il devenait incontestable que nous étions sous surveillance.

Ce qui se passa ensuite fut beaucoup plus inquiétant encore. En dépit de toutes les précautions dont je m'entourais pour recruter des hôtesses, il arrivait parfois qu'une nouvelle ne fasse pas l'affaire comme, par exemple, Elise, qui était jolie et sexy, ce qui avait facilité son engagement. Elle était également très jeune : elle venait d'avoir vingt ans, mais aurait très bien pu passer pour une fille de seize ans. Petite, dotée d'une poitrine généreuse et d'une longue et belle chevelure, elle était vraiment du type Lolita, et était jugée particulièrement appétissante par nos clients arabes.

La difficulté avec Elise était qu'elle tenait à porter des vêtements démodés et refusait de dépenser le moindre sou pour rajeunir sa garde-robe. Les rares fois où elle se mettait plus au goût du jour, le résultat était toujours désastreux, dans le genre robe bon marché en polyester. Cela me mettait hors de moi car, non seulement elle ne respectait pas l'une de nos règles fondamentales, mais elle n'avait aucune excuse pour être aussi radine. Elle gagnait beaucoup d'argent à notre service, et vivait à la Y.W.C.A. (Maison des jeunes femmes chrétiennes), autrement dit elle ne dépensait presque rien pour son loyer. Il m'était impossible de lui faire consacrer quatre cents dollars à l'achat d'un bel ensemble et de chaussures assorties, bien qu'il lui arrivât souvent de gagner cette somme en une seule nuit.

Plusieurs fois, j'avais essayé de lui expliquer qu'elle aurait encore plus de succès si elle savait dépenser plus pour s'habiller. Étant donné ses accoutrements, je ne pouvais l'adresser à ceux de nos clients raffinés qui auraient peut-être voulu l'emmener dans l'un des meilleurs restaurants ou boîtes de nuit de la ville. Elise n'en avait cure, peut-être parce qu'elle savait que nous finissions parfois par l'envoyer tout de même à ces rendez-vous, car elle correspondait souvent au type physique de fille que nos clients voulaient rencontrer.

En dépit de mes récriminations, son attitude ne s'améliora pas, bien au contraire. Elle arriva en retard aux rendez-vous, et plusieurs filles me signalèrent qu'elle était toujours dans un état d'hébétude, car elle devait prendre, selon elles, des amphétamines. Bientôt, les autres filles refusèrent les rendez-vous en sa compagnie parce qu'elles savaient qu'elle n'était pas fiable. Elise les irritait aussi parce qu'elle tenait à s'habiller comme une pauvresse, alors que ses collègues s'attachaient, à grands frais, à avoir cette allure élégante et classique qui était la nôtre. Les assistantes ne tardèrent pas, non plus, à s'en plaindre. « Si vous ne la flanquez pas à la porte, m'affirma Liza, nous ne l'enverrons plus à aucun rendez-vous. »

La solution évidente était de licencier Elise, mais j'avais toujours eu beaucoup de mal à congédier une fille qui travaillait pour moi. Même si la décision s'avérait indispensable, je temporisais toujours et, une fois même, demandai à Ashley de faire pour moi cette sale besogne. Dans le cas d'Elise, je me décidai à agir quand un client raconta à Jaime qu'Elise s'était plainte à lui de ma rigueur en ajoutant que je la rendais folle avec notre règlement. Il ne m'en fallut pas plus : je ne pouvais tout simplement tolérer que l'agence soit dénigrée devant un client.

– Je ne le fais pas de gaieté de cœur, dis-je à Elise au téléphone, mais puisqu'il est bien évident que cela ne vous plaît pas de travailler pour moi, je pense que vous serez plus à votre aise ailleurs.

Elle s'emporta :

– Je vous rapporte de l'argent, alors pourquoi me cherchez-vous des ennuis?

– J'ai des griefs contre vous parce qu'il s'agit de mon agence et que j'ai une certaine façon de la diriger. Si nous sommes arrivées là où nous en sommes aujourd'hui, c'est bien grâce à mes méthodes. Puisque vous estimez que votre façon de procéder est meilleure que la mienne, pourquoi ne pas travailler chez les autres.

Ce qu'elle fit promptement. Elle entra dans une boîte qui se disait « l'agence d'hôtesses la plus onéreuse de New York ». C'était à peu près le seul critère dont cette agence pouvait se vanter, car elle était connue comme étant l'une des plus sordides de New York.

Elise fut, pour ainsi dire, punie de son inconséquence, car elle fut arrêtée, en compagnie de deux autres hôtesses, dans un hôtel du centre de la ville, une semaine seulement après avoir été engagée par son nouvel employeur. Par coïncidence, l'une des hôtesses arrêtées avec elle était une amie de Claudette, ce qui nous permit de savoir, par la suite, ce qui s'était réellement passé cette nuit-là.

Apparemment, le nouvel employeur d'Elise exploitait également une maison de rendez-vous, où toutes ses hôtesses devaient travailler deux nuits par semaine. La police fut intriguée par ces activités complexes, et posa aux filles un grand nombre de questions. Toute nouvelle, Elise n'était cependant pas en mesure de fournir beaucoup de réponses, et imagina, pour obtenir les bonnes grâces des policiers qui l'avaient arrêtée et qui pensaient qu'elle ne voulait pas « se mettre à table », de leur parler de *nous*. Pour donner encore plus d'intérêt à sa petite histoire, elle attribua apparemment à notre affaire une importance bien plus grande et des ramifications bien plus nombreuses qu'elle n'en avait en réalité. Sur le coup, la police n'exploita pas les informations d'Elise, mais notre bonne fortune ne devait, hélas, pas être éternelle.

Cependant, sur un autre plan, nous commencions à avoir des difficultés avec notre propriétaire. Au mois de novembre, il m'avait offert le renouvellement de mon bail, que j'avais promptement signé, mais, à la fin du mois de février, alors que le nouveau bail allait entrer en vigueur, il me fit notifier officiellement qu'il allait me faire un procès, au motif que je gérais une exploitation commerciale dans un local à usage d'habitation.

Notre premier propriétaire avait toujours su à quoi s'en tenir à notre sujet, mais c'était un type qui ne faisait pas d'histoires et qui ne nous avait jamais cherché noise. Du moment que nous payions le loyer à temps et que personne ne se plaignait, il nous laissait tranquilles, mais quand son gendre prit la gestion de l'immeuble en main, celui-ci voulut sans doute le rentabiliser. Le loyer de notre appartement était réglementé, ce qui voulait dire que le propriétaire ne pouvait appliquer une augmentation limitée du loyer qu'à l'expiration du bail ou à l'occasion de travaux d'amélioration des lieux ou, enfin, à l'entrée d'un nouveau locataire. Nous payions bien moins de la moitié de ce qu'un bailleur aurait pu percevoir pour cet appartement, ce qui ne pouvait que l'inciter à se débarrasser de nous.

Cette sorte de tactique est constamment employée dans le monde de l'immobilier à Manhattan, où les appartements sont si rares qu'il est bien connu que les candidats locataires achètent la première édition des journaux afin de lire les avis de décès – et de savoir ainsi quels sont les appartements immédiatement vacants. Les propriétaires à Manhattan ne cessent de se plaindre à la police des locataires qu'ils veulent faire expulser, les accusations de prostitution étant monnaie courante s'il s'agit de locataires du sexe féminin.

Les hôtesses avaient toujours fait de leur mieux pour que leurs allées et venues ne se remarquent pas, mais il leur était impossible de passer totalement inaperçues puisqu'elles ne cessaient d'entrer et de sortir de l'immeuble pendant toute la soirée et à une heure tardive de la nuit. Pour être absolument sûres que nous ne gênions personne, j'avais fait le tour de la plupart des locataires pour leur dire : « Je veille toujours tard, et j'ai souvent des amis qui viennent me voir. Si vous entendez du bruit ou s'ils vous dérangent de quelque façon que ce soit, n'hésitez pas à me le dire, et je leur ferai la leçon. »

J'avais cependant une voisine que je ne pus amadouer. Elle avait l'habitude déplaisante de laisser ses sacs d'ordures dans le hall, et comme je ne pouvais plus supporter ce spectacle, je finis par téléphoner au propriétaire pour m'en plaindre. Quelle erreur! Bon nombre de locataires savaient vraisemblablement à quoi s'en tenir au sujet de nos activités, mais on était, après tout, à New York, où chacun ne s'occupe que de ses petites affaires – tout au moins dans la majorité des cas. La dame aux ordures fut néanmoins si furieuse contre moi qu'elle alla trouver le propriétaire et lui raconta que l'affaire que je dirigeais était très certainement une affaire de prostitution.

Quelques jours plus tard, le propriétaire me signifia un « avis d'expulsion », ce qui voulait dire que je devais comparaître devant un juge. Il m'accusa de violer les dispositions de mon bail en utilisant mon appartement à des fins commerciales. Je répondis en niant tout. Mon avocat m'assura que je ne courais vraiment aucun risque, à moins que le propriétaire ne soit en mesure de prouver que je gérais bien une exploitation commerciale. Le propriétaire était convaincu qu'une visite des lieux lui fournirait cette preuve, si bien que, pour établir mon innocence, j'acceptai qu'une inspection eût lieu à dix heures du matin le lundi suivant. Ainsi, il pourrait voir lui-même ce qui se passait dans cet appartement.

Personnellement, cette perspective me rendait folle, mais la femme d'affaires qui était en moi savait que ce problème était loin d'être insurmontable. Je m'arrangeai pour faire venir au bureau, tard dans la nuit du dimanche, après la fermeture, un ami de Claudette, un jeune crack de l'électronique, qui avait autrefois travaillé pour la Compagnie du téléphone, et lui demandai de démonter toute notre installation téléphonique. Il m'aida à emporter tous nos dossiers et tout notre matériel téléphonique dans l'appartement d'une voisine amie résidant de l'autre côté du hall, qui savait ce que nous faisions et qui, en cette circonstance, nous prêta main forte. Le lendemain matin, à sept heures trente, je me rendis avec mon jeune complice dans l'appartement de ma voisine, qui venait de partir pour son travail, pour y emprunter un matelas et quelques draps que j'installai dans le bureau. Avec quelques éléments originaux de décoration, je transformai rapidement les lieux pour en faire un semblant de résidence modeste et acceptable. A neuf heures quarante-cinq, j'envoyai le crack de l'électronique prendre son petit déjeuner à l'extérieur en lui demandant de revenir une heure plus tard.

A dix heures tapantes, le propriétaire frappa à la porte. Il entra dans l'appartement qu'il parcourut rapidement du regard, et se disposa à partir.

– Une minute, lui dis-je sarcastiquement. Vous ne voulez pas voir la chambre? Vous ne voulez pas inspecter les placards?

Nous nous étions donné beaucoup de mal pour transformer les lieux en vue de sa visite, et je ne tenais pas à ce que tout ce travail fût inutile. Plus important encore, je ne voulais pas que le propriétaire puisse ensuite prétendre qu'il n'avait pu mener une inspection complète. Il se trouva donc qu'il vint, qu'il vit et qu'il partit sans déceler le moindre indice contre nous, ce qui dut le faire écumer.

Une semaine plus tard environ, Liza, qui était de garde la nuit au téléphone, eut la surprise d'entendre la voix d'un homme sur la ligne réservée aux hôtesses et inconnue de nos clients.

– Comment avez-vous entendu parler de nous? lui demanda-t-elle.

– Vous plaisantez? répondit son interlocuteur. J'ai vu votre pancarte dans la rue.

Supposant qu'il s'agissait de l'appel d'un détraqué, Liza se contenta de raccrocher.

Une demi-heure plus tard, un autre homme appela sur la même ligne et dit à Liza qu'il venait de lire une pancarte nous concernant au coin de la Soixante-Dix-Huitième Rue et de Broadway. Puis, un troisième interlocuteur affirma avoir vu notre pancarte à la Quatre-Vingtième Rue et Columbus. C'est alors que Liza décida de me téléphoner chez moi. Je jugeais son histoire déconcertante et vaguement inquiétante, mais je n'y prêtai pas trop d'attention. Évidemment, il se passait quelque chose de drôle, mais je supposais que quelque petit malin n'avait rien de mieux à faire que de nous importuner toute la soirée au téléphone. L'idée qu'il puisse y avoir vraiment des pancartes dans la rue était trop ridicule pour que je puisse même la retenir. Je donnai pour instruction à Liza de ne pas enregistrer de nouveaux clients pour le reste de la nuit et lui dis que je lui parlerais le lendemain.

Le lendemain matin, comme à l'accoutumée, je me rendis à pied au bureau. Comme je tournais le coin de notre rue, je remarquai tout à coup une pancarte collée sur un réverbère portant une inscription grossièrement écrite à la main :

SYDNEY BARROWS
aka [sic]
SHEILA DEVIN
Fondatrice et Madame de
FINNES [sic], CACHET
vous invite à essayer ses filles
de 1984
Belles, intelligentes [sic]. Elles font
tout ce que vous voulez.
Chez vous
ou
à l'hôtel

Au bas de la pancarte étaient mentionnés plusieurs de nos numéros de téléphone – y compris ceux qui ne figuraient pas à l'annuaire, ainsi que mon numéro de téléphone et mon adresse personnels et l'adresse de notre bureau.

J'étais sidérée et horrifiée. Tout ce à quoi je pouvais penser dans l'immédiat était que cette annonce devait échapper à l'attention de mes relations du quartier qui partaient au travail ce matin-là. Je déchirai la pancarte et passai les quatre heures suivantes à inspecter systématiquement chaque pâté de maisons du côté Ouest, entre la Cinquante-Neuvième et la Quatre-Vingt-Sixième Rue. Je dénichai quatre autres pancartes, dont trois dans notre pâté de maisons, et je fis des prières pour qu'aucune autre n'ait échappé à mes recherches.

Mais qu'en était-il du côté Est? Et qui d'autre avait pu voir ces pancartes? Et comment pouvais-je être sûre que des prospectus de même nature n'avaient pas été distribués à Times Square? Cela ne voulait-il pas dire aussi que nous allions être cambriolées? Mon cœur battait à tout rompre ce matin-là, je n'avais jamais connu pareille angoisse de ma vie.

Nous ne sûmes vraiment jamais qui avait collé ces pancartes. Quelle que fût l'identité de l'auteur de cette petite plaisanterie, cet acte constituait une très grave violation de ma vie privée, et faisait apparaître d'atroce façon combien nous étions vulnérables. En dépit de toutes nos précautions, nous étions maintenant connues comme le loup blanc. Notre adresse, qui avait toujours été un secret très bien gardé, se trouvait maintenant, je le craignais, dans de mauvaises mains.

Espérant qu'il n'était pas trop tard pour prendre des mesures de protection, je décidai d'agir sans tarder. J'avais une amie de longue date dont le père, un ancien inspecteur de la brigade mondaine du nom de Marty, exerçait alors la profession de détective privé. J'appelai Marty et l'engageai comme consultant. J'avais tout à coup une foule de questions à lui poser : Courions-nous un grave danger? Quelles nouvelles précautions pouvions-nous prendre? Quels étaient les indices montrant qu'une action de la police était imminente? Quel genre de documents celle-ci devait-elle détenir pour nous faire « tomber »? Et si nous « tombions », quel était le scénario qui serait suivi?

Marty connaissait beaucoup de réponses – et beaucoup d'autres choses encore. Si la police faisait une descente dans notre agence, elle rechercherait les registres et les dossiers des clients, ce qui nous amena à commencer immédiatement à tenir une deuxième série de registres pour parer à toute éventualité. J'avais déjà fait installer, par un menuisier, une cache secrète dans la cheminée, où je dissimulai les vrais dossiers. A présent, seules les assistantes la connaissaient : après mon expérience avec Elise, je ne voulais plus prendre de risque. Désormais, quand l'heure était venue de fermer le bureau à la fin de la nuit, toute fille qui se trouvait encore là devait attendre dans le hall pendant que les assistantes faisaient les écritures.

Marty m'expliqua également que la police ne ferait pas irruption dans le bureau sans être déjà en possession d'indices permettant d'établir qu'une infraction était commise, et que la seule manière de rassembler de tels indices était d'arrêter certaines des filles pour faits de prostitution. Comme nous le savions déjà, la *seule* astuce pour y parvenir était qu'un inspecteur se fasse passer pour un client.

La solution était évidente : pour l'instant, nous n'accepterions aucun nouveau client qui n'ait été personnellement recommandé par des habitués. Pour éviter de faire fuir tout nouveau client éventuel pendant cette période, nous disions à nos interlocuteurs que nous étions temporairement à court de personnel et que, pour quelques semaines, nous estimions qu'il n'était que justice de donner la priorité à notre fidèle clientèle.

Ce que nous n'avions pas prévu, cependant, fut l'effet qu'exerça cette communication apparemment anodine sur ceux qui nous téléphonaient. Comme il était absolument impensable qu'une agence d'hôtesses refusât des clients, cette nouvelle « politique » conféra à la nôtre un caractère plus exclusif et plus séduisant que jamais. Celui qui faisait appel à nous estimait qu'il lui serait fort agréable de devenir l'un des clients fidèles dont nous prenions un tel soin. Nous étions dans la situation rêvée où le volume d'affaires dépasse les possibilités, et il était terriblement frustrant de ne pouvoir y faire face.

Je convoquai les filles pour leur dire qu'Elise nous avait « données », pour employer une des expressions des représentants de la loi, et qu'il était évident qu'on nous surveillait. Je ne fis cependant pas mention des pancartes, ce qui les aurait inutilement terrifiées, car, de toute façon, il n'y avait rien à faire à leur sujet.

– Nous devons toutes nous serrer les coudes, leur dis-je, et faire plus attention que jamais. Il est extrêmement important que vous me rapportiez tout ce que vous remarquez ou entendez qui puisse être éventuellement de nature à nous causer des ennuis. C'est pourquoi, je vous demande de me signaler toute personne de votre connaissance qui aurait des griefs contre moi. N'importe qui peut se révéler être une autre Elise; il faut donc que vous m'informiez de ce que vous voyez et de ce que vous entendez, même si vous devez le faire sous une forme anonyme.

Je leur dis également :

– Prêtez attentivement l'oreille aux cancans et rumeurs que vous rapporteront aussi bien les clients que celles de vos amies qui travaillent pour d'autres agences. C'est seulement grâce à une amie de Claudette qui en a été témoin et qui nous a communiqué cette information que nous avons su qu'Elise nous avait mouchardées. Donc, je vous le demande, ouvrez l'œil et le bon et gardez le silence.

« Maintenant autre chose : comme vous le savez, pour que vous soyez arrêtées pour fait de prostitution à New York, vous devez avoir *consenti* à commettre un acte sexuel moyennant finance. Or vous n'avez jamais à donner ce consentement. Vous savez également que les assistantes ne font jamais mention du sexe aux clients, et que vous n'êtes jamais censées parler d'argent. Donc, en théorie tout au moins, vous ne pouvez pas être arrêtées. Cependant, avec tout ce qui se passe, je veux que vous soyez particulièrement prudentes.

Des questions furent posées :

– Est-il vrai qu'un flic n'a pas le droit de se déshabiller entièrement et que, si un homme garde ses chaussettes, cela veut dire que, vraisemblablement, c'est un client suspect?

– Ce n'est pas vrai : c'est une idée fausse communément répandue.

– Quand on demande à un client s'il est flic, et qu'il le nie bien qu'il le soit, est-il vrai qu'il ne peut pas alors vous arrêter?

– Je voudrais bien que ça soit vrai, mais ça ne l'est pas.

– Est-il exact que si un flic a des rapports sexuels avec vous, son témoignage n'a aucune valeur?

– Oui, parce que cela veut dire que, lui aussi, a commis une infraction. N'oubliez pas, cependant, qu'il peut vous arrêter tout simplement pour avoir consenti à avoir des relations sexuelles moyennant finance.

Visiblement effrayées par tous ces risques qu'elles couraient, les hôtesses se mirent à poser plus de questions qu'à l'accoutumée – en partie, je pense, parce que plus la réunion se prolongeait et plus elles avaient l'impression qu'elles se libéraient de leurs craintes. Jusqu'alors, les choses s'étaient si bien passées que nous nous reposions sur nos lauriers et que nous avions temporairement oublié que nous étions réellement vulnérables.

Pour plus de précaution, je donnai pour mission à Marty de se mettre en campagne pour savoir si nous ne faisions pas l'objet d'une enquête. Quelques semaines plus tard, il m'appela un soir et me demanda de le rencontrer dans un restaurant de la Sixième Avenue. (A l'instar de nombreux détectives, Marty ne divulguait jamais rien au téléphone.) Il avait procédé à des vérifications auprès de ses copains de la Mondaine et n'avait rien trouvé qui indiquât que de sérieux ennuis nous attendaient.

– Mais je ne vous garantis rien, me prévint-il. Il est possible que mes amis ne soient pas au courant d'une enquête qui serait en cours. Il est également possible qu'ils veuillent me cacher quelque chose.

J'accueillis cependant son rapport avec soulagement, et dès qu'il eut quitté le restaurant, j'appelai Ashley d'une cabine téléphonique :

– La route est libre, lui annonçai-je. Vous pouvez reprendre les réservations de nouveaux clients.

– Parfait, me répondit-elle. J'en ai déjà pris trois.

Je montai alors sur mes grands chevaux :

– Comment *avez-vous osé*?

– C'est bien simple. Tous ceux qui ont appelé étaient recommandés, et pas par n'importe qui! Par des clients américains.

Voilà qui était inhabituel, car les Américains nous recommandaient rarement à leurs amis, d'abord parce qu'ils n'ont pas de relations masculines très suivies et, ensuite, parce qu'ils n'admettent pas, dans leur majorité, de « payer pour cela ». Les Européens, par contre, parlent entre eux beaucoup plus librement de sexe, non seulement parce que leurs liens d'amitié sont plus forts, mais également parce qu'ils appartiennent à une société où les agences d'hôtesses sont légales. Ils distribuaient aux hôtesses des pourboires de la même manière qu'ils en laissaient dans un restaurant chic ou dans un hôtel de luxe.

D'après Ashley, deux de nos nouveaux clients étaient inscrits pour vingt heures, l'un avec Denise et l'autre avec Kelly. Le troisième était inscrit une heure plus tard pour voir Corinne. A vingt et une heures dix, Ashley remarqua que ni Denise ni Kelly n'avaient téléphoné pour prévenir qu'elles avaient terminé leur visite ou que les clients les avaient priées de rester plus longtemps. Conformément à notre procédure, elle appela la chambre d'hôtel réservée au nom du client de Kelly. Pas de réponse. Ashley appela alors la réception, vérifia à nouveau le numéro de la chambre, et fit un nouvel appel. Cette fois encore, pas de réponse.

Ashley était inquiète, mais présuma que Kelly, qui n'était pas l'une de nos filles les plus fiables, était allée prendre un verre avec son client. Elle appela ensuite Denise qui, elle, était connue pour s'attacher aux détails de façon maniaque. N'obtenant pas de réponse, elle commença à pâlir d'angoisse. Il était déjà vingt et une heures trente, elle décida d'appeler également Corinne, pour vérifier si tout allait bien. Pas de réponse non plus.

Les hôtesses et les assistantes avaient un numéro de téléphone spécial à utiliser en cas d'urgence. En appelant à ce numéro, elles alertaient un service d'abonnés absents, qui avait pour instruction de me joindre immédiatement en cas de message urgent. Si ce service ne pouvait m'atteindre à la maison ou au bureau, il m'alertait en déclenchant mon « bip-bip ». En quatre ans, jamais ce service ne m'avait appelée, et les standardistes qui y travaillaient devaient penser que j'étais la dame la moins populaire de tout New York.

Ashley essaya de me téléphoner chez moi mais, en vain, elle composa alors le numéro d'urgence. « Je voudrais laisser un message pour Sheila Devin, dit-elle. Veuillez lui dire qu'Ashley a appelé, et que nous nous sommes fait pincer. »

Ashley téléphona ensuite à Risa Dickstein, mon avocate. Comme personne ne répondait, elle appela Peter Fabricant, notre deuxième avocat qui devait représenter les filles. Peter estima qu'Ashley prenait l'affaire trop au tragique, mais il accepta de s'enquérir auprès de la police, qui l'informa que Corinne était gardée à vue dans l'un de ses commissariats, sans pouvoir encore lui donner d'indication quant à Denise et à Kelly.

Il n'avait pas été facile de retrouver Corinne, car la police transférait les filles d'un commissariat à l'autre, mais Denise et

Kelly avaient, elles, temporairement « disparu » pour une autre raison : pour simplifier les choses, j'avais conseillé à toutes les hôtesses d'utiliser le nom patronymique de « Fisher ». Après que Corinne eut dit à la police qu'elle s'appelait Corinne Fisher, les deux autres filles se rendirent compte qu'elles ne pouvaient utiliser le même nom et en inventèrent aussitôt un autre, inconnu évidemment de nous. Il était donc impossible de retrouver leur trace.

Dès qu'Ashley apprit que Corinne avait été arrêtée et que Denise et Kelly avaient sûrement connu le même sort, elle téléphona à chaque hôtesse qui devait se trouver encore avec un client. Elle interrompit plusieurs couples à un moment particulièrement délicat, mais elle informa les filles qu'elle quittait le bureau parce qu'elle ne se sentait pas bien et leur dit qu'elles n'avaient qu'à rentrer chez elles à la fin de leur visite. Elle camoufla ensuite tous les registres et dossiers et ferma le bureau de bonne heure.

Kelly, Denise et Corinne étaient, en effet, entre les mains de la police. Les trois policiers qui s'étaient fait passer pour de nouveaux clients et les avaient arrêtées avaient dit à Ashley qu'ils nous étaient recommandés par des hommes qu'Elise avait vus peu de temps avant que je ne la mette à la porte.

Le flic qui était avec Denise s'était montré très nerveux. Il avait attendu si longtemps avant de procéder à l'arrestation qu'un de ses collègues avait fini par l'appeler au téléphone. Se répandant en excuses, il montra sa plaque de policier à Denise, et l'arrêta.

Le client de Kelly avait eu des relations sexuelles avec elle, ce qui retira complètement toute valeur à son témoignage lorsque sa déposition fut examinée par un juge. Lorsque trois autres policiers firent irruption dans la chambre, Kelly sauta du lit dans le plus simple appareil pour leur faire face, et leur lança :

– Non, mais alors, où vous croyez-vous?

– Nous vous arrêtons pour prostitution, répliqua l'un d'eux.

– Comment *osez-vous*? cria-t-elle. Moi, une prostituée? Mais de quoi parlez-vous?

Le client de Corinne s'était fait passer pour un cadre de la chaîne de magasins Fortunoff. Pour se préparer à sa mission, il avait même passé un jour dans cette entreprise et noté dans sa mémoire des détails concernant ses divers établissements afin d'avoir l'air plus crédible.

Au cours de la conversation qu'il eut avec Corinne, il lui confia :

– Écoutez, ma femme déteste l'amour buccal. J'aimerais bien ce genre de caresses, mais vous allez sans doute penser que je suis un taré.

– Pas du tout, répondit Corinne. C'est une chose parfaitement normale.

– Vous voulez dire que je pourrais la faire avec vous?

– Bien sûr, répondit-elle.

Sur quoi il la plaça en état d'arrestation.

Au moment où allait démarrer la voiture de police qui emmenait les hôtesses, un des policiers assis sur le siège avant se retourna et dit à Denise sur un ton menaçant :

– Vous pouvez dire à Sheila Devin que le sergent Elmo Smith veut avoir sa peau et que, bientôt, elle sera assise là où vous êtes.

Nous ignorions, à ce moment-là, qui était Elmo Smith. Si seulement je pouvais en dire autant aujourd'hui!

Les policiers véhiculèrent les filles tout d'abord au commissariat, ensuite au dépôt et, enfin, au tribunal. Leur nom ne figurant pas sur le rôle du tribunal par suite d'une erreur matérielle, nous n'avons pu les faire libérer sous caution que le lendemain soir.

Dès qu'il fut évident que les trois filles avaient été prises en flagrant délit, mes avocats me dirent que la police pourrait fort bien être à ma recherche. Fort heureusement, je parvins à joindre un bon ami à moi qui s'était absenté de New York pour lui demander si je pouvais séjourner pendant deux semaines dans son appartement, car le mien avait été inondé. Il n'y fit aucune objection, ce qui me permit de rester tapie jusqu'à ce que les choses retrouvent leur cours normal.

Pendant cette retraite forcée, je passai tout mon temps au téléphone. Tout d'abord, il me fallait réconforter les trois filles qui avaient été arrêtées et prendre des dispositions pour assurer leur défense devant le tribunal. (Lorsque j'engageais une hôtesse, je lui promettais de prendre à ma charge l'amende et les frais de justice au cas où elle serait arrêtée pour avoir travaillé à mon service.) Je devais aussi maintenir le contact avec toutes les autres filles qui se trouvaient tout à coup sans emploi et ne s'étaient jamais vraiment attendues à des arrestations dans leur groupe. Je ne m'y étais pas attendue non plus, mais j'avais toujours su que c'était une possibilité, et je comptais bien que nous reprendrions nos activités au bout de quelques semaines.

Mais avant de songer à pouvoir rouvrir le bureau, il fallait que Denise, Corinne et Kelly retournent devant le tribunal sous l'inculpation de faits de prostitution. Le cas de Kelly fut appelé le premier, et le juge classa rapidement l'affaire sans suite. A ce moment-là, l'un des substituts du procureur se précipita jusqu'au bureau du tribunal et plaida :

– Votre Honneur, la police mène une importante opération d'infiltration, et il nous faut plus de temps pour instruire cette affaire.

La présidente ne cacha pas que, pour elle, une affaire de

prostitution n'occupait pas un rang de priorité élevé sur son rôle – surtout si on la comparait aux agissements des criminels vraiment dangereux qui comparaissaient devant elle.

– Opération d'infiltration? Je vois ce que c'est, dit-elle sardoniquement.

– C'est vrai, Votre Honneur, affirma le substitut, ces filles font partie d'un important réseau de prostitution.

A contrecœur, la présidente accepta d'ajourner l'affaire à quinzaine.

Lorsque les filles revinrent devant le tribunal, la présidente prononça le renvoi des fins de la poursuite. Non seulement les délinquantes primaires étaient traitées avec indulgence dans les affaires de prostitution, mais il n'y avait rien ni dans les vêtements ni dans le comportement des filles qui donnât à penser qu'elles étaient vraiment des prostituées. La présidente jugea si ridicule l'accusation qu'elle chapitra même le substitut :

– Vous ne voyez donc pas que ce sont d'honnêtes femmes? Vous n'avez rien d'autre à faire qu'à arrêter ces personnes et à ruiner leur réputation?

Jusqu'au règlement de l'affaire, nous n'avions pu que fermer le bureau et débrancher les répondeurs. Quand il nous fut possible de le rouvrir à la fin du mois d'avril, nous décidâmes qu'il serait stupide d'effrayer les clients en leur parlant des arrestations et qu'il valait mieux leur expliquer que nous avions eu des difficultés avec le propriétaire – ce qui, du moins, était vrai – et que celui-ci avait illégalement changé nos serrures.

Nous exultions d'avoir repris nos activités et de gagner à nouveau de l'argent mais, moins de trois semaines plus tard, une nouvelle catastrophe s'abattit sur nous. Jason, un industriel du Sud et l'un de nos premiers clients, téléphona en effet pour me dire :

– Vous feriez bien de faire examiner vos filles parce que je viens de constater que j'ai une blennorragie. Je crois que je l'ai contractée il y a trois semaines, lorsque j'étais en Floride, mais j'ai rencontré plusieurs de vos hôtesses à mon dernier passage à New York.

Aussi étrange que cela puisse paraître, c'était la première fois que nous avions à nous préoccuper d'une maladie sexuellement transmissible. Nous n'étions d'ailleurs pas les seules à faire preuve d'une telle insouciance car, contrairement à ce que semble croire le public, la plupart des agences d'hôtesses n'ont jamais connu de problèmes sanitaires.

J'envoyai immédiatement toutes les filles consulter un médecin et se soumettre à des analyses. La plupart d'entre elles s'adressèrent à mon gynécologue, qui montrait beaucoup de compréhension à l'égard des « travailleuses ». Les résultats furent positifs pour trois hôtesses qui, toutes, avaient récemment vu Jason.

– Je vais prescrire de la pénicilline pour tout le monde, dit le médecin.

– Je croyais pourtant que trois filles seulement avaient été contaminées, lui répondis-je.

– Je ne peux avoir de certitude que pour trois d'entre elles, mais quarante pour cent seulement des résultats de ces analyses sont concluants, et je ne veux prendre aucun risque.

J'appelai mon pharmacien pour lui dire :

– Ne me posez pas de questions, mais mon médecin va vous téléphoner et vous donner la même ordonnance pour vingt patientes différentes.

Plus tard, le pharmacien me raconta qu'il vit défiler, le lendemain après-midi, une vingtaine de jolies filles dans son magasin en l'espace de trois heures, et qu'il n'avait rien vu de plus émoustillant depuis quinze ans qu'il exerçait.

J'aurais bien aimé que tout en restât là, mais ne pouvais ignorer que, pendant les deux semaines qui s'étaient écoulées après les rencontres entre ces trois filles et Jason, chacune d'elles avait vu au moins une demi-douzaine d'hommes qui, de leur côté, avaient reçu la visite de certaines autres hôtesses. Dans notre branche d'activité, il ne faut pas longtemps avant d'avoir une bonne petite épidémie sur les bras – ou ailleurs.

Notre agence restait ouverte, mais les assistantes répondaient à chaque client qu'aucune hôtesse n'était disponible parce qu'une cohorte de diplomates avait réservé tout notre effectif pour une semaine entière, ce qui nous donna le temps de reprendre tous nos dossiers et de les passer au peigne fin pour faire l'historique de toutes les rencontres. Ayant constaté que plus d'une centaine de clients avaient été exposés à un risque, je leur fis téléphoner par les assistantes.

Ces appels étaient sans précédent, compte tenu surtout de leur objet, mais la situation était si grave que je n'avais pas le choix. Si c'était une femme qui répondait, nous raccrochions immédiatement, mais si c'était le client, nous lui demandions s'il n'avait rien remarqué récemment.

– Remarqué quoi?

– Il n'est pas facile d'en parler, mais nous estimons que nous avons le devoir de vous le dire. Nous avons eu un petit ennui sur le plan sanitaire : l'une de nos hôtesses a été contaminée par un client, qui avait fait une rencontre dans une autre ville. Toutes nos hôtesses ont été traitées, mais il serait peut-être bon que vous voyiez aussi un médecin.

Étant donné que la période d'incubation pour une blennorragie est de trois semaines, nous expliquions que si le client se proposait de faire appel à nous dans les vingt et un jours suivants, il devrait nous présenter un certificat de son médecin attestant qu'il n'était pas malade. Inutile de dire qu'il était terriblement embarrassant de donner de pareilles instructions par téléphone, mais c'était la seule procédure correcte à suivre.

Quelques clients furent indignés, et nous n'entendîmes plus jamais parler d'eux. La plupart le prirent cependant fort bien, d'autant que cette nouvelle leur avait donné un choc, et qu'ils se rendaient compte que nous aurions pu nous tirer de ce mauvais pas en gardant le silence. Un client nous demanda de déchirer le chèque qu'il nous avait établi le soir précédent après nous avoir déclaré :

– Ma femme vient de m'informer qu'elle est contaminée. Vous m'avez maintenant fourré dans un beau pétrin! J'estime donc que vous me devez bien ça!

J'acquiesçai.

Les problèmes se posaient avec la même gravité pour les filles, notamment celles dont les compagnons ignoraient à quelles activités elles se livraient trois nuits par semaine. Deux hôtesses nous quittèrent sur-le-champ. D'autres concoctèrent des excuses tirées par les cheveux : Montgomery « confessa » à son compagnon qu'elle avait eu des relations intimes avec la fille qui partageait son appartement et que celle-ci avait reçu un appel téléphonique de son petit ami l'informant qu'*il* était malade. A choisir entre deux maux, il était évidemment plus facile pour Montgomery de dire qu'elle était bisexuelle que de reconnaître qu'elle était une call-girl.

Six semaines plus tard environ, alors que les affaires reprenaient leur cours normal, Jason nous rappela pour nous dire que sa femme venait de voir son médecin, qu'elle avait la blennorragie, et qu'elle avait dû la lui retransmettre. Apparemment, il n'avait rien révélé au début à sa femme mais, hélas, il s'était de nouveau rendu à New York où il avait rencontré quatre autres de nos hôtesses.

Cette fois, le problème était plus grave, et je me devais de prendre des mesures draconiennes. Je savais que certains de nos clients s'adressaient parfois à d'autres agences et que, s'ils avaient contracté la blennorragie en voyant nos filles au moins de mai précédent, ils avaient fort bien pu la transmettre au personnel de la concurrence qui, à son tour, pouvait être à l'origine d'une nouvelle contamination du nôtre. Selon toutes probabilités, nous nous trouvions maintenant en présence d'une véritable *épidémie*, et la seule façon de l'enrayer était de mener un effort concerté en coopération avec toutes les agences.

Depuis que je gérais mon affaire, il m'était arrivé d'entrer en rapport avec mes homologues de plusieurs des meilleures agences de New York. Chaque fois, par exemple, qu'un client nous réglait avec un chèque sans provision, je les en informais rapidement pour éviter qu'il ne fasse d'autres victimes. De temps en temps, l'un des autres propriétaires me téléphonait pour me mettre en garde contre un client qui avait essayé de brutaliser une fille ou avait refusé de payer. Nous affichions toujours alors un avis sur le mur et inscrivions le nom de ce client sur notre liste « Ne pas obliger ». Nous restions en relation surtout pour nous prévenir des agissements de certaines hôtesses – celles qui nous volaient et celles qui roulaient les clients. Ces indélicatesses n'étaient pas monnaie courante, mais j'ai été surprise, au fil des ans, de constater que j'étais plus souvent dupée par les filles que par les clients.

Les autres agences ne m'ont jamais inspiré des commentaires favorables, mais je comptais sérieusement que, dans une situation aussi critique, elles prendraient au moins ce problème au sérieux et œuvreraient de concert avec moi pour le régler. Quelle erreur! Je suis encore abasourdie par certaines des réactions que mes collègues eurent au téléphone, et que je notai promptement dans un calepin :

– Les filles sont assez grandes pour savoir ce qu'elles font. Si elles ont des ennuis, c'est bien de leur faute : elles n'avaient qu'à pas être aussi gourdes.

– C'est bien la première fois que j'en entends parler. Alors, pourquoi voulez-vous que je me fasse du souci?

– Les clients savent qu'ils prennent des risques, et je ne vais pas pleurer sur leur compte.

– Écoutez, j'ai bien assez d'ennuis comme ça, sans avoir à me tracasser aussi pour une question pareille.

– Ça fait partie du métier.

– Ces filles se fichent pas mal de vous, Sheila, et ne méritent pas que vous en fassiez tout un plat.

Et puis aussi cette réponse qui les surpasse toutes et à laquelle je ne peux encore croire :

– Mes filles savent bien qu'elles ont autre chose à faire qu'à me bassiner avec ce genre de questions.

A ma grande consternation, aucun des autres propriétaires d'agence n'aurait accepté d'*informer seulement* leurs hôtesses de la propagation de la maladie, et encore moins de les encourager à se faire soigner. La seule initiative que je pouvais prendre dès lors était de ne rien cacher à mes clients.

Plutôt que de parler de la question au téléphone, je rédigeai une lettre circulaire que chaque hôtesse remettait au client au début de sa visite. Je détestais avoir à faire cet exposé par écrit, car il est difficile d'être aussi explicite que possible sans paraître par trop brutal :

Cher ami,

Je viens d'apprendre que la ville de New York est en butte à un « problème sanitaire » plutôt grave qui affecte en grand nombre, dans notre branche d'activité, le personnel et les clients. Je m'en suis entretenue avec plusieurs personnes qui dirigent des affaires analogues à la mienne, ainsi qu'avec notre médecin et la Commission d'hygiène de la Ville de New York, qui m'ont tous confirmé que nous sommes actuellement victimes d'une petite épidémie. J'ai pris des mesures pour veiller à ce que tous les membres de mon personnel soient en parfaite santé, mais mon initiative n'a malheureusement rencontré aucun écho chez les directeurs d'autres agences.

Afin de protéger ce bien précieux qu'est la santé de mes jeunes « ladies » et la vôtre, je vous prierais d'envisager réellement de prendre des mesures préventives jusqu'à ce que ce problème soit réglé. Au cas où vous vous adresseriez à une autre agence que la mienne lors de votre passage à New York, je vous conseillerais vivement de prendre ces précautions car, à l'heure où j'écris ces lignes, aucune d'entre elles ne s'est assurée – ou n'envisage de s'assurer – que son personnel est en bonne santé.

J'espère que vous comprendrez aisément combien il m'est difficile de vous écrire la présente lettre. Ceux dont je suis l'amie depuis longtemps savent que je me suis toujours efforcée d'établir et de maintenir un service de qualité, et je tiens à saisir cette occasion pour les remercier tous de la confiance qu'ils m'ont témoignée au cours de toutes ces années. Je tiens également à souhaiter la bienvenue à tous nos nouveaux amis en les assurant que je continuerai de leur offrir un service de la plus haute qualité possible, aussi bien aujourd'hui qu'à l'avenir.

Je vous prie d'agréer, etc.

Sheila.

La lettre devait être remise à tous nos clients fidèles et à tout nouveau client, à condition que celui-ci soit résolu à ne pas commettre d'imprudence. Je savais que cela serait gênant pour les filles, mais je ne voyais pas d'autre solution pratique.

– Ne craignez pas d'avoir l'air embarrassé, leur conseillai-je. En fait, plus vous serez embarrassées, plus vous semblerez mal à l'aise – et vous n'aurez pas de mal à le paraître –, plus on vous comprendra et on coopérera avec vous.

Dans un mémo, je rappelai aux filles qu'elles devaient avoir toujours des préservatifs avec elles et les priai instamment d'acheter la meilleure qualité offerte sur le marché.

– C'est déjà assez pénible de leur demander cette faveur, leur faisais-je remarquer, montrez-leur au moins que vous avez la meilleure marque.

Naturellement, une hôtesse pouvait toujours décider de partir si le client refusait de se soumettre à sa requête.

J'avais tenu les hôtesses au courant des conversations que j'avais eues avec les directeurs d'autres agences, mais leur demandai de ne pas trop dénigrer la concurrence en présence des clients, car j'étais convaincue que ceux-ci ne les croiraient pas. Je leur conseillai de ne pas faire de critiques négatives, mais d'insister plutôt sur les aspects positifs, en soulignant combien elles s'estimaient heureuses de travailler pour un établissement qui se préoccupait autant et de son personnel et de ses clients. Je leur demandai également de me tenir informée de la réaction des clients à la lecture de ma lettre et de me faire savoir si une partie de son libellé leur avait semblé offensante ou hors de propos. Si tel était le cas, leur disais-je, je me ferais un plaisir de la remanier.

Je n'avais toujours pas pris de décision vis-à-vis de Jason. Je lui étais reconnaissante de nous avoir alertées tout de suite, mais j'avais été furieuse d'apprendre qu'il avait négligé d'en informer sa femme et propagé à nouveau cette maladie après qu'elle la lui eut retransmise. Si un homme marié a eu des relations sexuelles extraconjugales, il doit en accepter les conséquences éventuellement néfastes. C'était un heureux hasard, en fait, qu'une inflammation visible se soit déclarée chez sa femme, sinon nous n'aurions peut-être jamais connu l'origine de la deuxième épidémie.

En ne disant rien à sa femme, Jason avait fait montre d'une indifférence coupable, non seulement à l'égard de nos hôtesses, mais également à l'égard des autres clients dont les épouses accueilleraient sans doute très mal ce genre de nouvelle. Il s'agissait d'un épisode qui pouvait fort bien briser un mariage ou, tout au moins, faire de très gros dégâts sur les plans de l'affectivité et de la confiance.

Tels étaient mes sentiments à l'égard de Jason, mais je ne savais vraiment pas quoi faire. Le choix logique était d'en faire un NPO – « Ne pas obliger » –, mais je ne retins pas cette idée, car je ne voulais pas qu'il en déduise qu'il avait fait une erreur en se montrant scrupuleux. Je demandai plutôt aux assistantes de lui faire savoir que les hôtesses avaient été si bouleversées par ce qui s'était passé qu'elles préféraient ne pas le voir. En même temps, je les chargeai de lui exprimer nos sentiments de reconnaissance pour sa franchise.

Plusieurs mois avant d'être submergée par tous ces problèmes, j'avais projeté de faire une cinquième soirée d'anniversaire pour les hôtesses. Il y avait bien des choses à célébrer, et je m'amusais à l'idée de donner des petits cadeaux amusants en l'honneur, par exemple, de celle qui portait les plus hauts talons, de celle qui passait le plus de temps au bureau et de celle qui nous appelait souvent en PVC d'une cabine téléphonique parce qu'elle n'avait jamais de monnaie. Mais après les arrestations du mois de mars et le problème sanitaire qui s'était posé ensuite, je ne me sentais pas le goût d'organiser ce genre de réjouissance.

Un dimanche du mois d'août, Ginny, engagée depuis peu comme assistante personnelle, me demanda de déjeuner avec elle dans un restaurant de l'East Side pour examiner quelques paperasseries. Lorsque j'entrai, elle me fit monter à l'étage, où je fus accueillie par une bande de filles qui criaient « La surprise! La surprise! » en me lançant des confettis : elles avaient organisé pour moi la partie que je n'avais pu me résoudre à leur offrir.

Les boissons et les mets abondaient et la bonne humeur était au programme. Nous festoyions depuis une heure quand – vision qui me terrifia – un policier en uniforme fit son apparition. Heureusement, ce n'était qu'un gag : il s'agissait, en fait, d'un effeuilleur masculin que les filles avaient engagé par manière de plaisanterie.

Quand il eut terminé son petit numéro, il se tourna vers nous et nous demanda :

– Dans quel genre d'affaire travaillez-vous?

Il se fit un long moment de silence. Enfin, Melody lui précisa :

– Nous? Nous sommes des gens du spectacle.

A la fin de la partie, les filles m'offrirent un beau service de verres à vin pour le bureau.

– Vous nous avez toujours généreusement offert de la nourriture et du champagne, annonça Liza, mais nous en avons assez maintenant de ces horreurs de gobelets en plastique!

Plusieurs des hôtesses exposèrent leurs petits talents de société. Melody récita un monologue de la pièce *Hommage,* dans laquelle une call-girl fait un discours à ses clients qui ont organisé un banquet en son honneur. Suzie donna une interprétation de « I enjoy being a girl » (Ça me plaît d'être une fille) mais, avec tout le champagne qu'elle avait bu, elle avait oublié la plupart des paroles.

Ginny se leva et raconta quelques blagues salées, dont une obtint un franc succès : « J'apprends que la poste va émettre un nouveau timbre pour commémorer la prostitution. Il sera mis en vente au prix de trente cents – mais de quarante si vous voulez le lécher. »

Liza mit fin à la représentation avec une chanson intitulée « Old Friends » (Les vieux amis), tirée d'une comédie musicale.

Cette partie me fut d'un très grand réconfort. J'étais particulièrement émue de voir que presque toutes les filles étaient venues alors qu'il faisait très beau en ce dimanche du mois d'août. Parfois, vous vous demandez si ce que vous faites pour autrui est vraiment apprécié, et lorsqu'un événement semblable se produit, vous constatez avec plaisir combien vous étiez stupide d'en douter.

12

Notre « problème sanitaire » étant en passe d'être résolu, je pouvais maintenant consacrer toute mon attention à la recherche d'un nouveau bureau. Le petit différend juridique qui nous opposait à notre propriétaire avait, certes, été réglé temporairement, mais nous n'avions aucune raison de croire que celui-ci abandonnerait son projet d'expulsion : l'épée de Damoclès restait suspendue au-dessus de ma tête.

La solution idéale aurait été de fermer l'agence jusqu'à ce que nous trouvions un nouveau local, mais elle était impensable pour de simples raisons économiques. Notre compte en banque avait fondu comme neige au soleil. Il faut dire que nous avions été contraintes de fermer trois fois au cours des derniers mois – pendant six semaines après les arrestations de mars, et deux fois encore au début de l'été en raison du problème sanitaire.

Fermer boutique ne signifiait pas pour autant l'arrêt des dépenses dont le flot restait intarissable : frais d'avocat à la suite des arrestations de mars, loyer, téléphone, fournitures de bureau – sans parler de nos frais énormes de publicité. Pour des raisons d'économie, nous avions choisi de souscrire des contrats annuels, et étions ainsi obligées d'acquitter mensuellement des redevances, que l'agence soit ou non ouverte.

Nous ne pouvions nous payer le luxe de fermer, mais nous eûmes du moins le loisir de renforcer nos mesures de sécurité en prévoyant, cette fois, une astuce supplémentaire : si un nouveau client disait nous appeler d'un hôtel, l'hôtesse désignée pour aller le rejoindre devait insister pour se faire montrer son billet d'avion. Si le client faisait venir l'hôtesse dans sa résidence new-yorkaise, nous n'avions pas à nous faire du souci, car Marty m'avait déjà assurée que la police ne procédait jamais à des arrestations pour des faits de prostitution dans des appartements privés.

La recherche d'un nouveau bureau était une vraie corvée.

Trouver un appartement à Manhattan est déjà difficile dans des conditions normales, mais cette entreprise devient une gageure lorsqu'on ne peut vraiment pas expliquer à l'agent immobilier pourquoi l'on préférerait habiter dans un immeuble sans portier – ces gens remarquent tout – et dans un appartement au rez-de-chaussée, de préférence sur le devant, où l'on attire moins l'attention des autres locataires.

D'autres éléments entraient également en ligne de compte : pour garder les mêmes numéros de téléphone, notre nouveau bureau devait se trouver dans la périphérie de l'ancien. Enfin, nous ne pouvions consacrer plus de mille dollars par mois au loyer, ce qui, à Manhattan, est une somme bien minime pour un deux-pièces. Ces contraintes et, fait notoire, le faible pourcentage d'appartements vacants à New York – deux pour cent – n'étaient pas de nature à rendre ma démarche aisée.

Bien sûr, mes recherches auraient été facilitées si nous avions envisagé de louer un local commercial, mais ce choix n'aurait pas été réaliste, car les propriétaires de ces locaux peuvent augmenter le loyer aussi souvent qu'ils le veulent et dans les proportions qu'ils veulent, les locataires n'ayant d'autre recours que de se soumettre ou de se démettre. Ensuite, l'accès de certains immeubles à usage commercial est interdit après certaines heures, règle tout à fait rédhibitoire dans notre cas. Enfin, ayant besoin d'une cuisine et d'une douche, nous ne pouvions donc que louer un appartement.

L'un des propriétaires parmi ceux que je rencontrai au cours de mes recherches me montra plusieurs appartements. Comme il me semblait avoir une certaine largesse d'esprit, et comme je savais que je ne pouvais courir encore le risque d'avoir des difficultés avec mon nouveau propriétaire, je pris mon courage à deux mains et lui dis la vérité – que je dirigeais une agence d'hôtesses. Je soulignai que l'agence n'était ouverte que quelques heures par jour et que quelques filles seulement venaient au bureau pendant la nuit. Je ne fis aucune allusion au sexe, mais je vis qu'il savait à quoi s'en tenir.

Il m'emmena visiter un très bel appartement situé au rez-de-chaussée d'un immeuble de la Soixante-Quatorzième Rue Ouest, et me le proposa pour cinq cent soixante-quinze dollars par mois, à condition que je lui verse aussi un pas-de-porte de sept mille cinq cents dollars. Nous n'avions pas alors cette somme, mais je savais que ce local était une vraie trouvaille, et que je devais saisir immédiatement l'occasion. Nous passâmes donc un accord : je lui verserais cinq mille dollars en espèces, et il percevrait le reste en nature – au prix de faveur.

Je n'avais jamais conclu un arrangement de cette sorte, mais il me fallait cet appartement à tout prix. En outre, la dette contractée ne me semblait pas trop lourde – elle ne représentait jamais que vingt-cinq heures de services au total, que je paierais, bien entendu, aux hôtesses intéressées. Cependant, il s'avéra que cet arrangement ne fut guère de leur goût, car le propriétaire n'avait rien en commun avec les hommes raffinés, urbains et courtois auxquels elles s'étaient habituées. Il ne s'intéressait qu'à une seule chose, ce qui leur donnait un sentiment d'avilissement. Qui pis est, il les rencontrait habituellement dans un appartement minable, à demi meublé, jusqu'à ce que je m'y oppose et qu'il consente alors à utiliser le domicile d'un ami. Bref, ce ne fut pas un épisode dont j'eus lieu d'être fière.

Instruite par l'expérience, je consacrai beaucoup d'efforts et d'argent à faire de notre nouveau local un lieu qui n'attire pas l'attention. Étant donné que les filles bavardaient et regardaient la télévision jusqu'à une heure avancée de la nuit, il importait que le bureau fût complètement insonorisé. Je commençai donc par faire abaisser les plafonds et coller un isolant d'une épaisseur de quinze centimètres le long du mur mitoyen avec l'appartement d'à côté. Deux logements étant situés au sous-sol au-dessous du nôtre, je fis ensuite poser une moquette montée sur une épaisse thibaude. Un menuisier fabriqua trois nouveaux bureaux équipés de compartiments camouflés, un système téléphonique entièrement nouveau, avec répondeur spécialement adapté à notre genre de travail fut posé. Pour régler tous ces frais, je liquidai l'un de mes comptes personnels et suspendis mon plan d'épargne.

Une petite agence de mannequins installée au premier étage de notre nouvel immeuble avait déjà habitué les autres locataires aux allées et venues de jeunes et jolies femmes. Nous n'avions pas de souci à nous faire pour les après-midi mais, après dix-huit heures, heure de fermeture de l'agence de mannequins, il fallait nous attendre à ce que nos propres mouvements se remarquent davantage.

Les hôtesses aimaient le nouveau bureau, plus net, plus grand, plus aéré que l'ancien, qui semblait nous donner également un plus grand sentiment de sécurité – au cours des dernières semaines, nous avions eu, en effet, dans notre ancien local, des inquiétudes. Une nuit, alors que Jaime essayait de rappeler un client, j'entendis un grésillement dans le téléphone, suivi par le son d'une voix masculine qui s'exclamait : « Merde! Je n'arrive pas à brancher ce sacré truc! » Nous avions craint pendant des mois que nos téléphones soient mis sur table d'écoute, et cet incident était révélateur.

J'avais alerté immédiatement Marty. « Désolé, me répondit-il, je ne touche pas aux téléphones. » Il préféra m'adresser à John, un de ses collègues, spécialiste de la détection des dispositifs d'écoute téléphonique. John avait surtout affaire à des sociétés qui s'efforçaient d'empêcher l'espionnage industriel, et comptait plusieurs douzaines de clients dont il sondait chaque mois les téléphones et les bureaux.

John vint au bureau dans l'après-midi du lendemain pour brancher son matériel de détection sur nos lignes téléphoniques : en mesurant l'intensité du courant électrique dans les fils, il pouvait déterminer si elles étaient mises sur table d'écoute. Son compteur enregistra de très faibles valeurs pour quatre de nos dix lignes, indice presque certain que l'on nous écoutait. John brancha ensuite son appareil sur chacune de ces lignes et envoya une décharge électrique dans les fils afin que les magnétophones qui enregistraient nos conversations soient mis temporairement hors d'usage.

Quand il eut terminé, nous allâmes faire les mêmes vérifications dans mon appartement, où John découvrit que, là aussi, la ligne était sur table d'écoute. Nous descendîmes au sous-sol, où il la repéra parmi celles des autres locataires.

– Voilà la cause de votre problème, me dit-il en me montrant deux fils minces qui couraient le long du mur pour aboutir à un local du sous-sol fermé à clef.

– Ce sont ces fils-là? Eh bien, il n'y a qu'à les couper.

– Pas question, me répondit-il. S'il s'agit d'une écoute légale de la police, vous pourriez vous faire arrêter pour y avoir touché. En outre, si vous coupez les fils, dès demain ils seront remplacés. L'important est de savoir maintenant qu'on vous écoute.

Je m'arrachai, non sans mal, à la fascination qu'exerçaient sur moi ces fils. A partir de ce jour, chaque fois que j'avais à donner un coup de téléphone d'une nature très particulière, j'utilisais l'appartement de mon voisin Jimmy Roe, avec qui je m'étais depuis longtemps liée d'amitié. Jimmy et moi gardions la clef de nos appartements respectifs, et j'avais accès à son téléphone en son absence.

Quelques jours plus tard, toujours dans l'ancien bureau, nous commençâmes à recevoir des coups de téléphone destinés à une dame qui vivait dans l'appartement d'en dessous, tandis qu'elle recevait les nôtres : les lignes avaient été permutées. Là encore, j'eus de la chance, car j'étais en bons termes avec cette personne, qui avait une vague idée de la nature de nos activités. Il ne devait cependant pas lui être très agréable de recevoir à minuit des coups de téléphone émanant d'inconnus qui voulaient savoir si elle acceptait des cartes de crédit.

Nous appelâmes la Compagnie du téléphone pour signaler cette anomalie. Trois jours plus tard, les dépanneurs s'étant enfin manifestés, l'un d'eux remonta du sous-sol et nous demanda si nous n'avions pas essayé de régler la question nous-mêmes.

– Que voulez-vous dire? lui demandais-je.

– Quelqu'un est venu tripoter les fils, m'expliqua-t-il.

Je me contentai de le regarder d'un air étonné.

Nous avions toujours fait extrêmement attention à ce que nous disions au téléphone mais, après ces derniers incidents, nous nous lançâmes dans une campagne active de désinformation. « Comment était le dîner? demandaient les assistantes aux hôtesses qui appelaient. Sa femme était-elle là? Comment allaient ses enfants? » Les assistantes et certaines des hôtesses prenaient plaisir à improviser ce genre de dialogue mais, comme les nombreux appels auxquels il fallait répondre sans arrêt nous maintenaient sous pression, nous nous lassâmes rapidement de ce petit jeu et reprîmes nos vieilles habitudes.

Nos problèmes de téléphone cessèrent dès que nous emménageâmes, au mois de juillet, dans notre nouveau bureau. Nous étions cependant toujours en litige avec notre ancien propriétaire : une fois la machine judiciaire mise en marche, la procédure suit son petit bonhomme de chemin. Bien que nous ayons quitté l'ancien appartement, le bail n'avait pas été résilié, et j'espérais sous-louer les lieux à un ami qui s'était récemment installé à New York. Le 10 septembre 1984, je reçus une notification à comparaître, une fois de plus, devant le tribunal des baux.

Je remarquai vaguement, peu après mon arrivée au tribunal, la présence d'un homme de grande taille, vêtu d'un costume de lin blanc. Assis aux côtés du propriétaire et de l'avocat de celui-ci, il semblait me prêter une attention particulière. Pendant la procédure, alors que les avocats rédigeaient une convention aux termes de laquelle je laisserais l'appartement à un ami, il voulut que je reconnaisse dans ce document que je dirigeais un réseau de prostitution. Risa lui rétorqua que cette demande était insensée, et comme elle s'étonnait également qu'il puisse porter un tel intérêt à un aspect si spécial de la question, elle pria l'avocat du propriétaire d'avoir l'obligeance de lui présenter les membres de son groupe. L'avocat du propriétaire nous assura que tous ceux de son groupe, y compris l'homme au complet blanc, étaient des associés de son cabinet.

Les négociations se poursuivirent toute la journée. A la fin de l'après-midi, l'accord fut parachevé : j'avais gagné le droit de sous-louer, et notre affaire fut finalement appelée. Nous étions tous assis au banc des avocats tandis que les deux hommes de loi discutaient des termes de l'accord final avec le juge.

Pendant ce bavardage juridique ennuyeux mais inévitable, mon regard se mit à errer dans la salle d'audience, et je remarquai que l'inconnu à l'allure suspecte était maintenant assis tout au fond et continuait à m'observer. S'il faisait réellement partie de l'équipe des avocats, pourquoi n'était-il pas assis avec nous?

Je demandai à Risa de s'assurer de son identité et de la raison de sa présence.

– Votre Honneur, dit-elle, nous savons bien que cette audience est publique, mais nous aimerions savoir qui est ce monsieur.

Dès qu'il entendit formuler cette requête, l'homme mystérieux sortit précipitamment de la salle.

– Qui était cet homme? demanda le juge au propriétaire.

– Suis-je tenu de répondre? questionna à son tour le propriétaire.

– Oui, vous l'êtes, répliqua le juge.

– C'est mon meilleur ami, dit le propriétaire.

– Et comment s'appelle votre meilleur ami? demanda Risa.

– Suis-je tenu de répondre à cette question? dit le propriétaire.

Le juge alors s'énerva.

– J'ai le pouvoir de retenir contre vous le délit d'outrage à magistrat, lança-t-il à titre d'avertissement.

– C'est le sergent Elmo Smith, de la brigade mondaine de la Ville de New York, dit le propriétaire.

Clic!

Pour une raison dont je n'ai plus le souvenir, Risa me demanda de quitter la salle d'audience et de l'attendre dehors. Je repérai rapidement le sergent Smith dans une cabine téléphonique et me cachai derrière un kiosque à journaux jusqu'à ce qu'il eût fini une conversation dont je ne pus rien surprendre. Je décidai de le suivre en dehors du bâtiment pour voir ce qu'il manigançait. Pendant que je l'observai, il alla rejoindre un homme jeune à l'allure de clochard qui flânait au coin de la rue. Ils s'entretinrent pendant un moment, puis Smith traversa la rue et alla parler à un autre individu que je présumai être un policier en planque dans une fourgonnette. Cinq minutes après, ils s'éloignèrent ensemble.

Il était à présumer que le sergent Smith était venu ce jour-là au tribunal pour voir qui était réellement Sheila Devin et pour essayer d'en obtenir un aveu dans les formes. Lui et ses acolytes avaient probablement eu l'intention de me suivre à ma sortie du bâtiment. Mais son projet avait échoué, et il semblait y avoir renoncé, tout au moins pour l'instant.

Risa n'en était cependant pas aussi sûre. De retour dans son cabinet, elle me dit qu'Elmo Smith projetait peut-être de me suivre jusque chez moi pour découvrir le lieu de ma résidence ou celui de notre nouveau bureau. Je téléphonai alors à Jimmy Roe, mon voisin, et lui dis :

– Il s'agit d'une affaire urgente. Je t'expliquerai plus tard, mais, maintenant, il faut que tu me rendes tout de suite un grand service. Sois assez gentil pour prendre dans mon appartement des vêtements que tu m'apporteras afin que je puisse me changer et rentrer chez moi sans être reconnue.

Jimmy fut merveilleux. Il laissa immédiatement tomber tout ce qu'il avait à faire ce jour-là et me dit de le rencontrer à la bibliothèque d'art dramatique, au Lincoln Center, qui avait l'avantage de se trouver à proximité de notre immeuble. De plus, les issues de cet ensemble architectural étaient si nombreuses qu'il me serait facile d'échapper à une filature depuis le cabinet de Risa jusqu'au Lincoln Center.

Cinq minutes après mon arrivée, Jimmy apparut avec un grand sac. Je n'en croyais pas mes yeux : il y avait mis une toilette complète – ensemble rose et chaussures, chaussettes, et même un sac à main assortis. Il avait même pensé à apporter des bijoux et un chapeau ! Lorsque j'émergeai des toilettes des dames, j'avais l'air, avec ma queue de cheval et mes lèvres fortement accentuées d'un rouge vif, de sortir tout droit de la revue « I love Lucy ».

En revenant ensemble à la maison, nous n'aperçûmes nulle part ni Smith ni ses sous-fifres. Je dus admettre que j'étais un peu déçue : j'avais en effet pris beaucoup de peine pour faire une belle entrée, mais le théâtre était vide.

Le lendemain, Risa déposa une plainte officielle contre le sergent Smith, au motif qu'il avait passé toute une journée au tribunal civil, aux frais du contribuable, en se faisant passer pour un avocat. Si j'avais été suspectée de terrorisme, son initiative aurait peut-être été justifiée, mais si Smith n'avait fait qu'aider un propriétaire à se débarrasser d'une locataire afin d'augmenter le loyer de son appartement, son comportement était, dès lors, hautement répréhensible. L'avocat qui représentait le service de la police assura Risa qu'il examinerait cette affaire.

Risa procéda également à des vérifications auprès de ses relations et obtint quelques renseignements concernant Elmo Smith. Celui-ci avait commencé dans les années 60 comme flic chargé d'infiltrer des groupes gauchistes. En 1965, il avait infiltré un petit groupe d'extrémistes qui envisageaient de faire sauter plusieurs monuments publics – dont la statue de la Liberté. Selon un certain rapport, Smith avait été décoré pour sa conduite dans cette affaire mais, d'après d'autres sources, il aurait, par son excès de zèle, fait prononcer l'acquittement de certains accusés. De toute façon, il avait ensuite été muté à la brigade mondaine, surnommée avec mépris dans le milieu des policiers « la milice de la cuisse ».

Au début du mois d'octobre, nous étions confortablement installées dans notre nouveau bureau et entamions avec plaisir notre saison traditionnellement chargée. En prévision de l'ouverture prochaine de l'Assemblée générale des Nations Unies, j'avais engagé plusieurs nouvelles hôtesses et deux nouvelles assistantes.

L'arrivée de nouvelles hôtesses, notre installation dans le nouveau bureau, les soucis que me causait le sergent Smith ainsi que la nécessité de suivre une politique plus stricte à l'égard des nouveaux clients rendaient nécessaire la tenue d'une réunion générale.

La présence de chacune des filles à cette réunion étant obligatoire, je tins deux séances, l'une à seize heures, l'autre à dix-huit heures, afin qu'elles puissent toutes y assister. Je commençai par présenter au groupe chacune des nouvelles hôtesses, ainsi que Claire et Lorraine, les nouvelles assistantes. Ensuite, j'abordai rapidement chacun des points inscrits à mon ordre du jour en disant :

« Puisque l'été est fini, certaines d'entre vous auront besoin de manteaux neufs. N'oubliez pas que les ventes réclames à l'occasion de Columbus Day auront lieu ce week-end et que vous pourrez trouver un grand choix des plus beaux modèles chez Saks et chez Macy's.

« Je tiens également à vous rappeler que bientôt, comme chaque année, il y aura une pénurie de bas à New York. Certaines d'entre vous n'ignorent pas que cet article est tellement demandé pour Noël qu'il devient rapidement introuvable dans les magasins. Ceux-ci ne font l'inventaire qu'au mois de janvier et ne passent pas de nouvelles commandes avant février, c'est-à-dire au moment où tous les bas disparaissent à nouveau à cause de Valentine's Day. Donc, si vous ne vous en constituez pas rapidement une réserve, vous risquez de ne plus en trouver pendant un certain temps.

« D'autre part, certaines d'entre vous ont peut-être remarqué que nos réserves de champagne ont bien diminué. Aussi ai-je le plaisir de vous annoncer que je viens de commander quatre caisses de dom pérignon qui nous seront livrées dans la semaine. Voilà pour la bonne nouvelle. La mauvaise – spécialement pour toutes celles qui viennent d'entrer chez nous – est que j'ai commandé ce champagne pour nos clients, et non pour vous, mais que, avec un peu de chance, il vous arrivera tout de même d'en boire. Comme la plupart d'entre vous le savent, nous offrons toujours une bouteille de champagne aux bons clients pour leur anniversaire, ou aux fidèles habitués pour les remercier de nous avoir envoyé de nouvelles pratiques. »

Certains de nos clients s'étant plaints du maquillage trop appuyé de certaines de nos hôtesses, je donnai, pendant quelques minutes, quelques conseils sur l'utilisation des cosmétiques. Tous ces détails étaient habituellement passés en revue lors de la deuxième entrevue, mais les candidates étaient bombardées, à ce moment-là, d'une telle quantité de renseignements qu'il leur était impossible de les retenir tous. Aussi, je profitai de cette réunion pour conseiller aux filles d'utiliser un fond de teint de couleur discrète et un crayon de couleur pâle pour le contour des lèvres, en insistant sur le fait qu'il fallait utiliser une teinte neutre pour le maquillage des yeux : « Personne n'a l'air distingué avec les paupières ombrées de rose, ou même de bleu ou de vert. Si le bon Dieu avait voulu que vos paupières soient vertes, il vous les aurait faites de cette couleur. »

Après divers conseils et communications de cet ordre, je consacrai le reste de la réunion aux nouvelles dispositions que nous avions prises en matière de sécurité :

« Vous savez déjà pour la plupart comment vous devez vous comporter avec les services de sécurité des hôtels, mais j'aimerais revenir sur quelques points de détail pour être tout à fait sûre que nous nous comprenons bien. Première recommandation importante : vous ne devez surtout pas vous faire remarquer. Si, par exemple, vous avez de longs cheveux, il vaudra mieux les rassembler sous un chapeau. Vous aurez aussi intérêt à porter une paire de lunettes pour avoir l'air moins séduisante. Autre recommandation utile : mettez vos belles chaussures dans votre porte-documents et entrez dans l'hôtel chaussée d'une affreuse paire de souliers à talons plats ou de sandales de toile de style chinois. Vous pouvez me croire si je vous dis que personne ne va suivre une femme ainsi chaussée.

« Voici une autre bonne astuce : si vous entrez à l'hôtel entre, disons, vingt-deux heures trente et minuit, tenez ostensiblement à la main un programme de théâtre – veillez tout de même à prendre le programme d'une pièce à l'affiche. Mieux encore : tenez un porte-documents à la main – je le dis pour celles qui n'en ont pas encore – pour la bonne raison qu'il y a aujourd'hui beaucoup de femmes qui voyagent pour affaires. D'ailleurs, les hôtesses qui se déplacent avec un porte-documents à la main n'ont pratiquement jamais rencontré de difficultés.

« Si on soupçonne le but de votre visite, on vous suivra peut-être jusque dans l'ascenseur pour voir où vous allez. Si vous pensez qu'un homme vous suit lorsque vous entrez dans un ascenseur, attendez qu'il appuie le premier sur le bouton. S'il ne le fait pas, sortez de l'ascenseur. S'il sort également, allez tout de suite à la réception et dites : " Excusez-moi, mais j'ai un rendez-vous d'affaires, et je suis déjà un peu en retard. J'ai un peu peur de prendre l'ascenseur parce qu'il y a un inconnu qui ne cesse de me suivre. Pourriez-vous appeler un chasseur ou quelqu'un qui puisse m'accompagner? " Ce moyen est généralement radical, et s'il ne décourage pas l'importun, il vous faudra alors inventer autre chose.

« Si vous êtes arrêtée par le service de sécurité de l'hôtel, ne montez pas sur vos grands chevaux, car c'est là qu'il vous attend au tournant, mais ne prenez pas, non plus, un air coupable. Faites comme si vous étiez abasourdie et ne compreniez pas ce qui se passe. Si vous connaissez une langue étrangère, c'est le moment de vous en servir. N'oubliez pas, à ce moment-là, de laisser échapper en anglais quelques mots tels que “ diplomate ”, “ ambassade ” et “ Nations Unies ”. Ils évoquent des gens qui jouissent de l'immunité diplomatique, et si le personnel de l'hôtel croit que vous appartenez à cette catégorie, il ne vous importunera pas.

« Dans la plupart des cas, ce personnel menacera d'appeler la police si vous ne vous montrez pas coopérative. Dès que vous entendez le mot “ police ”, il faut dire alors : “ Quelle bonne idée! Oui, j'*insiste* pour que vous appeliez la police, car je veux lui dire que vous me gardez ici contre ma volonté ”, ce qui le fera sans doute changer d'avis.

« Je voudrais maintenant dire quelques mots du risque que vous courez de tomber dans un piège tendu par des policiers se faisant passer pour des clients. Comme vous le savez, tous les nouveaux clients peuvent être des inspecteurs en civil. Il est relativement facile pour eux d'obtenir un faux permis de conduire et une carte de crédit, mais il n'est guère probable qu'ils soient en possession d'un billet d'avion. C'est pourquoi vous devez demander à tout nouveau client de l'extérieur de vous montrer soit son billet d'avion, de chemin de fer ou d'autocar, soit un contrat de location de voiture. A moins qu'il ne soit manifestement un étranger, il doit aussi pouvoir vous montrer son permis de conduire. Si vous avez des doutes, demandez à voir également une carte de crédit à son nom. Cependant, s'il s'agit d'un client new-yorkais qui vous reçoit chez lui, vous ne devez pas vous faire de souci, car je tiens de bonne source que la police ne procède jamais à une arrestation dans un appartement privé pour des faits de prostitution.

« Comme vous le savez toutes, vous pouvez être arrêtée simplement pour avoir accepté d'avoir des relations sexuelles moyennant finance : c'est la loi. Vous ne devez donc jamais laisser entendre que vous allez accepter d'être payée. Si le client essaie de vous offrir de l'argent au début, ne dites pas “ Oh, vous me le donnerez plus tard ” : cela voudrait dire que vous finirez par l'accepter, ce qui est suffisant pour vous valoir des ennuis. Il faut dire plutôt : “ Oh non, cachez cela, je vous prie. ” Au cas où vos propos seraient enregistrés par un magnétophone, vous pouvez toujours dire que le client était en train de s'exhiber devant vous.

« Si vous avez toujours des soupçons même après avoir vu le billet d'avion du client, jetez un coup d'œil dans le placard pour voir s'il y a rangé des vêtements ou des bagages. Si, après cela, vous n'êtes toujours pas complètement rassurée, dites-lui que vous voulez vous moucher, et allez dans la salle de bains pour vérifier s'il y a déjà déposé des objets de toilette. Ouvrez l'œil et le bon pour détecter sacs en papier ou gobelets à café en plastique, car il est bien connu que les gens de la police amènent toujours leurs sandwiches et leur café quand ils font une planque. Ces emballages trahissent leur présence. Les hommes d'affaires qui séjournent dans les hôtels passent toujours leurs commandes au service d'étage. Les chaussettes sont un autre indice révélateur : celles des clients ne prêtant pas à suspicion sont, en général, beaucoup plus fines que celles des policiers.

« Je ne saurais trop souligner combien il est important de ne jamais révéler ces normes de sécurité à toute personne qui ne travaille pas pour nous. Cela vaut également tant pour les clients fidèles, qui voudraient savoir comment nous faisons pour éviter les ennuis, que pour les amies qui peuvent travailler pour d'autres agences. Vous savez combien les gens sont bavards... Dès que l'adversaire connaîtra notre plan de bataille, il pourra obtenir des faux billets, des fausses cartes de crédit ou tout ce dont il aura besoin pour nous confondre.

« Voilà pourquoi nous ne disons jamais à l'avance à un nouveau client que nous allons lui demander de montrer ses papiers d'identité, ses titres de transport ou d'autres documents. Bien au contraire : vous devez toujours lui donner l'impression que ces précautions sont prises sur *votre* initiative et qu'elles ne sont pas dictées par l'agence. Admettons que vous vous trouviez avec un policier : il supposera qu'il a eu la malchance de tomber sur une paranoïaque, mais qu'il pourra nous avoir la prochaine fois.

« Si un client n'a ni titre de transport ni contrat de location de voiture, il y a de *fortes* chances pour qu'il soit un imposteur. Si tel est le cas, ne pensez même pas à lui demander ses papiers d'identité, et prenez tout de suite la poudre d'escampette. Surtout, n'allez pas lui expliquer que la vue de tel ou tel document suffirait pour vous donner l'assurance qu'il n'est pas un flic, car il reviendrait alors le lendemain même avec la " preuve " correcte. N'oubliez pas que ces gens-là ne peuvent prendre des contre-mesures que s'ils connaissent les dispositions que nous avons adoptées.

« Vous savez que, tout récemment, nos lignes ont été mises sur table d'écoute. Vous devez donc faire extrêmement attention à ce que vous dites au téléphone. Il est évidemment inutile d'employer des mots de code si vous les utilisez de manière telle que leur signification n'en devient que plus compréhensible. Par exemple, l'une de vous a laissé le message suivant sur le répondeur : " Je ne peux pas travailler ce soir. J'ai la migraine et elle durera probablement jusqu'à jeudi. " Allons, voyons, ces types ne sont pas stupides! Ne dites jamais au téléphone ce que vous n'aimeriez pas que votre mère entende à votre procès. On peut, en effet, faire écouter des bandes enregistrées à un procès – peut-être le vôtre, peut-être le mien. Donc, vous m'avez bien comprise, de la prudence!

« Si la police vient dans le bureau – ce qui est, bien sûr, la pire des hypothèses –, faites tout votre possible, si vous vous y trouvez à ce moment-là, pour jeter les documents compromettants dans le broyeur. Les policiers essaieront vraisemblablement d'entrer par effraction : dans ce cas, les hôtesses doivent tout faire pour les empêcher d'identifier facilement les assistantes, à qui j'ai donné un nom d'emprunt à utiliser dans cette éventualité. Il faut, en effet, brouiller les pistes au cas où les policiers leur auraient déjà parlé au téléphone.

« Je déteste maintenant devoir passer à la question suivante, mais je dois envisager avec vous toutes les possibilités. Si, malheureusement, il *vous arrive* quoi que ce soit et si vous vous retrouvez en garde à vue, il ne vous est pas interdit alors de reconnaître ou d'admettre que vous connaissez l'une des autres filles pouvant se trouver dans la même situation que vous. Cependant, vous ne devez *en aucun cas* admettre que vous savez qui nous sommes, moi ou l'une quelconque des assistantes. Nous serions en effet inculpées de proxénétisme, ce qui, pénalement, est un délit, et nous risquerions d'aller en prison. La prostitution – et je suis sûre que vous le savez maintenant – est une infraction moins grave, surtout si vous êtes arrêtée pour la première fois. Il ne faut absolument pas que l'on remarque que vous nous connaissez. Faites comme si nous étions pour vous de parfaites étrangères. Il ne faut pas non plus éviter *ostensiblement* de nous regarder : vous vendriez la mèche aussi bien que si vous nous disiez " Ça va? ". Comportez-vous tout simplement comme vous le feriez avec des inconnues, c'est-à-dire en nous regardant avec une curiosité détachée mais sans exprimer la moindre marque d'intérêt.

« N'oubliez surtout pas le numéro de téléphone que je vous ai donné lorsque vous avez été engagée. Si vous êtes arrêtée, vous aurez le droit de donner un coup de téléphone, et vous devrez appeler ce numéro en disant que vous avez un message urgent pour Sheila Devin. Donnez à la standardiste votre nom d'emprunt, indiquez le lieu exact où vous vous trouvez ainsi que le nom du policier qui vous a arrêtée. Essayez ensuite de rester calme – aussi effrayante que puisse être cette expérience, vous ne devez pas oublier que j'interviendrai avec mes avocats pour vous faire libérer. »

L'une des nouvelles hôtesses présentes à cette réunion, que j'avais recrutée depuis une semaine seulement, se nommait Blake.

Avec ses dix-neuf printemps, sa silhouette élancée et son charme fascinant, elle était si belle que j'avais décidé tout de suite d'en faire une fille S. Il lui manquait seulement une garde-robe convenable. Voilà pourquoi je lui donnai rendez-vous à seize heures, le 11 octobre, au deuxième étage de chez Saks. Nous fîmes des achats vraiment extravagants. En deux heures seulement, je l'aidai à choisir un manteau de cachemire, un tailleur fort élégant, une robe de cocktail rose qui faisait sur elle un effet terrible, des chaussures et tous les accessoires appropriés. Je choisis ensuite, pour moi-même cette fois, une paire de boucles d'oreilles assorties à la toilette que j'envisageais de porter ce soir-là pour sortir avec Barry, que je ne connaissais pas, mais qu'une amie commune avait incité à me rencontrer.

Bien que Saks restât ouvert jusqu'à une heure tardive le jeudi soir, nous nous étions dépêchées pour faire ces emplettes. Blake voulait rentrer de bonne heure chez elle pour réviser ses cours, car elle devait passer un examen important le lendemain, tandis que j'avais à me préparer pour le dîner avec Barry.

Ce soir-là, un certain nombre de nouveaux clients téléphonèrent à l'agence. L'un d'eux descendu au Tudor, qui ne figurait pas sur notre liste d'hôtels agréés, s'entendit expliquer poliment par Ashley que l'agence n'avait personne de disponible. Elle dit également à un autre interlocuteur se trouvant au Penta, où le service de sécurité avait la réputation de rendre la vie difficile aux « travailleuses », qu'elle était navrée, mais qu'elle ne pouvait lui envoyer aucune de nos hôtesses.

Un peu plus tard, un autre nouveau client appela du Parker Meridien. Ashley lui suggéra de rencontrer Denise ou Kelly.

– Est-ce que vous n'avez personne d'autre? demanda-t-il.

Suzie, qui était de service ce soir-là, ne traitait pas, d'habitude, les nouveaux clients, mais avait confié à Ashley qu'elle avait un besoin pressant d'argent. Ashley fit donc la description de Suzie à son interlocuteur, en lui expliquant que c'était une fille S, que son tarif était plus onéreux que celui des autres et qu'elle travaillait pour un minimum de deux heures. « D'accord », répondit le client. Il fut donc convenu que l'hôtesse se trouverait dans l'appartement de son hôtel à dix-neuf heures. Ashley appela ensuite Suzie pour l'informer de cette réservation et lui rappeler en détail les nouvelles précautions de sécurité à prendre. Elle tint particulièrement à lui rappeler qu'il fallait demander au client de montrer son billet d'avion.

Dès que Suzie arriva au Parker Meridien, elle se rendit à la chambre 3418, qui était en fait un appartement luxueux de deux pièces, et se présenta au client, un homme musclé, grand, brun, et portant moustache. Elle lui demanda ensuite de lui montrer son billet d'avion.

– Mon billet d'avion? dit-il. Je ne l'ai pas ici avec moi. Je l'ai laissé dans le coffre de l'hôtel avec d'autres papiers importants.

Imprudemment, Suzie n'insista pas. Le client commanda ensuite du champagne au service d'étage. Suzie me raconta plus tard qu'elle avait alors eu le vif sentiment que quelque chose ne tournait pas rond, ce qui l'incita, lorsqu'elle passa dans la salle de bains pour un brin de toilette, à cacher son permis de conduire dans la corbeille à papiers. Elle n'aurait pas dû évidemment avoir sur elle une pièce d'identité, mais Suzie n'avait jamais trop bien suivi les règles de prudence.

Pendant qu'ils bavardaient et buvaient du champagne, Suzie demanda à plusieurs reprises à son hôte s'il était policier. Elle n'avait jamais eu à poser cette question à un client auparavant, mais elle croyait à tort que, si un policier dissimulait sa véritable qualité, il ne serait alors plus habilité à l'arrêter. Suzie était malheureusement absente de New York lorsque le sujet avait été débattu en réunion quelques mois auparavant.

Au bout d'une heure environ, le client de Suzie lui demanda si elle n'aimerait pas se mettre plus à l'aise. Elle lui dit qu'elle le ferait avec plaisir, mais se rendit tout d'abord à la porte pour mettre la chaîne – ce qu'elle n'avait jamais fait auparavant. Pendant qu'elle se déshabillait dans la chambre, son hôte se leva en disant qu'il avait oublié quelque chose dans la salle de séjour.

Horrifiée, Suzie le vit se diriger vers la porte et retirer la chaîne.

– Que faites-vous? cria-t-elle.

Sans répondre, il ouvrit la porte et fit entrer deux hommes qui attendaient dans le couloir.

– Nous sommes des policiers, dit-il d'un ton sec. Vous êtes en état d'arrestation. Nous allons vous attendre ici pendant que vous vous rhabillez.

Pendant ce temps, au bureau, Ashley et Claire s'affairaient à répondre aux téléphones. La nuit se présentait aussi bien que la soirée précédente, qui avait battu tous les records imaginables : un client avait dépensé à lui seul trois mille dollars pour un rendez-vous avec trois filles! Il y avait eu également trois appels pour des dîners à cinq cents dollars chacun et de nombreux appels pour des rendez-vous de plusieurs heures.

A vingt heures trente, Kate, qui avait fait, en passant, une petite visite au bureau, partit pour un rendez-vous à Halloran House. Quelques minutes plus tard, Sonya entra, changea de vêtements pour se mettre en jeans, et se rendit dans la pièce de derrière pour régler ses comptes avec les assistantes.

Elle était d'humeur joyeuse : elle revenait d'un rendez-vous d'une heure qui, fixé à la fin de l'après-midi, s'était prolongé deux heures de plus à la demande du client. Elle avait passé avec celui-ci un moment extraordinaire – si agréable, en fait, qu'elle avait oublié d'appeler le bureau après la première heure et qu'Ashley avait dû téléphoner au client pour savoir s'il voulait que Sonya restât plus longtemps auprès de lui. Ce coup de fil les avait surpris tous deux dans la baignoire, où ils s'étaient longuement prélassés, et le client décida aussitôt de garder Sonya deux heures de plus. A la fin de sa visite, il lui demanda même de venir s'installer chez lui, car il avait une prédilection pour les Européennes. Lorsque Sonya téléphona au bureau à l'issue de cette visite de trois heures pour dire qu'elle partait, Ashley lui demanda d'acheter, sur son chemin de retour, un paquet de pommes chips.

Vers vingt et une heures, les téléphones se calmèrent. Ashley, Sonya et Claire profitaient de cette accalmie pour regarder en grignotant leurs chips, une émission spéciale de la PBS [1] consacrée aux œuvres de Claude Monet quand, soudain, on frappa à grands coups à la porte. Claire alla regarder par l'œilleton et, voyant un homme qui se tenait là, dans le couloir, en informa Ashley.

– Qui est-ce? demanda Ashley.

– Police. Ouvrez, nous avons un mandat de perquisition.

Ashley se précipita immédiatement dans la pièce de derrière, et commença à cacher les dossiers. Pendant que Claire alimentait fiévreusement le broyeur, Ashley et Sonya s'efforçaient de pousser les bureaux contre le mur pour masquer nos cachettes. (Les bureaux avaient été tirés par l'homme qui avait travaillé sur nos répondeurs, et personne n'avait songé à les remettre en place.) Ils étaient cependant trop lourds, et les trois filles revinrent vite dans la salle de séjour.

Comme il était évident que personne n'allait ouvrir la porte, les policiers se mirent à l'enfoncer et une douzaine d'entre eux se ruèrent dans la pièce, précédés du sergent Elmo Smith qui, revolver au poing, dirigeait la meute.

Les gens de la police prirent des photos du bureau et le fouillèrent de fond en comble. L'un d'eux demanda aux filles de décliner leur identité. Sonya, qui se tenait juste devant lui, ne sut que répondre. Devait-elle donner son nom d'emprunt, son vrai nom, ou bien devait-elle ne rien dire?

Ashley vint à son secours en lui lançant :

– Allez, Sonya, dis-lui qui tu es.

La pauvre Sonya était si effrayée qu'elle ne savait même plus comment épeler son nom de famille.

1. *Public Broadcasting System*, chaîne de télévision publique de New York qui diffuse des émissions de qualité sans interruption de messages publicitaires. (*N.d.T.*)

Pendant leur perquisition, les policiers mirent la main sur un album de photos prises par les filles lors d'une de nos randonnées à la campagne qu'accompagnaient des légendes amusantes écrites de la main de Jaime.

Un des policiers tomba sur une photo d'Ashley, dont le nom était écrit en dessous. Il regarda Ashley puis, de nouveau, la photo.

– C'est donc vous, Ashley? lui dit-il.

Ashley me raconta plus tard qu'elle mourait d'envie de lui répondre : « Et merde, non, Sherlock Holmes. » Mais elle se contint sagement et ne dit rien.

Il fallut une heure aux policiers pour découvrir tout ce qu'ils cherchaient. Ils passèrent ensuite les menottes aux trois filles et les emmenèrent. Ils emportèrent en même temps nos quatre caisses de dom pérignon, ainsi que notre broyeur, notre machine à écrire, nos téléphones et autre matériel de bureau. Parmi les articles qu'ils confisquèrent – tels qu'ils étaient énumérés au procès-verbal – figuraient trois répondeurs, cinq classeurs en plastique, une calculatrice Casio, quatre clefs, deux timbres humides, six blocs-notes blancs, une boîte d'étiquettes pour chemises, quarante-cinq enveloppes blanches et un crayon feutre Magic. Ils laissèrent dans les lieux deux téléviseurs, deux ventilateurs, divers appareils électriques, et toute ma garde-robe d'hiver que j'avais rangée dans un placard parce que mon appartement était trop petit. Vingt-quatre heures après, tous ces objets avaient disparu. (J'adressai plus tard une réclamation à la Ville, car cette perte était imputable à la négligence de la police qui, en pareil cas, est censée apposer des scellés sur les lieux ou laisser un de ses agents en faction.)

Pendant que les policiers étaient en train de perquisitionner, Tess faillit entrer au bureau pour nous remettre une fiche de carte de crédit. Mais elle remarqua que la porte était ouverte et qu'un certain nombre d'hommes allaient et venaient à l'intérieur. L'un d'eux se retourna et lui dit :

– Qui êtes-vous?

– Moi? fit Tess. Je loge en bas. J'ai entendu tout ce remue-ménage qui venait d'ici. Que se passe-t-il?

– Cela ne vous regarde pas, répondit-il.

Terrifiée, Tess s'engouffra dans l'escalier et descendit au sous-sol où, en larmes, elle s'effondra par terre. Un moment plus tard, un des policiers l'y découvrit.

– Qu'est-ce qui ne va pas, madame? lui demanda-t-il.

– Vous n'allez pas le croire, dit Tess, en se ressaisissant rapidement et en fouillant dans son porte-monnaie. Je n'ai pas mes clefs. Pouvez-vous me donner vingt-cinq cents pour que je puisse appeler ma colocataire qui est chez son petit ami?

Il lui donna vingt-cinq cents et la suivit quand elle remonta l'escalier. Tess sortit et, rapidement, héla un taxi.
– En route, dit-elle.
– Où, madame?
– N'importe où!

Ashley, Sonya et Claire furent emmenées dans un commissariat de Harlem où on prit leurs empreintes digitales et où on les boucla. Périodiquement, un policier criait : « Sheila! » pour voir si personne ne répondait à l'appel de ce nom. Une heure plus tard environ, Suzie, les yeux encore pleins de larmes, fut amenée à son tour. Se souvenant de mes consignes de sécurité, elle se présenta aux autres filles et leur dit qu'elle avait été arrêtée pour effraction.

A la vue de Suzie, Ashley s'emporta. Comment, l'une de nos filles S, les plus cher payées, avait osé s'habiller d'une minijupe en jean et d'un sweat-shirt pour rendre visite à un nouveau client! Bien sûr, Ashley devait faire semblant de ne pas la connaître, mais plus tard, profitant d'un moment où aucun policier n'était dans les parages, elle ne put s'empêcher de lui lancer :

– Nous pouvons dire adieu à l'agence mais, pour la dernière fois, je te le dis officiellement : comment *oses-tu* sortir dans cette tenue?

A un certain moment, le sergent Smith posa à Ashley quelques questions sur l'importance de notre agence et l'ampleur de ses activités, mais elle ne lui révéla rien. Ensuite, Elmo Smith s'éloigna, et un inspecteur du nom de Milanesi entra pour poursuivre l'interrogatoire.

– Ne dites rien à cet homme, fit-il en parlant de Smith. C'est un sale type, mais vous pouvez avoir confiance en moi.

– Vous n'êtes pas le genre de type dans lequel je pourrais avoir confiance, répondit Ashley. Non mais, vous croyez vraiment que vous allez m'avoir avec votre boniment usé sur le bon flic et le mauvais flic?

Elle avertit Milanesi qu'elle ne dirait rien en dehors de la présence de son avocat. Il insista cependant. N'y avait-il pas des membres du Congrès parmi nos clients? N'avions-nous pas un compte en banque secret? Ne traitions-nous pas avec des célébrités?

Ashley ne dit pas un mot, mais ne put en croire ses oreilles quand l'inspecteur téléphona aux journaux pour leur annoncer qu'un important réseau de prostitution venait d'être démantelé.

Chacune des filles fut enfin autorisée à faire un appel téléphonique. Ashley appela Jaime pour lui faire part de la mauvaise nouvelle, tandis que Suzie et Claire communiquaient avec des amies. Sonya tint à téléphoner au consulat d'Allemagne, ce qui me parut être la plus stupide des initiatives dans ces circonstances, mais elle ne connaissait pas le numéro et resta stupéfaite quand un policier lui dit que, si elle appelait les renseignements, cela lui serait compté comme la communication à laquelle elle avait droit.

Finalement, on apporta un annuaire où manquaient toutes les pages où figuraient les consulats.

– Ne vous en faites pas, dit un policier. Plus tard, je téléphonerai pour vous à votre consulat.

Il n'en fit rien évidemment, ce qui était tout aussi bien.

Du commissariat de Harlem, les filles furent emmenées dans deux voitures au dépôt. Trois autres voitures de police les escortaient. Ashley, qui était dans la première avec l'inspecteur Milanesi, vit que, devant eux, un conducteur en état d'ivresse faisait zigzaguer dangereusement sa voiture d'un côté de la rue à l'autre. Mais, pour les policiers, ces quatre filles représentaient sans doute un plus grand danger pour la société que ce conducteur qui, pourtant, n'était manifestement plus en possession de ses moyens, car ils s'en soucièrent comme d'une guigne.

Le coup de téléphone de Milanesi avait apparemment produit son effet : à leur arrivée au dépôt, les filles furent accueillies par une bande de photographes. On les boucla à nouveau avec des filles qui faisaient le trottoir, vêtues de façon vulgaire et provocante.

– Ne moucharde personne, dit l'une d'elles à Ashley. C'est la première fois qu'on t'arrête, et tu t'en tireras facile.

« Je pleurais toutes les larmes de mon corps, me raconta plus tard Sonya, dans un anglais qu'elle massacrait magnifiquement. Je pleurais comme une fontaine. J'ai observé ces filles des rues, et je ne pouvais en croire mes yeux. Pensez donc, elles avaient caché leurs cigarettes et leur briquet dans les endroits les plus inattendus de leur corps. L'une d'elles y avait même mis un bonbon! De ma vie, je n'ai vu chose pareille! »

Pendant tout ce temps, je savourais en toute innocence mon dîner avec Barry. Quand le portier de mon immeuble me dit que les gens de la police me recherchaient, je me précipitai dans mon appartement pour appeler le bureau. N'obtenant naturellement aucune réponse, je téléphonai à Risa. Celle-ci avait déjà été mise au courant de la perquisition par Denise, qui avait reçu un coup de téléphone affolé de Tess.

– Peter Fabricant s'occupe déjà de l'affaire, m'assura-t-elle en parlant de l'avocat qui avait déjà représenté les filles à la suite des arrestations de mars, mais les formalités au dépôt prendront la plus grande partie de la nuit.

Pour en savoir davantage, j'écoutai les messages enregistrés sur mon répondeur. C'est ainsi que j'appris que Melody avait essayé, sans succès, de joindre le bureau, que Joanna devait rencontrer un client à vingt et une heures, mais que personne ne l'avait appelée pour confirmer, et que l'agence ne répondait pas, et, enfin, qu'un homme avait décroché le téléphone quand Kate avait appelé « Cachet ».

Craignant que la police ne revienne pour m'arrêter, je laissai mon appartement dans l'obscurité. Risa m'avait conseillé de me rendre en lieu sûr jusqu'à ce que nous puissions nous rencontrer dans la matinée et qu'elle ait pu savoir si un mandat d'arrêt avait été lancé contre moi, mais la police n'ayant pas enfoncé ma porte quand elle était venue, je décidai de prendre le risque de rester chez moi. Je savais que ma ligne téléphonique pouvait être mise sur table d'écoute, mais je passai néanmoins la plupart de la nuit au téléphone pour essayer de rassurer toutes les hôtesses que je pouvais atteindre. Je me couchai finalement à cinq heures du matin, en proie à un indicible sentiment de culpabilité du fait que je pouvais, moi, m'endormir dans un bon lit tiède alors que certaines de mes filles passaient la nuit en prison.

Le lendemain, lorsque nous sûmes enfin où se trouvaient les hôtesses, je fus atterrée d'apprendre que Suzie les avait rejointes. La seule à savoir que Suzie était allée à un rendez-vous était Ashley, et celle-ci était derrière les barreaux.

Le vendredi soir, le montant de la caution fut fixé à cinq mille dollars pour chacune des trois filles du bureau. Je fus épouvantée par l'importance de cette somme : tout ce dont je disposais était loin d'approcher les quinze mille dollars requis. Je ne voyais pas comment me les procurer et je savais que, tant que je n'aurais pas rassemblé les fonds, les filles resteraient détenues à Riker's Island [1] – la prison bien connue de la ville de New York.

Il me fallait parler avec quelqu'un qui puisse m'aider à faire le point de la situation. Je téléphonai donc à mon fidèle ami David, et lui dévoilai rapidement le grand secret que je gardais depuis cinq ans. Sa réaction répondit à tous mes espoirs.

– Nous ne pouvons pas laisser ces filles en prison, dit-il. Je vais te prêter l'argent.

Du tribunal, les trois filles du bureau avaient été envoyées à Riker's Island. Le cas de Suzie fut traité séparément et, à deux heures trente le samedi matin, les avocats m'appelèrent chez David pour me dire que le montant de la caution avait été fixé à

1. Petite île au large de la pointe de Manhattan où se trouve un important centre de détention. (*N.d.T.*)

mille dollars et que si nous avions les fonds, nous pourrions venir la chercher. Un mandat d'arrêt avait sans doute été lancé contre moi, mais j'étais décidée à accompagner David.

A notre arrivée, nous apprîmes que Mel, l'un de nos clients, était déjà là pour faire libérer Suzie sous caution. Il avait lu dans les journaux qu'une agence d'hôtesses avait été perquisitionnée et que l'une des filles arrêtées répondait au nom de Suzie.

– Je savais bien qu'il s'agissait de *ma* Suzie! s'exclama-t-il en me voyant.

Il n'avait pourtant vu Suzie que trois ou quatre fois – et pas une seule fois depuis un an –, mais elle était devenue pour lui une véritable obsession, comme pour plusieurs de nos clients d'ailleurs.

Présumant que le montant de la caution n'excéderait pas cinq cents dollars, il avait sauté dans un taxi, et était venu pour attendre Suzie – sans même savoir que c'était *vraiment* elle – depuis seize heures trente de l'après-midi. Quand il apprit que la caution s'élevait à mille dollars, il fut complètement démoralisé, mais quand nous arrivâmes et qu'il sut que David pourrait verser le complément, il fut soulagé de savoir que sa Suzie bien-aimée pourrait être libérée.

Finalement, ce fut au tour de Suzie de comparaître devant le juge. Les souteneurs présents dans la salle d'audience ne se continrent plus en voyant un corps aussi extraordinaire.

Le juge, plongé dans la lecture d'un procès-verbal, jeta à peine un coup d'œil sur Suzie avant de lui faire observer :

– Je lis dans le procès-verbal que vous preniez deux cent cinquante dollars de l'heure.

Sur quoi l'un des souteneurs cria du fond de la salle :

– Elle aurait dû prendre plus!

Il fallut plus d'une heure au commis du greffe pour compter l'argent du cautionnement. Il le compta une fois, se leva, alla faire un petit tour, et le compta une deuxième fois. Tout le monde sait que la justice pénale fonctionne à un rythme désespérément lent, mais cette situation était particulièrement horripilante.

Mel avait espéré raccompagner Suzie, mais comme elle n'y tenait pas du tout, David lui proposa de venir chez lui, et nous nous retrouvâmes tous les trois dans son appartement. A peine arrivé, David alla se coucher, mais Suzie et moi ne pensions pas à dormir : elle me raconta alors ses péripéties de la nuit précédente sans m'épargner aucun de leurs pénibles détails. Elle savait qu'elle avait été arrêtée par sa faute et que j'étais furieuse contre elle, mais ce n'était pas le moment de lui faire la leçon.

Quelques heures plus tard, David se rendit au tribunal pour accomplir les formalités de cautionnement concernant les trois filles qui étaient toujours en prison. A son retour, il loua une voiture pour aller à Riker's Island faire libérer les filles et les ramener chez elles. Nous décidâmes que Suzie l'accompagnerait afin que les filles, qui n'avaient jamais vu David auparavant, sachent qu'elles pouvaient lui faire confiance.

A Riker's Island, les visiteurs doivent laisser leur véhicule en stationnement sur une aire aménagée à cet effet à une distance d'environ mille cinq cents mètres de la prison et prendre un autobus pour arriver à destination. Lorsque David et Suzie se présentèrent à l'entrée principale, on leur dit que seul David serait autorisé à entrer pour récupérer les filles, et que Suzie devrait attendre à la réception.

David, qui avait déjà mis un certain temps à trouver le bâtiment approprié, dut patienter encore une heure et demie. Enfin, trois filles tremblantes de peur débouchèrent d'un escalier dans la salle d'attente et vinrent s'asseoir sur des chaises alignées derrière lui. David n'avait aucun moyen de savoir s'il s'agissait bien des filles qu'il devait faire sortir sous caution, mais une chose était certaine : elles étaient mortes de peur. Juste avant leur arrivée, l'une des gardiennes lui dit qu'elles étaient si terrifiées qu'elles ne savaient même plus si elles voulaient ou non quitter leur cellule.

Pendant trois longues minutes, il resta sur sa chaise sans dire un mot. Les filles gardaient également le silence. Enfin, il les regarda et leur dit :

– Je suis David.

Elles le dévisagèrent avec circonspection, ce nom ne leur disant absolument rien.

Sonya demanda alors :

– C'est vous qui nous faites sortir sous caution?

– Oui.

– Ah bon. Mais *qui* êtes-vous?

– Je suis un ami de Sheila.

– Vraiment? Un *ami*? Nous sommes si heureuses que vous soyez là. Nous avions peur que vous soyez un journaliste.

Les filles étaient folles de joie, et se mirent toutes à parler en même temps et à poser des questions : Ont-ils arrêté Sheila aussi? Qu'est-il arrivé à Suzie? Est-ce que leurs photos étaient dans les journaux?

Pour revenir au bâtiment principal, David et les filles montèrent dans l'autobus, déjà occupé par une vingtaine de condamnés escortés de gardiens. Certains de ces types n'avaient pas vu une femme depuis fort longtemps.

– J'ai toujours entendu des femmes parler des hommes qui les déshabillent du regard, me dit-il plus tard, mais c'est à ce moment-là que, pour la première fois, je compris vraiment ce qu'elles voulaient dire.

Dès qu'ils furent arrivés au bâtiment principal, David se mit en quête de Suzie qui achetait des bonbons à un appareil distributeur.

– Désolé de vous avoir fait attendre si longtemps, dit-il, mais j'ai là une surprise pour vous.

Suzie se retourna, et les quatre filles, en larmes, se jetèrent dans les bras les unes des autres. Leur épreuve était loin d'être terminée, mais elles étaient au moins sorties de prison et pouvaient, leur liberté retrouvée, rentrer chez elles.

David ramena tout le monde en ville. Claire était particulièrement pressée : son petit ami – qui connaissait son secret – était garçon d'honneur au mariage de son frère, et la cérémonie devait commencer dans moins d'une heure. Il avait attendu aussi longtemps qu'il avait pu, mais avait dû finalement partir sans elle pour Long Island, ne sachant pas quand elle serait libérée et comment il pourrait expliquer son absence.

Claire était bien résolue à ne pas lui faire faux bond. Si elle se dépêchait, elle pourrait encore arriver à temps pour la réception.

13

Le vendredi matin, un jour après la descente de police, Risa avait appris qu'un mandat d'arrêt avait été lancé contre moi. Comme je m'y attendais, le motif retenu était celui de proxénétisme, délit grave dans l'échelle des infractions. Nullement surprise, j'étais cependant irritée de voir que les autorités faisaient une telle histoire de toute cette affaire. D'accord, je m'étais peut-être aventurée dans l'illégalité, mais je n'avais certainement pas commis d'actes *nuisibles*.

Risa fit le nécessaire pour que je me présente directement au parquet sans passer par la police, car elle n'aurait voulu, pour rien au monde, que le sergent Smith et son équipe procèdent eux-mêmes à mon arrestation. Smith avait déjà montré le rôle important qu'il jouait dans cette affaire en se moquant éperdument de la consigne qui avait été donnée à son service de ne pas perdre son temps avec les agences d'hôtesses. Nous avions le sentiment qu'il cherchait à faire la une des journaux et se délectait de l'occasion qu'il aurait de m'humilier en me passant les menottes.

En revanche, si je me présentais spontanément au parquet, mes avocats tiendraient la procédure mieux en main et pourraient la faire accélérer. Afin de me donner suffisamment de temps en vue de prendre mes dispositions pour ma caution, il fut prévu que je me présenterais mardi matin.

Le fait que Risa avait été procureur de l'État avant d'ouvrir son cabinet d'avocats et que son mari avait travaillé autrefois dans la police ne pouvait que faciliter les choses. Je présumai donc que, grâce à ces relations professionnelles, Risa savait de quoi il retournait et était en mesure de faire avancer la procédure avec le maximum d'efficacité.

La police avait cependant montré l'intérêt qu'elle portait à l'affaire dont elle signalait le moindre rebondissement à la presse, et je pouvais donc m'attendre à ce que ma présentation au parquet ne passât pas inaperçue. Quand la date en fut fixée, je fis une liste de toutes les personnes que je tenais à prévenir avant qu'elles ne soient informées par la presse de la situation dans laquelle je me trouvais.

Ce ne fut pas une partie de plaisir que de mener ces conversations téléphoniques.

– Écoutez, dis-je à chacun de mes amis, je dois vous faire une révélation, et je préfère vous en donner la primeur plutôt que de vous laisser en découvrir la nature à la lecture des journaux. Ce n'est pas vrai que j'exploite une affaire d'accessoires de mode depuis cinq ans. C'est une histoire que j'ai inventée pour camoufler la vraie nature de mon affaire, qui est une agence d'hôtesses. La police a arrêté certaines de mes filles, et je dois me présenter au bureau du procureur mardi. Voilà, je tenais à vous le dire moi-même.

Tous ceux à qui j'ai téléphoné se montrèrent remarquablement compréhensifs. Deux ou trois de mes amis de Westhampton me dirent qu'ils savaient déjà à quoi s'en tenir quant à ma vie secrète mais que, puisque je n'y faisais jamais allusion, ils avaient estimé qu'il valait mieux ne pas en parler. Je fus abasourdie d'apprendre qu'ils savaient, mais tout cela semblait soudain ne plus avoir d'importance.

J'appelai mon frère, Andrew, pour lui dire que je devais lui parler au sujet d'une grave affaire de famille. Il vint chez moi, et je lui révélai tout. Il était déjà, lui aussi, au courant – par mon père, qui lui avait touché deux mots de mes activités deux ans auparavant. Il ne me posa qu'une seule question :

– Est-ce qu'ils connaissent ta véritable identité?

Andrew était convaincu que la presse s'en donnerait à cœur joie si elle apprenait quels étaient mes antécédents familiaux, et je fis de mon mieux pour l'assurer que c'était peu probable.

– Pour autant que je sache, lui dis-je, ils ne connaissent pas du tout mon vrai nom. En fait, je compte apparaître dans toute la procédure sous le nom de Sheila Devin.

Je voulais téléphoner à ma mère, mais ne pouvais m'y résoudre. Le matin du jour où je devais me présenter au parquet, j'appelai Andrew juste avant de quitter mon appartement et lui expliquai :

– Je sais que ce n'est pas raisonnable de te faire cette demande, mais je n'ai pas le courage d'appeler maman et de tout lui raconter, et je ne veux pas qu'elle l'apprenne en lisant les journaux. Pourrais-tu le faire pour moi?

Cette perspective ne l'enchantait évidemment pas, mais il accepta de m'aider.

La seule question en suspens était celle de la caution, et ce n'était pas une mince affaire. Risa me dit que le parquet parlait d'une somme à hauteur de cinquante mille dollars. Je fus épouvantée. Je ne savais pas comment je pourrais me procurer pareille somme, et la perspective de languir sur la paille humide du cachot jusqu'à ce que je sois à même de la réunir était trop horrible pour que je puisse même l'envisager.

Il n'était pas question de faire appel à un organisme de caution, car je n'avais rien à fournir en garantie : ni maison, ni voiture, ni placement financier. Ma seule solution était d'essayer d'emprunter cet argent à un ami.

Je ne voyais qu'un seul ami qui puisse me prêter cette somme : Wes, un financier. Je l'avais rencontré, ainsi que sa femme, plusieurs années auparavant, au mariage d'une de mes hôtesses qui avait laissé échapper dans la conversation que j'étais une Madame. La plupart des gens n'ont pas habituellement l'occasion de rencontrer des Madames, et Wes fut fasciné par ma profession. Il se trouva que lui et sa femme, Ellen, avaient avec moi beaucoup de choses en commun, et que nous sommes devenus tous trois de bons amis. Wes et Ellen nous invitèrent même une fois, mon ami et moi, pour un week-end dans leur résidence de Hilton Head, en Caroline du Sud, où ils nous firent venir dans leur jet privé.

J'hésitai fort, cependant, à appeler Wes, car c'était beaucoup demander – même à lui. Si Wes et Ellen refusaient de m'aider, je ne savais pas alors ce que je ferais. Je pris finalement mon courage à deux mains pour composer son numéro et lui demander son aide. Il lui fallait en parler avec Ellen, et il me promit de me rappeler aussitôt après. Quelques instants plus tard, le téléphone sonna : c'étaient eux au bout du fil.

– Bien sûr que nous allons vous prêter l'argent, me dit Ellen. Il n'est pas question que vous alliez en prison.

Je poussai un soupir de soulagement!

La veille du jour où je devais me présenter au bureau du procureur, nous apprîmes que la caution serait de sept mille cinq cents dollars *seulement*. Dans ce cas, j'avais suffisamment d'argent – juste assez – pour payer mon propre cautionnement, mais le bureau de l'organisme de caution qui s'était occupé des hôtesses m'avertit que ce serait dangereux et qu'il valait mieux mettre à exécution mon projet d'emprunt. Si je payais mon cautionnement de mes propres deniers, je laissais au procureur la latitude d'affirmer que l'argent provenait de profits illicites, auquel cas il serait confisqué.

Le soir précédant mon rendez-vous chez le procureur, je me rendis chez Wes pour emprunter les sept mille cinq cents dollars. Ellen n'était pas à New York, et Wes était très grippé. Nous étions assis dans la cuisine, sous un éclairage cru, ce pauvre Wes transpirant à grosses gouttes et mourant d'envie d'aller se coucher. Entre les coups de téléphone que nous devions donner, je le soutenais à coups de tasse de thé.

J'appelai tout d'abord Risa pour lui dire que j'avais maintenant l'argent.

– Excellent, me dit-elle. Il faut que je sache comment atteindre Wes dans la journée de demain. Il se peut qu'il ait à venir au tribunal pour verser lui-même le cautionnement lorsque votre affaire sera appelée.

Je tendis le téléphone à Wes.

– Un instant, dit-il à Risa. Je veux bien prêter l'argent à Sydney, mais il ne m'est pas possible d'être publiquement mêlé à cette affaire.

Le temps pressait et il me fallait trouver quelqu'un prêt à courir le risque de voir son nom jeté sur la place publique. Risa me dit qu'il vaudrait mieux que ce soit celui d'une femme car, si la caution était versée par un homme, la presse pourrait en déduire que c'était un client de l'agence.

Je téléphonai à l'une de mes amies. Elle accepta tout d'abord, mais revint ensuite sur sa décision, car son compagnon devait entrer dans un cabinet d'avocats prestigieux et elle craignait que sa carrière fût compromise si on faisait le rapprochement entre lui et une Madame. Je fus déçue, bien sûr, mais ce n'était pas le moment de discuter avec elle.

Il était près de minuit, et nous commencions à désespérer.

– J'ai une idée, dit Wes. Je connais une avocate qui me doit une faveur. Je lui ai envoyé un certain nombre de clients, et c'est le genre de personne qui pourrait accepter.

Il composa son numéro.

– Marshall? Ici Wes. Je dois vous demander de me rendre un grand service.

Marshall? La seule Marshall que je connaissais était « Joanna », l'une de mes hôtesses qui, le jour, exerçait sa profession d'avocate. Ce prénom féminin était si inhabituel que ce ne pouvait qu'être la même personne.

Pendant que Wes lui narrait l'histoire de Sheila Devin, je me rongeais les sangs. Pauvre Joanna! Comment diable allait-elle s'en sortir? A en juger par ce qu'il lui racontait, je sentais qu'elle résistait à ses arguments.

– Tenez, me dit Wes, en me tendant le téléphone. Elle refuse, mais elle veut vous expliquer pourquoi.

Je pris la ligne.

– Soupçonne-t-il que j'ai travaillé pour vous? demanda-t-elle d'une voix haletante. Lui en avez-vous parlé?

– Pas du tout, dis-je. Mais non, bien sûr, je comprends très bien, ajoutai-je à l'intention de Wes. Je me rends compte que c'est beaucoup demander à une personne que l'on n'a jamais rencontrée. Je me mets tout à fait à votre place.

J'éprouvais un véritable sentiment de culpabilité! Wes avait été prêt à verser cinquante mille dollars pour m'éviter la prison, et j'étais en train de lui jouer cyniquement cette petite comédie. Il me fallait pourtant protéger Joanna.

Il était déjà une heure du matin. Vers qui me tourner? Je ne pouvais même pas envisager de m'adresser à David, qui avait déjà tant fait pour moi. Il avait un job en vue et ne pourrait jamais prendre pareil risque.

Je décidai finalement de tenter ma chance auprès de Jimmy Roe, mon voisin, celui qui m'avait apporté des vêtements pour me permettre de me changer au Lincoln Center. Il menait lui-même sa propre affaire, ce qui lui donnait une liberté dont ne jouissaient pas mes autres amis. Ses inclinations personnelles enlevaient toute vraisemblance à l'hypothèse qu'il puisse être un client de l'agence. Mon appel téléphonique l'ayant tiré de son sommeil, il ne dut guère avoir conscience de la nature de l'engagement auquel il souscrivait, mais il dut comprendre, au son de ma voix, que j'étais prise de panique, et il me donna son accord.

J'étais franchement soulagée de savoir que je n'irais pas en prison, et Wes était, de son côté, content de pouvoir enfin aller se coucher. Nous rédigeâmes rapidement une reconnaissance de dette aux termes de laquelle Wes prêtait l'argent à Jimmy, que je réveillai une deuxième fois lorsque je fus de retour dans notre immeuble pour qu'il y appose sa signature. Je lui donnai mon « bip-bip » afin qu'on puisse l'atteindre si on avait besoin de lui au tribunal, et j'emportai les sept mille cinq cents dollars dans mon appartement.

Je devais me présenter au parquet à neuf heures trente du matin. Je l'ignorais alors, mais les autorités avaient fixé cette heure pour savourer le moment où les gros titres des journaux de l'après-midi consacreraient leur triomphe. Puisque la question de la caution avait été finalement réglée, je pouvais à nouveau respirer librement. Je savais que la journée du lendemain serait éprouvante et que je passerais plusieurs heures en prison, mais j'avais pour ainsi dire l'impression que j'allais me lancer dans une grande aventure et, paradoxalement, attendais en fait ce moment avec impatience. Je dois dire que je suis prête à tenter presque n'importe quoi dès que je sais que tout se passera bien en fin de compte.

J'étais trop énervée pour dormir. Je passai donc la majeure partie de la nuit à m'occuper et à faire le ménage dans mon appartement. A sept heures dix, on sonna d'en bas de l'immeuble. Je présumai que c'était le taxi que j'avais réservé pour retrouver mes avocats et prendre, en leur compagnie, le petit déjeuner avant de nous rendre au parquet.

Lorsque j'ouvris la porte pour quitter mon appartement, des flashes lancèrent leurs éclairs, et je vis qu'un photographe prenait des clichés. Auprès de lui, un homme criait : « Mlle Devin! Mlle Devin! » Je leur claquai la porte au nez, déclenchant du coup un concert d'invectives. Comment diable avaient-ils pu savoir où j'habitais?

Le taxi arriva enfin, et lorsque je sortis de l'immeuble, je vis que deux autres reporters attendaient dans le hall. Fort heureusement, ils n'avaient pas la moindre idée de l'apparence que pouvait avoir la Madame qu'ils avaient pour mission de retrouver et se laissèrent abuser par l'allure discrète que me donnait mon tailleur gris. Je les croisai majestueusement, et ils ne se retournèrent même pas.

Nous avions rendez-vous chez Ellen's, l'établissement où les avocats et les édiles aimaient à se retrouver pour le petit déjeuner. Ellen, qui avait été autrefois élue Miss Métro, avait décoré les murs de son établissement avec des photos d'autres Miss couronnées. Nous étions tous quelque peu tendus, car aucun de nous ne savait exactement ce que cette journée nous réserverait. A la demande de Risa, je remis l'argent de la caution à Scott, un jeune associé de son cabinet qui devait être présent à ma première comparution. Puis, je pris un petit déjeuner copieux – jus de fruit, toasts, œufs brouillés et bacon – car je savais que je n'aurais peut-être rien à me mettre sous la dent avant longtemps. Avant de partir, je disparus dans les toilettes, où je me brossai les dents. Ma journée se passerait peut-être en prison mais, au moins, je m'y serais rendue avec l'haleine fraîche.

Après le petit déjeuner, nous nous rendîmes tous à pied au parquet, au nº 1 de Hogan Place. Là aussi, un groupe de reporters nous attendaient, mais ils ne me reconnurent pas. Nous les dépassâmes rapidement pour entrer dans le bâtiment, nous prîmes l'ascenseur et suivîmes, ensuite, un vieux couloir crasseux jusqu'au bureau du procureur. Plusieurs membres du parquet nous accueillirent, notamment Dennis Wade, le substitut, qui représentait la Ville dans cette affaire. M. Wade serra la main de tout le monde, sauf la mienne. Je me suis demandé s'il estimait inconvenant de serrer la main d'une accusée ou s'il craignait que ce contact ne l'exposât à une contagion quelconque.

Auprès de Dennis Wade se tenaient l'inspecteur Milanesi, chargé de l'enquête, et le lieutenant Bayer – responsable de l'affaire. Pas de trace d'Elmo Smith. L'affaire lui avait, semblait-il, été retirée – sans doute en raison de la plainte de Risa. Pendant que le lieutenant parlait aux avocats, son regard ne me quittait pas. Il devait sans doute se dire : « C'est donc *elle* la proie que nous filons depuis si longtemps! » Plus tard, Risa me confia que Bayer lui avait dit qu'en l'honneur de ma présentation spontanée à la justice et en prévision de photos dans la presse, la femme de Milanesi lui avait offert une nouvelle veste de sport en daim.

Les formalités furent promptement expédiées, et le moment vint pour les avocats de se retirer. Risa m'expliqua que Scott veillerait toute la journée sur mon sort et se tiendrait prêt à montrer aux autorités que toute la procédure était étroitement surveillée en mon nom, ce qui était, pour moi, fort rassurant.

Milanesi et Bayer m'emmenèrent dans un bureau délabré. Pendant que Milanesi tapait péniblement à la machine toute une série de formulaires, le lieutenant ne cessait de me dévisager : je n'étais visiblement pas la personne qu'il s'attendait à rencontrer.

– Vous avez tellement l'air d'une *étudiante de bonne famille*, se prit-il enfin à observer.

– Mais, c'est que je suis de bonne famille, répondis-je.

Les deux hommes se montrèrent extrêmement polis, et quand vint le moment de prendre mes empreintes digitales, veillèrent soigneusement à ne pas tacher d'encre mes vêtements. La formalité suivante consistait à prendre une photo Polaroïd pour l'annexer au dossier, et ils ne purent résister, puisqu'ils avaient l'appareil, de me demander de poser avec eux. Tout d'abord, Bayer prit une photo de moi et de Milanesi nous tenant par l'épaule. Ensuite, Milanesi prit une photo de Bayer et de moi.

A mon tour, je ne pus résister :

– Allons, messieurs, une photo de nous trois maintenant!

– Excellente idée, dirent-ils.

Milanesi alla dans le couloir chercher un volontaire, et nous prîmes la pose pour une photo du trio dont j'étais le personnage central.

– Il m'en faut une aussi, plaisantai-je. Qui sait, peut-être que j'écrirai un livre?

– Pas question, dit Milanesi. Mais si plus tard vous avez besoin d'un cliché, donnez-nous un coup de fil.

Ensuite, en se répandant en excuses, Bayer me dit que le moment était venu de me passer les menottes.

– Est-ce vraiment nécessaire? demandai-je.

– J'en ai bien peur, me dit-il. Si nous ne le faisions pas, nous violerions la loi.

Risa, qui avait pensé à tout, avait déjà obtenu que les menottes ne me soient pas passées les mains derrière le dos. Non seulement les mains liées par-devant m'assureraient une position plus confortable, mais donneraient une image moins défavorable de ma personne sur l'écran de télévision et sur les photos publiées dans la presse. Avant de partir, les deux policiers dissimulèrent les menottes sous les manches de ma veste.

Nous devions nous rendre ensuite au dépôt, dont les locaux sont situés à courte distance du parquet. Nous descendîmes par l'ascenseur pour gagner la sortie, et lorsque la porte s'ouvrit, je vis que les lieux grouillaient de reporters. Les voyant ainsi se bousculer et vociférer, je pensai irrésistiblement à l'une des scènes qui suit l'assassinat d'un président. Il me fallut quelques instants avant de comprendre que j'étais la cause de toute cette agitation. Des photographes prenaient des clichés, des cameramen de télévision faisaient ronronner leur matériel et d'autres personnes essayaient de me poser des questions. Toute cette scène était si ridicule que je me mis à rire, ce qui explique pourquoi mon visage apparut sur les photos des journaux avec un sourire épanoui.

Quelqu'un m'ouvrit la porte arrière d'une conduite intérieure noire dans laquelle je grimpai pour faire le court trajet jusqu'au dépôt. Instinctivement, je m'installai au bout de la banquette pour laisser de la place à l'un des policiers parce que j'avais toujours vu à la télé que les choses se passent ainsi, mais, à ma surprise, Milanesi et Bayer s'assirent sur le siège avant et ne prirent même pas la peine de fermer les portes à clef.

Le dépôt est une institution qui a été conçue pour empêcher les policiers de passer à tabac les suspects dans l'intimité de leur commissariat. De nos jours, cet établissement offre l'aspect d'une entreprise mal gérée : il regorge de policiers qui semblent tous n'avoir rien à faire. Après avoir encore accompli de fastidieuses formalités par écrit, on me retira les menottes en me priant de passer sous un détecteur de métal dont le signal ne cessa de retentir jusqu'à ce qu'on s'aperçoive que celui-ci était déclenché par mes boutons de manchette. Je notai mentalement que la prochaine fois que j'irais en prison, je devrais consulter sans faute le numéro spécial de *Vogue* consacré aux établissements pénitentiaires.

Bayer et Milanesi m'assurèrent avant de partir que tout irait bien et me conseillèrent d'être aimable avec les gardiennes. Comme la période d'attente avant la première comparution devait être longue, on me conduisit tout d'abord dans une grande cellule, équipée de bancs de bois sur lesquels étaient assises, d'un côté, deux Noires et, de l'autre, une blonde bien habillée. L'une des Noires se mit à marcher de long en large en se parlant à elle-même. L'autre restait assise, avec le regard vide. La blonde, que je pris pour une « travailleuse », semblait apeurée.

Elle s'appelait Barbara, et ne voulait pas dire pourquoi elle avait été arrêtée. L'une des Noires, qui avait dix-huit ans et était mère d'un enfant de deux ans, avait été arrêtée pour vol. L'autre, âgée de vingt-sept ans, avait cinq enfants. Elle avait été arrêtée parce que son compagnon avait porté plainte contre elle, six mois auparavant, pour coups et blessures volontaires. Il avait depuis longtemps retiré sa plainte mais, par suite d'une erreur matérielle, la police était venue la cueillir au milieu de la nuit et l'avait embarquée pour la mettre en prison. C'est du moins ce qu'elle racontait. J'appris d'ailleurs rapidement que personne en prison ne s'est jamais rendu coupable de rien.

La prison est un lieu atrocement déprimant, et celle où je me trouvais était d'une saleté incroyable. Il était difficile de croire que personne n'était affecté au nettoyage des locaux des bâtiments municipaux et, pourtant, cet établissement n'avait sans doute pas reçu un coup de balai depuis des années. Je ne m'attendais certes pas à y trouver les aménagements du magasin Bloomingdale's, mais c'était vraiment ce que j'avais vu de plus crasseux.

Les gardiennes restaient assises et ne faisaient absolument rien. Je sais bien que leur travail ne consiste pas à faire le ménage, mais la Ville aurait fort bien pu recruter, à la place de deux gardiennes, deux personnes chargées d'assurer la propreté. Il est inexcusable de faire attendre les gens dans un lieu aussi sale avant de les inculper officiellement d'un délit.

La cellule occupait la moitié du local, et je voyais, dans l'autre moitié, des tables, des chaises et un téléviseur qui diffusait une émission en noir et blanc dans un coin reculé. Je remarquai que les gardiennes consacraient beaucoup moins d'attention à nous qu'au mélo qui passait à la télé. Au bout d'un moment – et il est difficile d'en savoir la durée car on perd la notion du temps dans ces lieux –, une femme munie d'un bloc et d'un stylo vint jusqu'à la cellule pour nous demander nos noms et adresses. Quand je lui dis où je vivais, elle me demanda s'il y avait à mon domicile une personne auprès de laquelle elle pourrait vérifier la véracité de mes indications. Je lui répondis qu'elle avait tout loisir de discuter de la question avec mon répondeur, et ajoutai :

– Au fait, je remarque que vous regardez toutes la chaîne sept. Est-ce que vous allez regarder « All my Children » à une heure?

– Oui, bien sûr, me répondit-elle. Erica va se marier avec Mike aujourd'hui, et Adam essaie de l'en empêcher.

– Sans blague? fis-je. Je regarde ce feuilleton depuis 1971, et j'enrage à la seule pensée de le manquer.

Je ne pris pas la peine d'ajouter que j'avais sûrement manqué des centaines d'épisodes depuis que ma colocataire au FIT m'avait fait connaître la série. J'aimais, certes, beaucoup cette émission, mais c'est surtout parce que je m'ennuyais maintenant à mourir dans cette cellule que je ne pensais qu'à m'occuper l'esprit avec un épisode.

J'avais amené un livre : *Le Nom de la rose,* d'Umberto Eco, dont plusieurs de mes amis avaient parlé avec enthousiasme, mais ce roman était beaucoup trop complexe pour qu'il me fût possible de le lire dans ce cadre. Je notai encore mentalement que, la prochaine fois, j'apporterais quelques vieux numéros de *Cosmopolitan.*

Vers midi trente, il se produisit un changement dans la garde, et on nous fit passer toutes les quatre dans des cellules séparées. Cela ne me faisait certes pas plaisir de me retrouver seule, mais j'étais encore plus affligée d'être ainsi privée de télévision.

J'implorai la gardienne pendant qu'elle me faisait entrer dans ma nouvelle cellule :

– Je sais bien que vous êtes peut-être obligée de refuser, mais ne pourriez-vous pas me ramener dans la grande cellule afin que je puisse regarder « All my Children » à une heure? Erica va se marier avec Mike aujourd'hui, et Adam essaie de l'en empêcher. Je ne peux pas supporter l'idée de manquer cet épisode. S'il vous plaît, laissez-moi le regarder.

– Bon, ça va, acquiesça-t-elle.

A une heure moins dix, j'étais de retour dans la grande cellule, mais pas pour longtemps. Une autre gardienne vint me chercher pour m'emmener au parloir des visiteurs, où je me trouvai en présence de Scott venu prendre de mes nouvelles.

– Excusez-moi, lui dis-je, mais je ne peux pas rester. Vous ne pouvez pas croire tout ce que j'ai dû faire pour regarder « All my Children » à la télé. L'émission commence dans cinq minutes, et je vous serais obligée de faire vite.

Scott a dû penser que j'étais folle, mais « All my Children » était devenu tout à coup la chose la plus importante de ma vie.

Scott n'avait pas grand-chose à me dire, mais je manquai cependant les cinq premières minutes du feuilleton. Pendant les messages publicitaires, les gardiennes firent entrer dans la grande cellule une autre femme qui, incroyable, faisait encore le trottoir à cinquante-quatre ans. Elle voulait faire la conversation alors que moi, naturellement, je voulais regarder la télé. Sans doute a-t-elle pensé que j'étais distante, mais je tenais tellement à voir cet épisode que rien ne pouvait m'en empêcher.

Quand le feuilleton fut terminé, la gardienne me ramena dans l'autre cellule, où j'eus la surprise de trouver Barbara. Nous parlâmes pendant un moment, mais j'évitai soigneusement de lui demander ce qu'elle avait fait pour en être arrivée là. Elle me laissa cependant entendre qu'elle était terrifiée à l'idée d'avoir sa photo dans les journaux. Je me sentais lasse – je n'avais évidemment pas beaucoup dormi la nuit précédente – et comme je n'avais rien de mieux à faire, je décidai de faire un petit somme. Je dus m'assoupir un instant, car je me rappelle avoir ensuite été réveillée par le vacarme que faisait un policier en tapant sur les barreaux avec sa matraque. Il demanda :

– Qui c'est la célébrité?

Je levai la main.

– Ah, c'est vous? dit-il. Je voulais simplement voir celle pour qui on fait tant d'histoires.

Un lieu vraiment super, la prison!

Vers seize heures trente, Scott revint encore pour s'enquérir de ma situation. Il m'expliqua que tout prenait beaucoup de temps parce que l'ordinateur avait du mal à traiter mes empreintes digitales : ce devait être en effet pour cette raison que l'on m'avait soumise à deux reprises encore à cette formalité depuis que je l'avais vu la dernière fois.

A dix-sept heures, je ne me demandais plus quand cette attente pénible allait prendre fin, mais si j'en verrais jamais le bout. Quelques minutes plus tard, toutefois, j'entendis que les gardiennes ouvraient les portes des cellules de notre quartier et en faisaient sortir les occupantes. Bientôt, ce fut notre tour, Barbara et moi suivîmes alors un long corridor au bout duquel nous rejoignîmes une douzaine de femmes environ alignées contre un mur, la main gauche reliée par une menotte à une longue chaîne. Les gardiennes se préparaient à nous faire sortir pour aller au bâtiment du tribunal pour notre première audience de comparution.

J'étais la dernière de la rangée. Je demandai à la gardienne qui allait me passer la menotte si je pourrais aller aux toilettes dans le bâtiment où nous allions.

– Non, répondit-elle. Il vaut mieux que vous preniez vos précautions ici. Retournez à la dernière cellule, et faites vite.

Je fis comme elle le dit et, comme je finissais, je levai les yeux pour constater avec dégoût qu'un gardien m'avait regardée pendant tout ce temps.

Lorsque je revins, ma place avait été prise et l'on me mit au début de la chaîne. On ne devait pas être prêt à nous emmener, car on nous permit de nous asseoir sur un banc dans l'une des cellules, d'où je pouvais voir trois autres cellules occupées par des femmes qui étaient enchaînées de la même façon que nous et avaient toutes l'air de grues stéréotypées, avec leur jupe courte, leur coiffure très apprêtée et leur maquillage excessif.

Après une bonne heure d'attente, tout était enfin prêt pour notre départ. Sachant que des photographes attendaient certainement au-dehors et que Barbara avait peur de la publicité, j'insistai pour qu'elle prît mes lunettes et se cachât le visage derrière mon livre. Les gardiennes ne cessaient de me dire de me presser mais, derrière moi, les filles marchaient si lentement que je ne pouvais guère accélérer. Comme nous suivions les couloirs, des files de policiers nous dévisageaient. A la sortie, une véritable meute de photographes de presse se mit à beugler et à prendre des clichés.

On nous fit monter à l'arrière d'un fourgon cellulaire, et comme j'étais la première, je me retrouvai coincée tout au fond. Il y avait trop de femmes pour la contenance du véhicule et, lorsque tous les sièges furent occupés, celles qui continuaient à monter s'assirent sur les genoux des autres. Lorsque tous les genoux furent occupés, les dernières arrivées s'assirent tout bonnement sur le plancher, comme si c'était la chose la plus naturelle du monde.

On ferma les portes, et nous nous trouvâmes complètement dans l'obscurité. C'est vraiment intelligent! pensai-je. S'il y en a une qui se blesse, personne ne le saura.

Les filles pour lesquelles cette expérience était évidemment coutumière essayaient toutes de savoir pourquoi les photographes de presse s'étaient trouvés là. Elles ne mirent pas longtemps à deviner que j'en étais la cause, et tout le monde voulut savoir qui j'étais et ce que j'avais fait. C'était vraiment dément d'être interviewée par vingt-cinq ou trente prostituées qui, toutes, me criaient leurs questions dans l'obscurité.

Comme le son de leurs voix se répercutait sur les cloisons métalliques du fourgon, je ne comprenais pas très bien ce qu'elles demandaient, et commençai un peu à m'inquiéter. Je ne voulais pas qu'elles pensent que je les snobais ou que j'étais peu aimable, mais elles glapissaient toutes en même temps et il n'y avait pas moyen de mener une conversation.

Enfin, l'une des filles hurla aux autres de se taire, car c'est elle qui poserait les questions.

– Pourquoi t'es au trou?

– Pour proxénétisme.

– C'est la première fois?

– Oui.

– Te fais pas de bile, ma cocotte, tu sortiras en moins de deux.

– Tant mieux.

– Qu'est-ce qu'ils fichaient là tous ces abrutis des journaux?

– Je dirigeais une agence d'hôtesses, et ils pensent que c'est une grosse histoire.

– Tu veux dire que tu dirigeais une sorte de *maison*?

– En quelque sorte.

J'essayai de leur expliquer que nous assurions nos services à l'extérieur, mais aucune d'entre elles ne comprenait de quoi il s'agissait. Finalement, je leur dis que j'étais une Madame.

– Une quoi?

La réponse vint de l'obscurité :

– Une maquerelle, espèce de demeurée!

Ce qui fit rire tout le monde. On me bombarda ensuite de questions. Combien prenions-nous? Comment cela marchait-il? Est-ce que j'avais un souteneur?

Je me rendis compte, au milieu de cette interview, que le fourgon n'avait pas bougé depuis plusieurs minutes. Certaines allumèrent une cigarette. Il n'y avait aucune ventilation dans le fourgon, et j'ai alors cru que j'allais mourir d'asphyxie. Des filles hurlèrent pour demander du feu et moi pour demander de l'air. Comme rien ne se produisait, elles se mirent à taper sur les parois métalliques du fourgon. Tous ces coups et tous ces cris faisaient un vacarme assourdissant. La fumée et l'obscurité couronnant le tout, je vécus là des minutes affolantes.

Au sous-sol du palais de justice, on nous aligna à nouveau contre un mur. Après nous avoir enlevé les menottes, on nous fit vider nos sacs et nos poches et retirer nos chaussures pour montrer la plante de nos pieds. Les gardiennes procédèrent à une fouille corporelle rapide de toutes les filles, sauf moi, gracieuseté que j'appréciai à sa juste valeur. Je présume qu'on ne devait pas me considérer comme une personne dangereuse.

C'est à ce moment-là que les gardiennes distribuèrent quelques sandwiches au jambon et au fromage, des petits sachets de moutarde et des sachets de sucre pour notre thé. Après les arrestations de mars, Denise, Kelly et Corinne n'avaient cessé de plaisanter au sujet de ces horribles sandwiches, comme le fit Suzie, qui avait été arrêtée cinq jours auparavant.

Le thé fut distribué dans des gobelets en plastique, où il avait été servi depuis si longtemps qu'il était à peine tiède. Je le trouvai cependant délicieux.

Tenant précieusement dans nos mains nos sandwiches et nos gobelets, nous fûmes conduites dans une grande cellule. La scène évoquait une grande réunion de famille, car la plupart des filles s'étaient connues au cours d'arrestations précédentes. Elles circulaient, se saluaient et parlaient de leurs amies et de leur souteneur. Au lieu de s'appeler par leurs noms, elles s'interpellaient toutes dans les mêmes termes : « Salut, frangine! » ou « Salut, ma poule! »

Une des filles ne cessait de nous demander du sucre, et nous lui donnâmes toutes nos petits sachets : je ne comprenais pas pourquoi elle quémandait ainsi jusqu'à ce qu'une fille m'expliquât que le sucre apportait quelque soulagement aux héroïnomanes.

Cela faisait des heures que j'avais pris mon petit déjeuner chez Ellen's et bien que la mortadelle et le fromage ne soient pas mes aliments favoris, j'avais si faim que je dévorai le sandwich tout entier. Après avoir expédié cette petite merveille de raffinement culinaire – expérience dont il vaut mieux ne pas se souvenir –, je décidai qu'une petite conversation d'après-dîner s'imposait. Puisque je me trouvais là, autant en apprendre le plus possible au sujet de ces filles et de leur monde. Tout au moins théoriquement, nous menions les mêmes activités.

Je fus abasourdie d'apprendre qu'elles s'attendaient à être arrêtées deux fois par semaine, ce qui était une partie du prix à payer pour faire le tapin. Quand je découvris plus tard que chaque arrestation coûtait trois mille dollars à la Ville, tout cela m'apparut encore plus grotesque. Quelle belle façon de gaspiller l'argent du contribuable! Si seulement ces filles pouvaient recevoir en main propre ces trois mille dollars de la Ville, elles déserteraient probablement la rue pendant un mois!

Pendant les deux heures suivantes, je suivis un cours accéléré sur la prostitution telle qu'elle est exercée sur la voie publique. Ayant toujours eu un rôle de direction dans mon activité, je portai un intérêt particulier à celui du souteneur. Que faisait-il exactement pour les filles en échange de tout l'argent qu'elles lui donnaient? J'avais toujours supposé que le souteneur avait pour fonction de protéger les filles contre les clients, mais j'appris bien vite qu'en réalité, il les protège des autres souteneurs. Une fille sans souteneur est considérée comme une renégate, et pour l'empêcher de travailler, les souteneurs des autres filles lui mènent la vie dure en la suivant partout et en agissant de manière qu'il soit impossible à un client de l'approcher.

Je ne pouvais en croire mes oreilles.

– Et c'est pour ça que vous leur donnez *tout* votre argent?

Les filles avaient une autre vision des choses. Leur souteneur faisait beaucoup pour elles, disaient-elles. Il répartissait le territoire entre leurs protégées et les faisait libérer sous caution chaque fois qu'elles étaient arrêtées. Il leur achetait également des vêtements, leur donnait une petite allocation et s'occupait de tout l'argent qu'elles encaissaient.

A ma grande surprise, et en dépit de la présence d'une héroïnomane, il ne semblait pas que la drogue jouât un grand rôle dans la vie de ces filles. Tel n'était cependant pas le cas avec les souteneurs, et les filles dont le protecteur n'avait pas une « habitude » s'en vantèrent devant moi et les autres. Il semblait qu'il y avait un système de castes, les filles dont le souteneur avait des « habitudes » occupant un rang plus bas que celles dont le protecteur préférait peut-être s'adonner à d'autres vices.

Pendant que nous bavardions, on ne cessa d'amener d'autres

filles. Je remarquai qu'avant de s'asseoir sur le sol – il y avait belle lurette qu'il n'y avait plus de place sur le banc –, elles retiraient leurs effets, les retournaient et les remettaient. Après avoir observé un certain nombre de filles accomplir cet étrange rituel, je demandai à l'une de mes compagnes de cellule de m'expliquer ce que cela signifiait. Il s'agissait, en fait, d'une précaution qu'elles trouvaient tout naturel de prendre : ainsi, leurs vêtements ne pouvaient se salir quand elles s'asseyaient par terre.

J'étais également curieuse de savoir dans quelles circonstances ces filles avaient été arrêtées. Après toutes ces années passées à faire le trottoir, on aurait pu penser qu'elles devaient reconnaître les policiers qui leur mettaient la main dessus. J'appris avec stupéfaction que la police arrivait dans un grand fourgon qui s'arrêtait le long du trottoir et leur faisait simplement signe d'y grimper.

Je savais que je faisais montre de naïveté, mais je leur demandai tout de même :

– Pourquoi vous ne prenez pas tout simplement la fuite?

Elles me dirent que toute fille qui essaie de s'enfuir est pourchassée, rattrapée et frappée, et qu'il était beaucoup plus facile et plus commode pour elles de coopérer. Ainsi, du moins, personne n'avait à en pâtir.

Deux des femmes de notre cellule n'étaient pas, de toute évidence, des « travailleuses ». Il se trouva qu'elles marchaient dans la rue comme toute honnête citoyenne au moment de la rafle et qu'en dépit de leurs protestations, on les avait fait monter de force dans le fourgon – ce qui n'était pas un fait isolé, comme je l'appris plus tard. Il y a plusieurs années, la Ville de New York dut verser une grosse somme à titre de dédommagement à une femme écrivain qui avait été arrêtée pour « stationnement sur la voie publique dans le but de racoler ». En réalité, elle attendait à un coin de rue l'arrivée d'un ami, mais avait, apparemment, choisi le mauvais coin.

Étant donné les tenues voyantes et osées que portaient la plupart des « travailleuses », il était difficile de croire que la police était trop myope pour ne pas avoir vu ce qu'étaient – ou n'étaient pas – ces deux femmes. Pour les « travailleuses », l'Elastiss semblait être le tissu de leur choix, peut-être parce qu'il épouse étroitement les formes et offre un aspect si brillant. Les collants en Elastiss n'étant pas tellement facile à enfiler ni à ôter, je me demandai pourquoi toutes ces filles en portaient.

– Ma cocotte, me dit l'une d'entre elles, nous, nous ne couchons pas avec les mecs.

Dans la rue ou, tout au moins, dans les rues où ces filles avaient été ramassées, la spécialité de la profession était le service de bouche. Dans d'autres quartiers de la ville, les filles embarquaient plutôt leurs clients dans un hôtel proche.

Naturellement, je soulevais, de mon côté, la curiosité des filles car, avec mon tailleur de laine et mon corsage de soie, je n'avais évidemment pas l'allure des personnes qui partageaient avec moi cette cellule. Ce genre de tenue ne vous fait pas normalement remarquer dans la foule, mais celles qui m'entouraient avaient peu de points communs avec mon milieu habituel.

Vers vingt et une heures, on fit entrer une nouvelle détenue qui tenait à la main le *New York Post* du jour, où étaient publiés le compte rendu de ma présentation au parquet, qui avait eu lieu quelques heures auparavant, et une photo de moi sortant du bureau du procureur, ce qui donna lieu à une répétition de la scène qui s'était déroulée à l'intérieur du fourgon cellulaire, car tout le monde criait en même temps des questions.

De temps en temps, une gardienne venait pour emmener quelques filles à l'audience de présentation au tribunal où elles seraient officiellement inculpées. Chaque fois qu'une gardienne s'approchait de la grande cellule, le niveau sonore augmentait. Mais elle attendait pour parler que le vacarme cesse, refusant, elle, d'élever la voix. Finalement, une fille criait :

– La ferme! La ferme! Vous voyez pas qu'elle va pas se casser les cordes vocales!

Tout le monde se calmait alors pour pouvoir entendre les noms qu'elle appelait.

Il était vingt et une heures trente quand ce fut finalement mon tour. Je dis à Barbara de garder le livre, lui souhaitai bonne chance, puis fis mes adieux au groupe de filles avec qui j'avais bavardé. Comme je quittais la cellule, elles commencèrent toutes à crier et à m'acclamer :

– Vas-y, ma poule! Te laisse pas avoir!

Je partis en proie à des sentiments divers. Ces filles avaient été si gentilles avec moi, si franches et si intéressantes que la brève expérience de la prison que j'avais acquise était plus positive que je n'aurais pu le croire. J'étais, bien sûr, ravie de sortir de là, mais les filles de la rue étaient devenues pour moi une réalité, et cela m'attristait et m'irritait à la fois de savoir que, bientôt, elles reviendraient ici encore, et encore. Indéfiniment.

Ce fut un long trajet d'escaliers à monter et de corridors à suivre. Soudain, une porte s'ouvrit – et nous nous trouvâmes tout à coup dans la salle d'audience, pleine de monde. Je m'assis sur un banc à l'extrême droite, à l'endroit où Suzie avait pris place quelques jours auparavant, et promenai mon regard dans la salle où, finalement, je remarquai Risa.

Il régnait une confusion extrême dans la salle d'audience très grande, lambrissée, qui avait probablement dû être belle de nombreuses années auparavant, mais avait, depuis longtemps, sombré dans la décrépitude. Les bancs étaient en bois, le sol était recouvert d'un linoléum vert et noir. Je m'attendais à entrer dans une salle d'audience analogue à celle que je voyais d'habitude à la télévision, c'est-à-dire un local petit, propre, où tout était ordonné, mais ici, je me trouvais dans un autre monde.

Le chaos était tel qu'il me fallut quelques instants avant de comprendre que des affaires étaient vraiment en train d'être jugées. Des gens entraient et sortaient, et plusieurs groupes bavardaient près du bureau du tribunal. Je n'arrivais pas à comprendre comment quelque chose de positif pouvait sortir de tout ce désordre.

On s'occupa aussitôt de mon affaire, bien qu'il y eût d'autres personnes devant moi, dont certaines attendaient sans doute depuis longtemps. Un huissier m'amena jusqu'à une table à l'avant de la salle, où Risa m'attendait. Il me montra du geste une petite flèche blanche peinte sur la table, qui indiquait l'endroit où l'accusé est censé se tenir.

Un représentant du parquet commença à donner lecture des chefs d'inculpation en recourant à un langage accusateur et incendiaire et en parlant d'un « réseau de call-girls aux profits d'un million de dollars ». Risa et Peter ne cessaient de soulever des objections en disant que le procureur aurait amplement le temps d'exposer son dossier quand l'affaire viendrait en jugement.

Ensuite, le substitut se mit à parler de tous les « accessoires » qui avaient été trouvés dans le bureau, comme si la police avait saisi les articles d'un sex-shop ou des fouets au lieu de registres. Cela me mit hors de moi et je fis objection avec véhémence. Risa me dit de rester tranquille.

Enfin, le moment vint pour le juge de poser la grande question :

– Comment plaidez-vous?

Je le regardai droit dans les yeux, et répondis :

– Non coupable, Votre Honneur.

Le cautionnement fut officiellement fixé à sept mille cinq cents dollars, comme nous nous y attendions. Lorsque je quittai la salle d'audience pour me rendre dans le bureau du commis du greffe, la foule des photographes et des reporters qui m'attendait était la plus compacte que j'eusse jamais vue. Nous dûmes nous frayer un chemin à travers cette horde.

Scott remit l'argent au greffier, et personne ne nous demanda de prouver que ce n'était pas le mien. Ensuite, lui, Risa et Peter formèrent un triangle autour de moi pour à nouveau faire face à la presse.

Nous ouvrîmes la porte : ils étaient encore là. Cette fois en si grand nombre que nous pouvions à peine bouger. Ils hurlaient dans ma direction, braillaient leurs questions en me collant leurs micros sur le visage. « Mlle Devin! Mlle Devin! » Nous parvîmes à les repousser et à atteindre la porte.

Un autre groupe de photographes nous attendaient au bas des marches de l'immeuble.

– Laquelle est-ce? hurla quelqu'un.

– Celle qui est en tailleur gris, cria un autre.

Passablement amusée, je vis qu'il ne savait pas s'il devait prendre ma photo ou celle de Risa.

Nous dûmes longer deux grands pâtés d'immeubles, suivis par une meute de reporters, avant de trouver un taxi. Nous avons fini par atterrir dans un restaurant du Village, où je commandai une soupe de carottes et un sandwich au poulet et où je m'attardai jusqu'à minuit environ en compagnie de Risa et de Peter. Je leur racontai en détail tout ce qui s'était passé, et ils m'expliquèrent comment ils se proposaient d'assurer ma défense au cours des prochains mois.

Lorsque je rentrai finalement chez moi, Jimmy Roe et deux autres locataires de mon étage avec qui j'étais en bons termes m'attendaient, et nous nous réunîmes tous les quatre dans l'appartement de Jimmy. Il avait enregistré au magnétoscope les nouvelles de onze heures et, quand il montra la scène où je quittais le bureau du procureur au début de la matinée – il me semblait qu'une semaine s'était déjà écoulée depuis –, je commentai, au fil des images, ce qui s'était passé. C'était une histoire sensationnelle, et je fis un compte rendu spectaculaire et comique de tous les événements. Je leur racontai tout : que le lieutenant Bayer m'avait dit que j'avais terriblement l'air d'une étudiante de bonne famille, que les filles m'avaient posé des questions à l'arrière du fourgon cellulaire, que j'avais eu du mal à éviter la meute des reporters. Je jouai tous les rôles et imitai une foule de personnages, faisant se tordre de rire mon public restreint.

– Vous savez, Sydney, me dit l'un d'eux, vous devriez vraiment prendre des notes sur tout ce qui vous arrive. Après tout, il se peut que vous vouliez écrire un livre sur toute cette histoire.

A ce moment-là, écrire un livre était le cadet de mes soucis. Le jour suivant, cependant, lorsque David vint me voir pour recueillir tous les détails de mon bref séjour en prison, je mis le magnétophone en marche avant de commencer mon numéro. Je me rendais bien compte que je ne me rappellerais jamais toutes ces péripéties, et même si je n'envisageais pas d'écrire un livre, qui pouvait dire comment évoluerait la situation? Une semaine seulement auparavant, je vivais ma vie de tous les jours, et mon secret était bien gardé. Maintenant, tout à coup, l'agence était fermée, j'étais inculpée d'un délit, et chacun des journalistes de New York mourait d'envie de me parler. Je savais fort bien que mon épreuve était loin d'être terminée, mais je ne soupçonnais pas le moins du monde que le ciel allait me tomber sur la tête.

14

Le lendemain du jour où je m'étais présentée au parquet, je faisais la une des journaux du matin. On pouvait y lire en gros titres : « Libération sous caution de la Madame millionnaire. » Selon un article, « la personne accusée d'être " la Madame millionnaire " du bordel le plus élégant de New York a été libérée hier soir après avoir versé une caution de sept mille cinq cents dollars en coupures neuves de cent dollars. » Pas mal, pensai-je : trois erreurs seulement dans une seule phrase!

Le lendemain matin, en revenant de ma séance de gymnastique, je m'arrêtai chez mon marchand de journaux pour voir si la presse n'avait rien publié de nouveau sur mon affaire. Je jetai un coup d'œil tout d'abord sur le *New York Post,* et fus soulagée de constater que je n'étais plus en première page. Le gros titre en caractères noirs évoquait plutôt une autre affaire de call-girls qui aurait été dirigée par une personne connue sous le nom de « la Madame du Mayflower ».

Je passai ensuite au *Daily News,* dont le titre se lisait ainsi : « La police recherche la commanditaire d'un réseau de prostitution de luxe! » Nous étions là plus près de la vérité! J'achetai les deux journaux, ainsi qu'un numéro du *New York Times,* que je lisais chaque matin, mais pour lequel les nouvelles concernant les Madames n'étaient évidemment pas dignes de son encre. Du marchand de journaux à mon immeuble, il n'y avait qu'un pas, et je regagnai rapidement mon appartement, où je m'installai avec un verre de jus de fruit pour me plonger dans la presse locale.

Je parcourus avec inquiétude l'article du *Daily News,* car je craignais que l'un de mes clients ou amis y soit nommé à tort, ce qui, heureusement, n'était pas le cas. L'article prétendait qu'en 1982, un homme mystérieux m'avait donné des centaines de milliers de dollars et que, aussitôt après cette infusion de capital, notre volume d'affaires avait quadruplé – pure invention, bien sûr, mais qui ne me surprenait pas outre mesure. Je jugeai cependant déplorable le manque de logique de ce journal : même si quelqu'un *avait* investi une grosse somme d'argent dans mon affaire, par quel miracle, soudain, quatre fois plus d'hommes se seraient-ils mis à nous téléphoner?

C'est alors que je remarquai un deuxième article plus court, où était révélée cette fois ma véritable identité! Et quand je passai à la lecture du *New York Post,* j'éprouvai un choc de voir que la Madame du Mayflower et *moi* étions une seule et même personne et que, pour étayer son affirmation, le journal avait même pris la peine de reconstituer mon arbre généalogique.

J'étais frappée de stupeur. Se voir figurer dans des articles sous le pseudonyme de Sheila Devin, la Madame millionnaire, était une chose, mais apparaître tout à coup sous le nom de Sydney Biddle Barrows, la Madame du Mayflower, était une tout autre affaire. Ma plus grande crainte avait toujours été d'être dévoilée au grand jour, et j'avais pensé que si cela devait m'arriver, je ne m'en remettrais jamais. Mais le coup était maintenant porté, il était *réel,* et je ne pouvais faire autrement que l'encaisser. Très bien, me dis-je, en pensant avec philosophie que ce pourrait être pire et en étant pour le moins intriguée par le titre de la Madame du Mayflower.

Les deux journaux avaient mené leur propre enquête pour établir ma véritable identité, mais celle-ci avait été confirmée par Steve Rozansky, qui avait été mon ami dans un passé lointain. Le soir où je m'étais présentée au bureau du procureur, il m'avait évidemment reconnue lorsque j'étais apparue sur les écrans de télévision à l'heure des nouvelles, et s'était mis en rapport avec le *New York Post* et le *Daily News* pour leur préciser mon véritable état civil. « La dernière fois que je l'ai vue, avait-il déclaré, elle était déjà cadre et bien décidée à arriver dans la vie. Je la vois encore, vêtue d'un tailleur et tenant un porte-documents à la main. Faire le commerce du sexe devait être, à ce moment-là, la dernière chose à laquelle elle pensait. » En fait, la dernière fois qu'il m'avait vue remontait à presque onze ans en arrière, époque où je n'avais même pas de porte-documents. Ceci mis à part, sa description était correcte.

Les journaux citaient aussi cet autre propos : « Je savais que, quel que soit son choix, elle finirait par réussir, et qu'elle réussirait avec classe et distinction. »

Je ne pouvais certainement pas en dire autant de lui. Il se présentait maintenant comme exerçant la profession de croupier à la table de vingt-et-un dans un club du Bronx – il n'y avait vraiment pas de quoi se vanter. (Je me suis demandé méchamment pourquoi *il* n'avait pas été arrêté, car je ne me rappelais pas avoir entendu dire que le jeu avait été légalisé dans le Bronx.) Il était généralement évident que, non content de fournir des renseignements au *New York Post,* il avait communiqué à ce journal les photographies qu'il avait prises de moi posant nue quand nous étions à Amsterdam onze ans plus tôt – les mêmes clichés qu'il prétendait avoir « perdus » quand je les lui avais demandés à notre retour d'Europe.

Le *New York Post* informait ses lecteurs que, bien qu'il fût en possession de ces photos, « il avait décidé qu'il ne convenait pas de les publier dans un journal familial », ce qui ne constituait pas une mince accusation si l'on sait ce qui, aux yeux de ce journal, est publiable.

Cependant, le lendemain, le *Daily News* publia l'une des photos d'Amsterdam. Chose surprenante, le *New York Post* fit de même, consacrant une demi-page à une photographie qui, la veille seulement, était considérée comme « n'étant pas convenable » : admirable la façon dont la concurrence peut modifier notre échelle des valeurs!

Le coup était dur. Je ne pouvais déjà pas accepter d'être appelée la Madame du Mayflower et même tolérer que mon véritable nom soit connu, et maintenant, des nus photographiques de ma personne s'étalaient sur les pages de deux des journaux à grand tirage du pays! Je ne pouvais croire que Rozansky m'avait trahie de façon aussi éhontée, et je m'en voulais d'avoir été son amie, car il ne méritait même pas que je lui fasse l'aumône d'un regard.

Je rends grâce à Risa d'avoir promptement obtenu une ordonnance d'interdiction temporaire enjoignant à Rozansky de ne plus vendre de clichés. Ceci se passait à peu près au moment où les photographies infamantes de Vanessa Williams, autrefois couronnée Miss Amérique, étaient publiées dans *Penthouse,* faisant ainsi une très grande publicité pour ce magazine. Celles que Rozansky avait prises de moi étaient présentées avec goût et n'étaient nullement suggestives, mais d'après les rumeurs qui circulaient, *Playboy* cherchait à les publier.

Plusieurs semaines plus tard, l'affaire vint devant le juge. L'avocat de Rozansky soutint que j'étais un personnage notoire et qu'il était libre de vendre les photos à quiconque les voulait. Nous répliquâmes en faisant valoir que je comptais bien que le caractère privé des clichés serait entièrement respecté en raison des liens d'amitié qui m'unissaient alors au photographe et que je n'étais d'ailleurs nullement un personnage notoire. Il y a onze ans, nous n'avions, ni l'un ni l'autre, aucune raison de croire que ces clichés présenteraient un intérêt pour le public. Si tel avait été le cas, je n'aurais jamais permis qu'ils fussent pris.

Nous soulignâmes également que je n'avais jamais signé une autorisation. Vanessa Williams, elle, en *avait* signé une, ce qui avait causé sa perte, *Penthouse* ayant, dès lors, le droit de publier légitimement ses photographies.

En dépit de ces arguments, le juge annula l'ordonnance d'interdiction temporaire. Dans sa décision, il faisait observer que si Rozansky avait certainement trahi ma confiance, aucune disposition de droit ne pouvait l'empêcher de vendre les photographies.

Ceci se passait un vendredi. Nous espérions, certes, obtenir une autre ordonnance d'interdiction le lundi, mais Risa et moi redoutions que Rozansky ne tentât de vendre les photos pendant le week-end. Pour écarter cette éventualité, nous adressâmes des télégrammes à tous les magazines masculins, les avertissant que quiconque publierait ces photos pouvait s'attendre à un procès qui lui coûterait cher. Cette menace dut être prise au sérieux, car nous n'entendîmes plus parler de rien. Ultérieurement, un autre juge rendit une injonction définitive interdisant la vente des photographies.

Cependant, la publication de ces photos dans le *New York Post* et le *Daily News* était pour moi un véritable cauchemar. J'avais toujours su que je pouvais me faire prendre, mais qui aurait pu imaginer que quelques photographies prises dans un moment d'inconscience au cours de l'été de 1973 réapparaîtraient un jour pour me hanter? S'il est une chose dont je gardais le souvenir très net depuis cette journée, c'est que, même dans les vapeurs étourdissantes de la jeunesse et du soleil d'été, je sus que je commettais une erreur.

Malheureusement, les nus photographiques de ma personne ne furent pas les seuls qui, dans la presse, me causèrent beaucoup d'ennuis cette semaine-là. Le jour de leur publication, le *New York Post* sortit sa dernière édition du soir en reproduisant, en première page, la photo d'un groupe de personnes de ma résidence d'été avec, pour légende, « La joyeuse Madame ».

Il faut dire aussi que cette photo n'était pas ordinaire. Chaque été, à Westhampton, nous organisions une réception dite « CTL » – sigles pour cravate noire, toge et lingerie. Les invités devaient porter l'un au moins de ces articles ou deux ou trois selon la combinaison de leur choix. Les étudiantes de bonne famille prenaient grand plaisir à se déguiser dans des tenues grotesques, tandis que de jeunes banquiers et de jeunes juristes, d'ordinaire pleins de dignité et de morgue, s'exhibaient dans des shorts de boxeur, des chaussures de basket et des vestes de smoking. Ces réceptions étaient tout à fait innocentes, et les costumes, toujours loufoques, n'avaient rien de sexy ni de provocant.

Personne sur la photo ne commettait un outrage public à la pudeur, mais plusieurs membres du groupe étaient revêtus d'accoutrements ridicules, et l'un d'eux, qui avait une situation importante à Wall Street, était drapé dans une toge burlesque. En outre, le journal précisait que cette assistance souriante et bien honnête avait noué avec moi certains liens, et laissait entendre qu'elle aurait peut-être participé à toutes sortes de débordements sous la houlette de la Madame du Mayflower, reine notoire du sexe.

J'appris la publication de cette photo par un coup de téléphone affolé de ceux qui s'occupaient de la résidence d'été. Apparemment, l'un des membres de notre groupe avait vu cette photo dans le journal. En quelques minutes, les téléphones se mirent à bourdonner dans toute la ville. Tous les résidents étaient en effervescence, et une réunion d'urgence fut convoquée pour le soir même. J'avais déjà passé la journée dans le cabinet de Risa pour régler fiévreusement l'affaire des photos de Rozansky, mais je savais que je devais aussi participer à cette réunion pour apaiser mes amis en les assurant que la police ne viendrait pas frapper à leur porte au milieu de la nuit.

Je connaissais bien ces gens et devinais aisément que cette histoire les avait mis dans tous leurs états. Certains géraient des patrimoines de plusieurs millions de dollars, et avaient dû être épouvantés de se voir exhibés en tenue légère à la première page d'un journal – révélation déjà en elle-même désastreuse indépendamment de tout lien avec la Madame du Mayflower. Les hommes craignaient d'être pris pour mes clients et les femmes se rongeaient d'inquiétude à la pensée qu'on pourrait croire qu'elles travaillaient pour moi.

La réunion d'urgence se tenait dans l'appartement d'une des colocataires de la résidence d'été – la même, incidemment, qui travaillait dans une affaire de sacs à main et dont j'avais craint qu'elle découvrît que mon affaire d'accessoires de mode n'était qu'une fable. Quand j'entrai, les assistants m'étreignirent, m'embrassèrent et montrèrent ainsi qu'ils me soutenaient totalement. Quand ils se furent calmés, je m'efforçai de les rassurer en essayant de les persuader que la publication de cette photographie n'était pas la fin du monde – ou même de leur carrière. Je commençai par leur dire :

– Je comprends fort bien que vous devez être bouleversés. Il est, en effet, très embarrassant de se voir tout à coup sur une photo publiée en première page d'un journal, surtout dans une tenue légère. Vous avez vraiment toute la sympathie de celle qui vient d'avoir, dans le plus simple appareil, les honneurs de la presse.

C'était, je crois, une bonne entrée en matière, et tout le monde se mit à rire. J'expliquai ensuite que cette photo avait été reproduite dans le *New York Post* pour la seule raison que j'y figurais, et je soulignai que leur vie privée ne présentait absolument aucun intérêt pour le public et qu'il était peu probable que les gens du *Post* ou tout autre journaliste allaient enquêter plus en détail sur les liens qui existaient entre la résidence d'été et moi-même.

Quand j'eus terminé mon petit exposé, on se demanda comment le journal avait pu obtenir la photographie qui avait été prise un an et demi plus tôt et dont chacun avait eu un exemplaire. De toute évidence, l'un des membres – ou des anciens membres – du groupe avait communiqué son cliché au *Post*. Mais qui avait bien pu nous trahir? On parla même de faire un procès au journal et de le contraindre à révéler ses sources.

Certains craignaient que le *Post* donnât leur nom et leur adresse, mais Risa, que j'avais déjà interrogée à ce sujet, pensait que cette hypothèse était des plus incertaines.

– Ils ne vont pas publier vos noms, dis-je. Vous n'avez rien fait de répréhensible.

– Courons-nous le risque d'être arrêtés? demanda quelqu'un.

– Pas du tout, répondis-je. Je suis la seule qui a peut-être violé la loi, mais vous, vous n'en aviez pas la moindre idée.

– Est-ce qu'on va nous demander de témoigner au procès?

– C'est fort improbable. Ce n'est pas comme si vous aviez de précieux renseignements à communiquer à mon sujet.

Progressivement, je pus convaincre toute l'assistance qu'il n'allait pas nous tomber une nouvelle tuile sur la tête. J'avais espéré que les participants à la réunion auraient hâte de prendre congé, mais la plupart d'entre eux avaient déjà annulé leurs projets pour la soirée du vendredi et voulaient poursuivre l'entretien. Malgré leurs craintes initiales – ou peut-être à cause d'elles –, il y avait une certaine excitation dans l'air. Se sentant moins menacés, ils voulaient en apprendre davantage sur mon affaire, et s'enquéraient d'autant plus de ma situation que la leur les préoccupait moins.

– Vous êtes-vous jamais rendu compte que vous pourriez vous faire pincer?

– Bien sûr, j'ai toujours su que la police nous ferait fermer boutique. Au pire, j'imaginais qu'il s'agirait de la mesure habituelle qui frappe très souvent les agences d'hôtesses. On vous fait fermer pendant quelques semaines, et puis, vous rouvrez et poursuivez vos petites affaires comme si de rien n'était. C'est ce qui nous est arrivé au mois de mars dernier, lorsque la police a arrêté trois de nos filles. D'habitude, c'est simplement une forme de harcèlement. Je ne m'étais jamais imaginé que nous ferions la une des journaux.

– Est-ce que vous devez aller en prison?

– J'y ai déjà passé une journée et, croyez-moi, je ne tiens pas à y retourner. Mon avocate m'assure que c'est extrêmement improbable, d'autant plus que je n'ai pas de casier judiciaire.

– Pourquoi pensez-vous qu'ils s'en sont pris à vous? Avez-vous oublié de graisser la patte aux flics?

– Non. Pour autant que je sache, les agences d'hôtesses ne soudoient personne. Peut-être que les maisons le font, mais pas les agences d'hôtesses. Quant à moi, je ne l'ai jamais fait, et personne ne m'a jamais demandé de l'argent. Le seul contact que j'ai eu avec la police fut lorsqu'on me sollicita un jour par téléphone de verser une contribution à une Association de policiers retraités. Quant à savoir pourquoi ils m'ont prise dans le collimateur, je crois pouvoir dire, sans trop me tromper, qu'un flic a pensé qu'il aurait de l'avancement s'il m'arrêtait, et que mon propriétaire l'a convaincu que nous étions l'agence la plus importante et la plus prestigieuse de la ville.

– Comment vous en tiriez-vous avec les impôts?

– Je les payais. Je tenais un commerce légitime, et j'acquittais les impôts sur ce que je gagnais.

– La Mafia s'est-elle jamais mise en rapport avec vous?

– Non. Nous n'avions pas assez de surface pour intéresser la Mafia.

– Pourquoi ne pas avoir mis tous les dossiers de vos clients sur ordinateur? Vous auriez pu les faire disparaître en deux secondes.

– Il était déjà assez difficile de trouver de bonnes assistantes pour que je me préoccupe, en plus, de rechercher des gens ayant une expérience d'informaticien. En outre, un ordinateur ne peut reconnaître que l'orthographe exacte d'un nom, ce qui aurait rendu cauchemardesque le traitement des données avec tous les étrangers que nous avions sur nos listes.

L'un des membres les plus anciens de notre groupe se leva et dit :

– Sydney, je n'ai pas de question à poser, mais je tiens à vous dire ceci. D'après ce que j'ai lu, vous dirigiez une affaire honorable. Peut-être que vous exerciez vos activités en marge de la loi, mais ce qui me dégoûte, c'est que la police a dépensé l'argent du contribuable pour s'en prendre à une personne telle que vous. Quand ma mère a été agressée au pied de son immeuble, il a fallu presque une heure à la police pour se rendre à son appartement. Des assassins et des violeurs se promènent dans les rues de New York, qui est une ville dangereuse. Pourquoi la police s'est-elle attaquée à vous? Si elle a estimé que votre affaire représentait un danger pour le public, c'est que ses priorités sont passablement fausses.

Ces propos furent accueillis par des applaudissements prolongés.

– Merci, leur dis-je avec un sourire. Je suis heureuse de constater que je ne suis pas la seule à avoir cette opinion.

Il semblait, à présent, que chacun avait la même histoire à raconter sur la police qui ou bien brillait par son absence ou bien arrivait tardivement quand son intervention était vraiment nécessaire.

– Sydney, me demanda un autre participant, que pensez-vous de tout cela?

– Je crois que c'est louche, répondis-je. Si la police veut vraiment éliminer les effets nuisibles de la prostitution, elle s'y est certainement prise d'une drôle de façon. A mon avis, il est bien évident que les agences d'hôtesses ne devraient pas être considérées d'emblée comme illégales, mais si l'on décide d'en contraindre une seule à fermer ses portes, pourquoi choisir celle qui représente le bon choix par rapport aux autres? En nous imposant la fermeture, la police a jeté des centaines de clients et des douzaines de filles dans les bras de gérants sordides. Et vous pouvez m'en croire, il ne manque pas d'individus peu recommandables dans la profession.

Cette déclaration fut également accueillie par des applaudissements. J'avais toujours été tenue en haute estime par notre groupe, mais aurais-je jamais pu prévoir que mes amis réagiraient ainsi dès l'instant où ils apprendraient que, pendant des années, je leur avais témoigné bien peu de franchise? Si cette soirée devait en donner la preuve – et c'en était une –, j'avais le bonheur d'avoir de très bons amis.

Alors que nous avions mis fin à la discussion pour manger une pizza, la seule note discordante de la soirée fut émise par l'un des nouveaux membres de notre groupe, une femme que je connaissais à peine, qui me prit à part et me demanda :

– Sydney, pourquoi? Comment pouviez-vous faire une chose aussi affreuse?

– Que voulez-vous dire? répondis-je. Qu'ai-je fait? Ai-je assassiné quelqu'un? Ai-je vendu de la drogue? Ai-je maltraité des enfants? Je n'ai jamais forcé personne à me téléphoner et je n'ai jamais forcé personne à travailler pour moi. En fait, mes clients et mes filles considéraient qu'ils avaient eu une chance exceptionnelle de tomber sur une personne telle que moi.

Elle s'éloigna, écœurée par ma réponse. Elle s'était sans doute attendue à m'entendre exprimer quelque remords, mais je n'en éprouvais aucun.

Les assurances que j'avais prodiguées se révélèrent heureusement bien fondées, la presse se tenant désormais coite sur mon appartenance au groupe de la résidence d'été. Au bout de quelques jours, les membres du groupe commencèrent à traiter tout cet incident comme une plaisanterie, ce qui était une bonne tactique, car ils avaient dû supporter les railleries de leurs amis après la publication de la photographie dans la presse. Quand vint l'été, quelqu'un fit même imprimer en rouge sur des tee-shirts le logo suivant : « Les Pourfendeurs du *Post* ».

J'aurais aimé, moi aussi, prendre les choses à la légère, mais pendant les semaines qui suivirent, je connus des sautes d'humeur, passant d'un juste courroux à un état dépressif. Du moins, je me tenais occupée, gardant constamment le contact avec les filles, leur parlant de l'affaire et les informant de son évolution. Mes amis aussi m'appelaient pour m'offrir leur appui et être mis au courant des dernières nouvelles : pendant des semaines, mon téléphone ne cessa de sonner.

Les gens mouraient d'envie de savoir ce qui s'était passé quand la police avait perquisitionné et quand je m'étais présentée au parquet, et je leur racontai tout par le menu. Très vite, je trouvai lassant de devoir répéter toujours la même chose, mais je tenais à ce que mon récit soit à chaque fois correct, car je ne pouvais espérer rallier les tiers à ma cause si je ne leur fournissais pas les informations leur permettant de comprendre dans quelle situation pénible je me trouvais. En reprenant à chaque fois les mêmes détails, j'avais l'impression d'être une actrice qui joue le même acte une douzaine de fois par jour : chaque fois qu'elle entre en scène, elle doit donner le meilleur d'elle-même. Il m'arriva souvent de regretter de ne pas avoir enregistré mon histoire, ce qui aurait permis à mes amis d'appeler un numéro spécial de téléphone pour l'entendre à loisir.

La sonnerie de ma porte d'entrée retentissait presque aussi souvent que celle du téléphone. Après la perquisition, des reporters campèrent pendant des semaines à proximité de l'immeuble, dans le hall et même devant ma porte. Jimmy Roe et mes autres voisins ne cessaient de les chasser ou de demander au portier de les faire partir. Un type de la chaîne de télévision ABC venait en pèlerinage à mon appartement tous les jours vers dix-huit heures : il essayait de me parler à travers la porte pour s'entendre dire à chaque fois de déguerpir. Ses collègues et lui me glissaient alors sous la porte des notes dans lesquelles ils me suppliaient de leur parler en me promettant de présenter ma propre version de toute cette histoire, mais, pour des raisons juridiques, j'avais pour instruction de ne parler strictement à *personne*.

Mon silence, cependant, ne semblait pas faire baisser l'énorme intérêt que mon histoire suscitait dans le public et, puisque j'étais maintenant « célèbre », les gens s'intéressaient à moi et reniflaient l'odeur des dollars. Pendant les semaines et les mois qui suivirent la perquisition, Risa reçut des appels d'agents littéraires, d'éditeurs de livres, d'éditeurs de magazines et de producteurs de cinéma; tout le monde voulait une part du gâteau. Nous avons même été contactées par un groupe de gynécologues californiens qui m'offrit de contribuer pour un montant de cinquante mille dollars à mes dépenses courantes contre dix pour cent de tous mes gains futurs. J'étais raide comme un passe-lacet, et fus tentée d'accepter, mais Risa ne voulut pas en entendre parler.

Quand je ne réagissais pas avec colère à la pensée de ce qui m'était arrivé, j'étais déprimée par ma situation et me rongeais les sangs quant à l'avenir. Du moins, je n'étais pas livrée à moi-même, car je passais le plus clair de mon temps dans le cabinet de Risa, à me tenir informée de tous ses plans d'action. Je restais également en étroite relation avec les filles, car bien que l'agence fût fermée à jamais, je n'avais cessé de m'occuper d'elles. A défaut d'autre chose, les événements du 11 octobre nous avaient rapprochées plus étroitement encore.

Pendant les mois d'octobre et de novembre, une trentaine de filles apeurées me téléphonèrent, chacune craignant d'être comme moi, l'objet d'une inculpation et de voir son nom et son adresse véritables apparaître dans les journaux. La police avait commencé à révéler à la presse les noms de certains clients, et comme elle avait saisi tous nos registres pendant la perquisition, rien ne garantissait que l'identité des filles serait tenue secrète. Je mourais d'envie de les assurer que leur anonymat serait protégé, mais il était bien évident que la police communiquait sans complexe avec la presse. Si des nus photographiques de ma personne pouvaient être publiés dans les journaux, comment pouvais-je être certaine que le nom des filles ne le serait pas la prochaine fois?

Il s'avéra que leur nom n'apparut jamais dans les journaux, mais leur inquiétude restait constante. Elles étaient en butte également à des vexations. Comme elles se posaient toutes sortes de questions auxquelles je ne pouvais répondre, je les adressai à un avocat qui les représenterait éventuellement, mais chaque fois qu'une hôtesse allait le consulter, tous les employés de son cabinet défilaient pour la regarder sous toutes les coutures. Ultérieurement, lorsque le fisc s'intéressa à certaines des filles – il avait dû obtenir leur nom de la police –, elles durent subir d'autres indignités. Un de ses agents décocha une œillade polissonne à Tricia et lui demanda si elle n'avait pas de porte-jarretelles ou d'articles de lingerie qu'elle voudrait déduire en tant que frais professionnels. D'autres insistaient sans vergogne auprès des filles pour qu'elles leur donnent des détails croustillants sur leurs expériences avec les clients.

L'agence « Cachet » ayant fermé boutique, la plupart des filles connurent bientôt de graves difficultés financières. Habituées aux gains élevés, elles avaient organisé leur vie en conséquence. Certaines s'étaient installées dans de beaux appartements au loyer élevé, et d'autres avaient quitté leur emploi régulier. Tout ce que nous avions édifié s'était écroulé comme un château de cartes sans qu'aucune ait jamais envisagé cette éventualité.

Auparavant, quand les hôtesses éprouvaient des difficultés dans leur travail ou avaient des ennuis d'argent, j'étais habituellement en mesure de les aider, mais cette fois, j'étais réduite à l'impuissance. J'en étais malade, car si les filles étaient toutes entrées volontairement à l'agence, elles pâtissaient maintenant de cette situation nouvelle par ma faute. Si je n'avais pas été la Madame du Mayflower, il ne se serait agi que d'une banale opération de police.

Lorsque nous avions ouvert l'agence, j'avais été pour elles comme une mère. Certaines étaient encore étudiantes, et la plupart étaient nouvellement arrivées à Manhattan. Constamment, elles venaient me voir ou me téléphonaient pour me poser des questions :

– Sheila, pouvez-vous me recommander un bon dentiste?

– Sheila, pouvez-vous m'aider à trouver un appartement?

– Sheila, dans quel magasin devrais-je acheter un manteau?

– Sheila, est-ce que je peux vous parler au sujet de mon petit ami?

La confiance que les filles me manifestaient ainsi et l'aide que je pouvais leur apporter étaient pour moi une grande source de satisfaction, mais contrainte maintenant de me retirer des affaires, c'était une des choses que je regrettais le plus.

Le seul moyen pour les filles de retrouver à peu près les mêmes gains qu'à « Cachet » était de travailler pour une autre agence d'hôtesses. Toutefois, outre l'importance de leurs revenus, elles s'étaient également habituées à notre façon de procéder. Elles savaient qu'en théorie, notre agence était différente des autres, mais le choc n'en fut pas moins brutal pour celles qui se remirent au travail.

Dans leur nouveau job, elles devaient se rendre dans des hôtels de deuxième ordre à trois heures du matin pour y rencontrer des clients qui n'avaient pas été dûment filtrés et au sujet desquels elles ne savaient rien. De plus, si le montant de la visite était réglé avec une carte de crédit, des semaines pouvaient s'écouler avant qu'elles soient elles-mêmes payées.

Je passai des heures au téléphone à les écouter récriminer contre leurs nouveaux employeurs, et à essayer de les aider à aplanir leurs difficultés.

– Avec vous, c'était amusant, me dit Melody, mais maintenant, je déteste ce travail. Les clients n'ont rien à voir avec ceux auxquels nous étions habituées.

Tricia me fit le récit d'un rendez-vous qu'elle avait eu avec un homme qui avait passé la première heure avec elle au bar de l'hôtel. Plus tard, il téléphona à l'agence pour se plaindre d'avoir à payer pour cette heure qui avait été tout « simplement » occupée à des mondanités. Chose stupéfiante, la directrice de l'agence accepta de ne pas la facturer.

– Je crois que, pour elle, les clients comptent plus que nous, me dit Tricia.

Je pensais par-devers moi que Tricia n'avait pas tort.

La pauvre Denise fut envoyée en visite à l'hôtel Howard Johnson, qui ne figurait pas sur notre liste homologuée, pour rencontrer un homme d'affaires japonais parlant à peine anglais. Quinze minutes à peine après le début de la visite, alors qu'elle en était encore au stade de la conversation avec son client, deux agents du service de sécurité de l'hôtel frappèrent à la porte.

– Nous allons vous conduire à la police, lui annoncèrent-ils.

Denise les supplia de n'en rien faire. Ayant été arrêtée au mois de mars précédent, elle se voyait maintenant fichue.

– Ça pourrait s'arranger, lui proposa l'un des agents. Nous allons vous laisser finir la visite si vous nous donnez tout votre argent.

Voyant qu'il n'y avait pas d'autre solution, Denise accepta promptement. Quand elle rentra dans la chambre du client, celui-ci la paya et la fit partir, car il était trop effrayé pour poursuivre plus avant. Les deux agents entraînèrent Denise dans une chambre inoccupée, où ils lui prirent son argent et la contraignirent à les satisfaire par des caresses buccales.

Lorsque cet épisode fut connu, plusieurs filles se rendirent en groupe à l'une des meilleures agences et dictèrent plus ou moins leurs conditions. Cette institution particulière était si ravie d'avoir certaines des « filles de Sheila » que la directrice leur permit de jeter l'interdit sur tout hôtel ne figurant pas sur notre liste. Elles furent même autorisées à encaisser leur dû à la fin de la visite, ce qui était une concession sans précédent.

Pendant les semaines qui suivirent l'arrêt de nos activités, les filles eurent un avantage que je leur enviais : chaque fois que mon affaire venait sur le tapis, elles pouvaient se payer le luxe de rester anonymes. Mon arrestation étant la fable de toute la ville, presque toutes les filles qui avaient travaillé pour moi eurent l'occasion de surprendre une conversation concernant la Madame du Mayflower ou d'y participer une fois au moins.

Un soir que Jeanette et Cameron prenaient un verre dans un restaurant, deux hommes vinrent flirter avec elles. L'un d'eux remarqua que Cameron avait un journal où ma photo apparaissait en première page, et se vanta alors de tout savoir de nos activités.

– Vous savez, j'y suis allé à son bordel.

– Vous y êtes *allé*? s'enquit Cameron. Ça alors, c'est étonnant! A quoi ça ressemble?

Il n'eut pas besoin d'autres encouragements pour donner libre cours à ses affabulations.

– Il faut que vous sachiez qu'il s'agissait d'un des lupanars les plus chics de la ville où se rendaient les New-Yorkais les plus huppés. Pour une somme forfaitaire de mille dollars, vous aviez droit à un dîner fin avec caviar et champagne. Pour le dessert, vous montiez à l'étage avec la fille de votre choix.

– C'est incroyable! s'exclama Jeanette. Qui aurait jamais pu penser que cela puisse exister dans notre quartier!

– Vraiment étonnant, ajouta Cameron. Nous ne sommes vraiment pas au courant de ce qui se passe dans cette ville!

Un mois environ après la perquisition, Jaime fut invitée un soir à une grande réception suivie d'un dîner sur Park Avenue. Elle se trouva placée à table en face d'un invité dont elle reconnut le nom, car il figurait sur notre liste de clients. Dès que tout le monde eut pris place, on se mit à parler de la Madame du Mayflower.

– Vous savez ce qui me chiffonne? dit la femme du client, c'est qu'on colle tout sur le dos des filles. La vie de ces petites est brisée, alors que les hommes, eux, s'en tirent à bon compte. J'espère bien qu'on va publier la liste des clients!

Jaime glissa un regard vers le mari et remarqua qu'il esquissait un pâle sourire.

Quelques semaines plus tard, Jaime, qui travaillait comme hôtesse d'accueil à une exposition commerciale, reconnut le nom d'un exposant inscrit sur un stand. Elle ne savait pas si elle devait ou non se présenter mais, finalement, elle alla vers lui et lui dit :

– Peter?

– Oui?

– Est-ce que les noms de Sheila et de « Cachet » vous disent quelque chose?

Le sourire de Peter se figea.

– Rassurez-vous, lui dit-elle. Je suis Jaime.

Peter avait l'air terrifié.

– Ne vous inquiétez donc pas, poursuivit-elle. Je ne le dirai à personne. Je voulais tout simplement me présenter à vous.

Dès qu'il comprit qu'il ne courait pas le risque d'être dénoncé, il se détendit.

– *Vous êtes* Jaime? dit-il, avec un large sourire. Je veux *tout* savoir alors.

Et, fasciné, il l'écouta lui raconter toute notre histoire.

Le lendemain de la perquisition, Jaime avait pris l'avion pour Boston pour aller voir son petit ami, qui était étudiant à l'Université Brandeis. Elle espérait échapper à ce cauchemar mais, sur le chemin qui les conduisait chez lui, ils durent s'arrêter dans une pharmacie pour acheter de l'aspirine, et là, en gros titres sous ses yeux, elle vit que mon histoire faisait la une dans le *Boston Herald*. Jusqu'alors, Jaime n'avait pas dit à son ami qu'elle avait un job d'assistante à « Cachet », mais voir ma photo dans le *Boston Herald* fut pour elle le comble. Ce qui lui était arrivé lui donnait un sentiment si affreux de solitude qu'elle lui raconta tout.

Cinq minutes plus tard, elle aurait voulu ne lui avoir rien dit. Il fut indigné et refusa de croire que son travail à l'agence ne comportait que des tâches administratives. Avant la fin de la journée, ils avaient rompu. Bien sûr, il est maintenant trop tard, mais j'espère qu'il lira ce livre afin qu'il sache bien que Jaime lui disait la vérité.

Peu de temps après l'audience de première comparution, le parquet décida de convoquer un jury d'accusation pour rassembler les preuves qui lui permettraient de décider si une infraction avait été commise et devait être poursuivie en tant que délit grave. Une douzaine de filles environ furent citées à comparaître en qualité de témoins, et toutes se virent accorder l'immunité de poursuite en échange de leur témoignage. Sunny apprit la première qu'elle était convoquée comme témoin par deux policiers qui se présentèrent chez elle à sept heures du matin. Dans le cas de Joanna, la police se rendit directement à son bureau, dans le cabinet d'avocats où elle travaillait, et leur venue la remplit de terreur. Arden n'étant pas chez elle à l'arrivée des policiers, ceux-ci se mirent en devoir de tout raconter à la personne qui partageait son appartement et ne savait rien de la vie secrète d'Arden. Celle-ci, dès son retour, se vit intimer l'ordre de quitter les lieux sur-le-champ. Colby, elle, reçut un appel téléphonique pendant le petit déjeuner qu'elle prenait chez ses parents. Ce fut sa mère qui décrocha et lui passa l'appareil, mais Colby s'arrangea pour ne rien laisser soupçonner à sa famille.

Bien que la procédure du jury d'accusation soit secrète, les filles étaient tout de même effrayées à la pensée que des reporters pourraient les attendre devant le bâtiment. Ginny suggéra, en plaisantant, qu'elles se déguisent toutes en religieuses, idée qui souleva un grand enthousiasme pendant deux ou trois jours. Personne ne s'y résolut finalement, ce qui n'avait aucune importance, car il n'y eut, en fait, pas de reporters.

Jaime tint cependant à venir déguisée un jour sous l'aspect d'une grosse dame et un autre sous les traits d'une mère de famille hassidique. Les autres filles s'étaient habillées pour la circonstance et étaient, comme il se doit, intimidées par tout l'appareil judiciaire, alors que Jaime voyait dans ces lieux le théâtre d'une guérilla et elle y tint le premier rôle. Comme le montre le compte rendu sténographique des débats, Jaime déposa de façon souvent drôle et sarcastique et, plus d'une fois, fit se tordre de rire le jury d'accusation – ce qui exaspérait le ministère public. D'autres fois, elle n'hésita pas à donner libre cours à sa colère, surtout lorsque le procureur avait tendance à s'appesantir sur le côté sordide de l'affaire.

A un moment donné, le procureur lui demanda d'expliquer un code qu'il avait trouvé sur la fiche d'un client :

QUESTION : Que veut dire le sigle « LP »?
RÉPONSE : Bien monté.
QUESTION : Bon, enfin, je m'entends – nous sommes tous ici des adultes. Le sigle « LP » signifie-t-il « Longue Pine »?
RÉPONSE : Non.
QUESTION : Qu'est-ce que cela signifie alors?
RÉPONSE : Long Pénis. Non, je plaisante. Cela veut dire bien monté, et pas autre chose.
QUESTION : Bien monté, mais dans quel sens?
RÉPONSE : Je vois que vous vous intéressez particulièrement à la question, n'est-ce pas?

Les commentaires de Jaime avaient dû le troubler car, peu de temps après, il lui demanda d'identifier une pièce à conviction. Bien qu'elle fût étiquetée « Pièce C », le procureur la mentionna par erreur comme étant la « Pièce LP », provoquant ainsi cette remarque de Jaime : « J'ai vraiment l'impression que vous ne pensez qu'à ça. »

Un peu plus tard, le procureur interrogea Jaime sur un mémo dans lequel je mettais les filles en garde contre un redoublement des activités policières pendant une année électorale :

QUESTION : Qu'est-ce que cela veut dire?
RÉPONSE : Cela veut dire que la police semble croire qu'il y a des choses plus importantes que le meurtre et le vol, qu'elle n'a rien de mieux à faire que de louer des suites à trois cents dollars au Parker Meridien, gaspiller l'argent du contribuable, boire du champagne et faire venir des filles.
QUESTION : Vous avez fini votre petit discours?
RÉPONSE : Peut-être, mais je n'en suis pas tellement sûre.

Jaime me dit plus tard que les jurés féminins semblaient beaucoup plus hostiles que les jurés masculins, et ajouta : « Cela crevait les yeux qu'elles nous haïssaient. Et cette hostilité était mutuelle. Elles me donnaient l'impression d'être exactement le type de femmes collet monté et moralisatrices qui donnent envie à leur mari de nous téléphoner. »

A un moment donné, Jaime interpella directement les jurés :

LE TÉMOIN : Vous est-il permis de m'adresser la parole?
UN JURÉ : Mais bien sûr.
LE TÉMOIN : C'est permis? Vous trouvez ça ennuyeux, ou est-ce que tout ce déballage vous intéresse vraiment?
QUESTION : Mlle Johnson, veuillez, je vous prie, ne pas faire de commentaires et ne poser aucune question.
RÉPONSE : Ah bon, très bien, mais ils ont tous l'air de s'embêter tellement qu'ils me font pitié.

Je ne déposai pas devant le jury d'accusation, car le parquet n'était pas disposé à m'accorder l'immunité de poursuite. Je n'entendis, non plus, aucun des témoignages, mais des mois plus tard, alors que je parcourais la transcription des débats, je tombai sur un bref échange entre le procureur et Sunny, à la barre des témoins, qui donnait tout son relief à l'affaire :

QUESTION : Quand vous alliez passer une heure dans un hôtel ou une résidence, à quoi vous attendiez-vous?
RÉPONSE : Je m'attendais à rencontrer un « gentleman » et à être traitée comme une « lady ».

Bravo, Sunny! Moi-même n'aurais pu mieux décrire en quelques mots ce qu'étaient réellement les relations entre hôtesses et clients.

15

Six semaines après la descente de police, j'allai, comme à l'accoutumée, dans le New Jersey passer la fête de Thanksgiving dans ma famille, qui savait naturellement à quoi s'en tenir sur ce qui s'était passé – et sur la véritable nature de mon affaire d' « accessoires ».

Je m'étais finalement résolue à appeler ma mère le lendemain du jour où je m'étais présentée au procureur.

– Je sais, me dit-elle dès qu'elle entendit ma voix. Je l'ai appris par Andrew. Je suis profondément désolée.

Elle n'approuvait certes pas ce que j'avais fait, mais elle se rangeait carrément de mon côté, et était fort préoccupée par la tournure que prendraient les événements. A mon grand soulagement, elle résista à l'envie de me faire la morale ou de me critiquer, et préféra savoir si j'avais un bon avocat, si je ne prenais pas trop mal la chose et si je ne courais pas le risque d'être envoyée en prison.

– Pourquoi ne demandes-tu pas à ton avocat de te faire protéger par un garde du corps? me suggéra-t-elle. Avec tous les cinglés qu'il y a à New York, qui te dit qu'on ne va pas essayer de te jeter du vitriol au visage?

Mon beau-père estimait que les autorités avaient agi stupidement en m'arrêtant. Il venait d'Autriche, où le commerce de la galanterie est légal dans certains quartiers, moyennant quelques restrictions, de la même manière qu'il est maintenant licite aux États-Unis de jouer au loto, au pari mutuel urbain ou au casino. Il avait été une fois agressé à New York et était indigné de voir que la police s'en prenait à moi alors qu'il y avait tellement d'affaires plus importantes et plus dangereuses à traiter.

Il m'apprit également qu'il avait eu récemment la visite d'un policier de New York, qui voulait savoir si la petite école de musique qu'il dirigeait dans sa maison, à des fins non lucratives, ne servait pas, en réalité, de couverture pour le recyclage des profits tirés de mon affaire.

Rendu furibond par cette insinuation insultante, mon beau-père emmena le policier dans son bureau, où il lui montra ses déclarations de revenu portant sur plusieurs années, lui fit la leçon sur le respect qu'il convenait d'accorder à la vie privée des gens, et le renvoya sur-le-champ à New York.

Nous venions de passer à table pour le dîner lorsque mon beau-père me dit aussi :

– Dites, Sydney, j'allais oublier une chose. Votre mère a une histoire intéressante à vous raconter à propos du Bottin mondain.

– Qu'y a-t-il donc? demandai-je, en me tournant vers elle.

– Eh bien, ils ne perdent pas de temps, me répondit-elle tristement. Nous avons reçu mardi notre nouvel exemplaire, où nous ne figurons déjà plus.

C'était vrai : on avait fait disparaître du Bottin mondain mon nom, ceux de ma mère, de mon beau-père, de mon père et de son épouse, mais on n'avait pas touché à celui de mes grands-parents : ils n'ont pas osé, pensai-je, biffer celui des Biddle.

Ma mère n'avait jamais attaché une très grande importance à l'honneur de figurer au Bottin mondain, mais elle était indignée par la façon injuste dont ma famille avait été traitée. Elle estimait que les mêmes critères devraient s'appliquer à tout le monde, car elle savait que je n'étais pas la première personne du Bottin à avoir été arrêtée. Si l'une des filles Rockefeller ou Vanderbilt avait dirigé une agence d'hôtesses, est-ce que le nom de leurs parents aurait disparu du Bottin? Au fil des ans, des fils et des filles de nombreuses personnalités éminentes avaient été convaincus d'avoir trafiqué de la drogue ou d'avoir commis d'autres infractions graves, mais leur nom figurait au Bottin, alors que le mien n'y était déjà plus avant même que je sois officiellement inculpée.

Je partageais son indignation. Pourquoi ma mère devrait-elle être punie pour ce dont je me serais censément rendue coupable?

– Peut-être qu'on ne me tient pas en odeur de sainteté, dis-je, mais tu ne devineras jamais qui tient, en revanche, à me voir : Barbara Walters [1] m'a envoyé une lettre personnelle dans laquelle elle me dit qu'elle aimerait avoir un entretien avec moi, à ma convenance.

Cette communication de Barbara Walters m'avait remplie d'aise car je disposerais avec une interview de la meilleure

1. Célèbre pour son émission d'interviews à la chaîne de télévision ABC. *(N.d.T.)*

tribune qui se puisse concevoir pour présenter ma propre version de l'affaire. Puisque j'avais été arrêtée, je pouvais aussi bien finir en beauté. Peut-être étais-je naïve, mais je considérais comme un compliment de connaisseur l'intérêt que Barbara me portait.

Quand je mentionnai Barbara Walters, ma mère manifesta quelque inquiétude. Elle espérait, ce qui n'avait rien d'étonnant, que toute l'affaire sombrerait dans l'oubli sans plus de publicité, et n'envisageait pas de gaieté de cœur que je parle de mon agence d'hôtesses au cours d'une émission diffusée par une chaîne nationale de télévision. Je l'assurai qu'il se passerait quelque temps avant que je sois autorisée à parler à un représentant de la presse – à supposer que je le veuille en définitive.

Peu avant Noël, le jury acheva ses travaux et retint contre moi un seul chef d'accusation : celui de proxénétisme. Il aurait pu m'inculper pour chacun des rendez-vous qui avait été pris depuis cinq ans et demi, mais il lui aurait fallu alors préciser non seulement les dates et les lieux, mais également les noms des clients, ce à quoi il ne tenait évidemment pas du tout. Il aurait pu également désigner les policiers qui avaient procédé aux deux séries d'arrestations, mais comme ceux-ci soutenaient que je dirigeais une affaire représentant un million de dollars, il aurait semblé qu'on cherchât à masquer les faits en ne mentionnant qu'eux nommément. Il ressortait de ce chef d'accusation unique que, bien que le jury fût convaincu que des faits de prostitution avaient eu lieu entre 1979 et le mois d'octobre 1984, il ne voulait ou ne pouvait cependant pas préciser les noms de leurs auteurs.

Cette inculpation n'était nullement surprenante, car il est bien connu que le parquet exerce une certaine emprise sur le jury d'accusation. Lorsque Bernard Goetz [1], celui qu'on appelle le « justicier du métro », fut inculpé, Barry Slotnik, son avocat, déclara à la presse : « Si le procureur le voulait, un jury d'accusation inculperait même une pattemouille. »

Cela m'amène, finalement, à commenter l'aspect juridique de mon affaire, dont les détails sont si variés et si compliqués qu'il me faudrait écrire un autre livre pour les rapporter intégralement. Je me bornerai donc à en évoquer les points saillants, ou déprimants, selon le cas.

Je savais que je m'étais aventurée dans une zone d'ombre lorsque, quelques jours après m'être présentée au parquet, plusieurs avocats éminents, que je n'avais jamais rencontrés, com-

1. Son procès défraya la chronique judiciaire pendant les mois de mai et juin 1987. Accusé d'avoir abattu à coups de revolver, dans un wagon de métro, quatre jeunes Noirs qui lui demandaient l'aumône de façon qu'il jugea menaçante, il fut acquitté. *(N.d.T.)*

mencèrent à répandre la rumeur que chacun d'eux me représentait. J'étais stupéfaite, mais il semble que ce phénomène se produise toujours dans les affaires à sensation : des avocats en renom publient ce genre de déclarations dans l'espoir qu'elles s'avéreront exactes.

Bien entendu, c'est Risa qui dirigeait l'équipe de la défense. Toutefois, pendant les premiers jours, le procureur ne lui adressa pas la parole – sans doute parce que c'est une femme – et n'avait affaire qu'avec les avocats masculins qui s'occupaient de l'affaire sous la direction de Risa.

– Nous ne nous adresserons à vous qu'en votre qualité d'amie de Sydney, déclara-t-il à Risa.

– Il se peut que je sois son amie, répondit-elle, mais je suis aussi son avocate.

C'est seulement après que Risa eut donné pour instruction aux autres membres de son équipe de lui transmettre tous les appels que le parquet commença à la traiter avec respect, ce qui, apparemment, ne lui était pas facile. Lorsque Dennis Wade, le substitut qui traitait mon affaire, la rencontra finalement, une des premières questions qu'il lui posa fut : « Pourquoi Sydney Barrows n'a-t-elle pas pris un de ces avocats spécialisés dans les affaires de putes? »

Plus tard, sans doute à cause de Risa, et sans doute aussi parce que le juge à qui l'affaire avait été confiée était également une femme, le parquet compléta son équipe d'un élément féminin. A un certain moment, au cours d'une vive discussion sur ce qui devrait constituer mon châtiment approprié, cette représentante de l'accusation dit à Risa :

– Nous estimons que Sydney Barrows doit aller en prison.

– Je ne crois pas que ce soit suffisant, dit Risa, dont la voix prit une intonation sarcastique. Je crois qu'on devrait plutôt lui faire une injection mortelle!

Après Risa, le membre le plus important de notre équipe était Mark Denbeaux, professeur à la faculté de droit de l'Université de Seton Hall, à Newark, dans le New Jersey. Mark m'avait déjà représentée dans l'affaire Rozansky, et Risa lui demanda de plaider le dossier à l'audience et d'assurer activement ma défense. A la différence de nombreux avocats de la région de New York, Mark ne faisait pas partie de la franc-maçonnerie des anciens procureurs, ce qui lui conférait plus d'indépendance et donnait un tour imprévu à ses initiatives. De plus, contrairement à beaucoup de ses collègues qui négociaient toujours un arrangement pour leurs clients moyennant un aveu de culpabilité, il n'hésitait pas à faire venir l'affaire en jugement.

Mark ne tenait pas, au début, à travailler sur ce qui lui semblait être une banale affaire de prostitution, mais quand il vit que le parquet semblait vouloir ne poursuivre et ne harceler que les femmes, sans avoir aucune intention de mettre en cause l'un quelconque des clients, il fut indigné par cette iniquité manifeste. Bien que ce détail soit rarement mentionné dans la presse et soit souvent ignoré tant par le public que par la police, la prostitution est considérée comme une infraction dont les auteurs sont non seulement les femmes qui s'y livrent, mais également les hommes qui sont leurs clients. A l'instar de nombreux autres observateurs, Mark considérait que le parquet agissait de façon aussi discriminatoire qu'hypocrite en ne s'en prenant qu'aux femmes sans vouloir inquiéter les hommes, et il était résolu à soulever la constitutionnalité d'une telle pratique.

Dès le début, Dennis Wade, du parquet, fit pression sur moi pour que j'accepte un arrangement, c'est-à-dire que je plaide coupable en échange d'une peine plus légère, celle-ci devant cependant se traduire, pour le parquet, par la perception d'une forte amende – de l'ordre de cinquante mille dollars.

Nous nous réunîmes avec Mark et Risa dans le cabinet de celle-ci, à la Vingt-Septième Rue Est, pour examiner les aspects positifs et négatifs de l'offre du parquet.

– Si vous plaidez coupable, me dit Risa, ça n'ira pas plus loin, sinon nous pouvons aller jusqu'au bout de la procédure de jugement. En théorie, vous pourriez vous retrouver en prison mais, puisqu'il ne s'agit que d'un chef d'accusation et que vous n'avez pas de casier judiciaire, je ne vois pas comment cela serait possible, d'autant plus qu'aucun autre propriétaire d'une agence d'hôtesses n'a jamais eu à purger une peine d'emprisonnement.

– Examinons les deux hypothèses, dis-je. Que va-t-il se passer si je plaide coupable?

Nous passâmes en revue les conséquences de ce choix : tout d'abord, plus vite je plaiderais coupable, plus vite serait terminée la bagarre judiciaire et moins lourds seraient les frais d'avocats que j'aurais à régler. Deuxièmement, en plaidant coupable, je saurais à l'avance ce que serait la peine, et il n'y aurait ainsi pas de surprise désagréable. Il fallait ensuite penser aux hôtesses; j'étais diablement tentée de plaider ma cause à l'audience, mais les filles qui seraient sans aucun doute convoquées comme témoins courraient gravement le risque d'être ainsi jetées en pâture au public. Les clients pourraient également être convoqués et leurs noms seraient rendus publics. Enfin, il y avait toujours l'éventualité, encore qu'elle fût lointaine, d'une peine de prison.

D'un autre côté, plaider coupable signifiait que je renonçais sans m'être battue. J'avais vraiment le sentiment d'avoir dirigé une affaire honnête et, dans la mesure où j'avais pu violer la loi, c'était elle qui aurait dû être mise en accusation. Je n'avais pas honte de ce que j'avais fait, et j'étais plus que désireuse d'assumer pleinement mes actes devant le tribunal.

La décision n'était pas facile à prendre.

– Dois-je arrêter rapidement mon choix? demandai-je.

– C'est là le bon côté de l'affaire, répondit Mark. Vous pouvez plaider coupable à tout stade de la procédure. Si vous estimez à un moment donné que vous devez jeter le gant, vous n'avez qu'à nous le faire savoir. Jusque-là, nous nous battrons jusqu'au bout.

Il poursuivit :

– Plaider coupable ou non coupable est un marchandage mené comme une partie de bras de fer. Quelles que soient vos véritables intentions – et nous savons que vous n'avez pas encore arrêté votre décision –, Risa et moi nous efforcerons de persuader le parquet que vous ne plaiderez jamais coupable et qu'en fait, vous attendez votre procès avec impatience. Plus il croira que vous tenez vraiment à passer en jugement et meilleures seront les conditions qu'il vous offrira. Nous devons cependant nous montrer convaincants : s'il pense que nous bluffons, ses conditions ne seront pas aussi bonnes.

Quelques semaines plus tard, Mark m'informa qu'il avait eu un entretien avec Dennis Wade.

– Je lui ai dit que, puisque vous aviez trois mille clients...

– Un instant, le coupai-je. Comment avez-vous pu arriver à ce chiffre?

– En faisant une extrapolation à partir des registres des clients.

– *Trois mille?*

– Réfléchissez, me dit-il. N'avez-vous pas eu de nombreux clients qui ne vous ont appelée qu'une seule fois?

– Bien sûr.

– Et vous teniez une fiche sur chacun d'eux?

– Fidèlement. Pendant cinq ans et demi.

– Et est-ce que vous n'aviez pas deux nouveaux clients en moyenne chaque soir?

– Absolument. Certains soirs, nous en avions jusqu'à huit.

– Eh bien alors, trois mille clients, cela veut dire que vous aviez en moyenne deux nouveaux clients par soirée. Cela ne vous semble-t-il pas correct?

– Si vous présentez les choses ainsi, il semble que trois mille est un chiffre plutôt faible. Peu importe, continuez.

– De toute façon, j'ai dit à Dennis Wade qu'à l'ouverture du procès, je me proposais de commencer la procédure de sélection du jury en donnant lecture des noms et adresses des trois mille clients afin de bien m'assurer que les éventuels jurés n'en connaissent aucun.

– Un moment, dis-je. Si vous le faites, qui empêchera la presse de noter tous ces noms et de les publier ensuite?

Mark eut un sourire.
– Personne.
– Est-ce que vous plaisantez? m'exclamai-je. J'ai promis à ces messieurs que tout resterait confidentiel, et je n'ai nullement l'intention de revenir sur ma parole.
– Ne vous tracassez pas, répondit Mark. Je peux vous assurer que le parquet aimera encore moins cette idée, mais s'il tient à vous représenter comme la Madame aux trois mille clients, il faut alors lui faire croire que nous sommes prêts à les convoquer pour les faire témoigner. De toute façon, j'ai dit à Dennis Wade que, d'après mes estimations les meilleures, trois cent quarante de vos clients étaient des avocats exerçant à New York, et que je commencerais par les convoquer tous comme témoins. Certains d'entre eux sont fort connus, et tous devront engager d'autres avocats pour les représenter, ce qui sera un véritable cirque, car même si le procureur leur accorde l'immunité de poursuite, il y a encore de bonnes chances pour qu'ils soient radiés de l'ordre pour avoir commis une infraction. Et si l'un quelconque de ces avocats a réglé les services que lui rendit une hôtesse avec sa carte de crédit professionnelle, il y aura également quelques petits problèmes fiscaux intéressants qui se présenteront. Croyez-moi, le procureur ne tiendra *nullement* à embarrasser publiquement tous ces avocats.
– Mais supposons que vous vous trompiez, demandai-je. Que se passera-t-il si ces hommes sont convoqués?
– Je vais vous rassurer, dit Mark. Retenons cette hypothèse, et voyons ce qui se passera. Si ces messieurs viennent vraiment témoigner, je ne vois pas ce que vous avez à y perdre. S'ils soutiennent qu'ils n'ont pas payé pour avoir des relations sexuelles, et que c'est en usant de leur charme sur les hôtesses qu'ils ont couché avec elles, vous serez alors acquittée car, de toute évidence, il n'y aura pas eu de faits de prostitution. Cependant, même s'ils disent qu'ils ont payé pour avoir des relations sexuelles, ce qui constitue une infraction – et n'oubliez pas qu'ils bénéficieront de l'immunité de poursuite –, il est difficile de concevoir qu'un jury accepte que vous soyez le bouc émissaire et que les clients s'en tirent à bon compte. Même dans l'hypothèse improbable où un jury vous *reconnaîtrait coupable,* il serait encore plus improbable qu'un juge vous inflige autre chose qu'une petite tape sur les doigts, c'est-à-dire une légère peine de principe.

Cet argument constituait la pierre angulaire de la défense : le parquet se couvrirait de ridicule en soutenant que je dirigeais une agence d'hôtesses à laquelle des hommes aisés versaient des sommes d'argent considérables en échange de relations sexuelles tout en prétendant en même temps que nos clients étaient innocents d'avoir commis une infraction à la loi. Si ces hommes n'étaient pas reconnus coupables d'avoir fréquenté des prostituées, je devais être reconnue innocente du délit de proxénétisme.

La pratique du système de deux poids, deux mesures n'avait rien d'original. S'agissant de la prostitution et de la loi, il en a toujours été ainsi : les femmes paient pour avoir commis l'infraction tandis que les hommes ne sont pas inquiétés. En 1979, Koch, le maire de New York, avait tenté de changer tout cela en mettant en pratique une idée nouvelle prêtant à controverse : lors d'une émission de radio intitulée « John Hour », des speakers de WNYC, la station de radio de la ville, donnaient lecture des noms des individus reconnus coupables d'avoir fréquenté des prostituées. L'indignation populaire avait été cependant très vive et, quelques jours plus tard, l'expérience était abandonnée. La politique qui consistait à faire arrêter les hommes qui fréquentaient des prostituées connut un sort identique. En 1983-1984, par exemple, on a arrêté à Manhattan cinq mille quatre cent neuf femmes pour faits de prostitution – chiffre qui ne comprend pas les dix mille et quelques autres qui furent arrêtées pour « racolage sur la voie publique » – contre cent quatre-vingt-seize hommes seulement qui ont été leurs clients, soit un rapport de vingt-sept contre un.

Nous fîmes valoir de plus que les poursuites étaient également sélectives à l'égard des proxénètes. Bien qu'ils soient fort en évidence dans la rue ou dans les tribunaux, où ils se rendent pour faire sortir les filles sous caution, les souteneurs – autrement dit, les *hommes* qui encouragent la prostitution – ne sont presque jamais arrêtés. C'est ainsi qu'en 1984, trois hommes seulement furent arrêtés pour « incitation à la délinquance » contre cinquante et une femmes. Si la police voulait vraiment s'en prendre à ceux qui tirent profit de la prostitution, comment pouvait-elle justifier l'arrestation de femmes qui ne représentent, en fait, qu'un petit nombre des proxénètes, alors qu'elle se désintéressait pratiquement des souteneurs masculins?

Enfin, la défense souligna que les autorités avaient consacré beaucoup plus de temps, d'argent et d'énergie à nous contraindre à fermer nos portes qu'elles ne l'avaient fait pour toute autre agence d'hôtesses. De plus, il s'agissait d'une affaire dont elles reconnaissaient publiquement qu'elle n'avait aucun lien avec la drogue, la violence, la corruption de la police ou le crime organisé.

Notre autre argument principal était que je dirigeais une agence d'hôtesses et non une maison de prostitution. Être à la tête d'une agence de cette nature ne constitue pas, en soi, une infraction, et le fait, si bien établi fût-il, que j'en dirigeais une ne prouvait pas indubitablement que j'agissais pour encourager la prostitution. La loi définit la prostitution comme étant le fait d'avoir des rapports sexuels moyennant finance – ou comme étant simplement le fait de consentir à avoir des rapports sexuels contre de l'argent. Mais nos clients ne nous payaient pas pour avoir ces rapports, ou même pour la promesse d'en avoir. Ils nous payaient pour passer un moment avec les filles.

Peu importait ce qui se passait ou ne se passait pas pendant ce tête-à-tête, le prix était exactement le même. Si nous avions pris cent dollars pour une heure passée en toute innocence et deux cents dollars pour une heure consacrée à des activités gaillardes, les choses auraient été tout à fait différentes mais, dans notre cas – comme dans celui de la plupart des agences d'hôtesses –, le prix était le même pour chacune des heures passées en compagnie de l'hôtesse. Ainsi que les filles ne cessèrent de le souligner devant le jury d'accusation, elles n'étaient jamais *obligées* de coucher avec un client; c'étaient toujours elles qui décidaient de le faire ou non.

D'après la lettre de la loi, on ne peut pas dire qu'un acte de prostitution a été commis tout simplement parce qu'il y a eu des relations sexuelles et que de l'argent a changé de main. Il y a un fait de prostitution seulement dans le cas où le client paie *pour* avoir des relations sexuelles. La question, dès lors, est de savoir si nous *avions l'intention* de faire commerce du sexe contre de l'argent, et nous soutenions que nous ne l'avions pas.

Afin d'étayer son dossier, le parquet devait établir que les registres des clients saisis par la police le 11 octobre avaient bien été tenus par moi – tout au moins en partie. En conséquence, il demanda une expertise de graphologie dont les résultats seraient communiqués au jury d'accusation.

Il se trouvait que Mark Denbeaux est l'un des rares – quoique de plus en plus nombreux – avocats qui estiment que la validité des expertises graphologiques n'a jamais été prouvée. D'après Mark, même si chaque individu a une écriture vraiment unique, cela ne veut pas nécessairement dire que ses caractéristiques peuvent être mesurées quantitativement et jugées scientifiquement – surtout lorsqu'un échantillon d'écriture n'est comparé qu'à un seul autre échantillon.

Pour démontrer la validité de son raisonnement, Mark se plaisait à prendre comme exemple de comparaison la différence qui existe entre une confrontation menée avec un suspect et celle organisée avec plusieurs suspects. Dans une affaire d'agression, lorsque la victime déclare reconnaître pour son auteur l'individu que la police lui présente, il s'agit là d'une confrontation qui, n'ayant eu lieu qu'avec un seul suspect, a un caractère par trop subjectif, et ne constitue pas, dès lors, une preuve valable. En revanche, lorsque la confrontation a lieu avec plusieurs suspects, c'est-à-dire avec une demi-douzaine d'individus parmi lesquels la victime est priée d'identifier celui qui aurait commis l'infraction, elle permet, de toute évidence, de recueillir un élément de preuve plus déterminant.

Dans mon cas, Mark proposa qu'un échantillon de mon écriture figurât parmi ceux de dix autres personnes. Ce n'est que si l'« expert » était capable d'identifier le mien, soutenait-il, qu'il aurait le droit d'être pris au sérieux. Si l'analyse graphologique avait vraiment un caractère scientifique, le test ne devrait pas se révéler trop difficile.

Au beau milieu de toute cette argumentation, le graphologue vedette du parquet se désista soudainement, car il venait de découvrir l'existence d'un conflit d'intérêt plutôt embarrassant : en parcourant les registres des clients de notre agence, il avait reconnu trop de noms d'avocats qui étaient aussi *ses* clients! Finalement, ce fut un employé des services de la police qui procéda à l'analyse graphologique.

Le test consistait à me faire écrire et réécrire certains membres de phrases qui apparaissaient dans les dossiers de nos clients. Pendant le test, j'étais assise à une vieille table de bois, dont la surface était toute crevassée et boursouflée, et je pris soin de poser mon papier sur la plus grosse cloque que je pus trouver. Bien qu'habituellement je tienne mon stylo entre mon index et mon médius, je pensai que cela pourrait paraître suspect et, pour la première fois de ma vie, essayai donc d'écrire d'une façon « normale ». Le test dura cinq heures et fut considéré comme le plus long jamais mené dans l'État de New York.

Mark n'avait pu empêcher que je subisse ce test, mais il parvint à convaincre le juge de nous permettre de mettre à l'épreuve l'expert du parquet, si jamais l'affaire venait en jugement, en lui demandant de reconnaître devant le tribunal mon écriture parmi un ensemble d'autres échantillons. Naturellement, si l'expert se trompait, il ne fallait pas compter que le jury accorde du crédit aux résultats de ses travaux d'expertise. Après cette décision du juge, le deuxième expert en graphologie déclara qu'il ne pouvait conclure que l'écriture apparaissant sur les documents en question était celle de la même personne qui avait écrit les échantillons. Que sa qualité d'expert soit contestée devant le tribunal était vraisemblablement une épreuve qu'il ne tenait pas à subir.

Ayant remporté cette petite victoire, nous attaquâmes sur un autre front. La nuit de la perquisition, la police avait saisi tous les registres des clients et d'autres documents. Légalement, elle avait le droit de se saisir de ces matériaux, mais la loi comprend également une disposition intitulée « Communication des pièces » en vertu de laquelle l'accusé a le droit de se faire communiquer la copie de tout document que l'accusation va présenter comme élément de preuve. En conséquence, nous demandâmes que les registres des clients nous soient restitués.

D'emblée, cependant, le parquet refusa cette communication. Il soutint que les registres des clients établissaient par leur contenu la matérialité des faits imputables à une affaire illégale et que je pourrais les vendre à une autre agence d'hôtesses. Il fit valoir également que ces matériaux entraient dans la catégorie des « instruments du crime », expression normalement employée pour décrire les pièces à conviction telles qu'un revolver ou des stupéfiants. Quand j'entendis cet argument, j'eus l'impression d'être Alice au pays des merveilles essayant de se défendre contre la Reine Rouge.

– Qu'est-ce que nous allons faire maintenant? demandai-je à Risa.

– Nous retournons devant le tribunal pour obtenir ces documents, me répondit-elle. La loi est très claire sur ce point; ils doivent nous remettre les registres.

– D'après vous, quelle est la véritable raison qui fait qu'ils ne veulent pas les lâcher?

– Sans doute parce qu'ils craignent que les noms des clients ne restent pas confidentiels.

C'est ce que je pensais également. Certains de nos clients avaient le bras long, et je me demandais s'ils n'avaient pas appelé le parquet pour demander instamment que l'affaire soit traitée avec toute la discrétion possible. Si les registres étaient en notre possession, le procureur ne pouvait plus garantir leur caractère confidentiel.

– Quelle supposition insultante! m'écriai-je. Nous avons gardé ces noms confidentiels pendant cinq ans et demi. Je suis sûre que la plupart de nos clients préféreraient que ce soit nous qui conservions leurs noms plutôt que le parquet.

(Cela était encore plus vrai que je ne le pensais à ce moment-là, car nous apprîmes plus tard, de bonne source, que les noms de nos clients étrangers avaient été communiqués à la CIA, sans doute pour servir de moyen de chantage éventuel.)

– Ne vous faites pas de souci, m'assura Risa. Tôt ou tard, ils seront obligés de nous communiquer ces registres.

Quand vint la question de la récupération des registres des clients, le juge se rallia à notre thèse en reconnaissant qu'il n'y avait que deux possibilités : ou bien ces messieurs étaient nos clients, ce qui voulait dire qu'ils étaient également des témoins potentiels dans cette affaire et que nous voudrions peut-être les faire convoquer, ou bien ils étaient innocents et il fallait donc protéger leur vie privée. Si cette dernière hypothèse était confirmée, aucune infraction n'avait été commise, et il faudrait nous relaxer.

Sur l'ordre du juge, le procureur nous autorisa, à contrecœur, à faire des copies des registres des clients. Il y eut également une escarmouche sur le point de savoir qui réglerait la note des photocopies et quel en serait le montant.

Je dus finalement acquitter le prix des photocopies des registres des clients à un moment où ma situation financière devenait rapidement précaire. Les avocats passaient un temps incroyable sur mon dossier, et il y avait longtemps que je n'avais plus les moyens de régler leurs honoraires. En raison du travail que leur donnait mon affaire, ils délaissaient d'autres clients plus solvables. Comme Risa le soulignait d'ailleurs, il peut être extrêmement onéreux d'avoir à se défendre lorsque les pouvoirs publics, grâce à ses ressources illimitées, emploient les grands moyens pour vous confondre.

Un matin du mois de février, alors que je faisais part à David de mes problèmes financiers, il me dit avoir lu quelque part que John De Lorean [1] avait organisé un gala de charité pour l'aider à payer les frais de sa défense.

– Pourquoi ne pas faire la même chose? suggéra-t-il.

Cela me sembla être une bonne idée. Je recevais beaucoup de lettres d'encouragement de correspondants inconnus et, dans la rue, on m'arrêtait immanquablement pour me dire combien on tenait à ce que je sorte victorieuse de l'épreuve.

– Beaucoup de gens viendraient probablement, répondis-je.

– Je le crois également. En outre, c'est une bien meilleure idée que celle qu'a eue ma sœur.

– Quelle idée?

– Elle plaisantait, mais je vais t'en faire part quand même : puisque tu es maintenant en possession des registres des clients, tu devrais écrire à chacun d'entre eux pour lui dire que tu envisages d'écrire un livre et que, moyennant une modeste obole, tu te ferais un plaisir de ne pas mentionner son nom.

Je me mis à rire.

– Une petite extorsion de fonds, hein? Tu sais bien que ce n'est pas mon genre.

Nous arrêtâmes un projet qui était beaucoup plus respectable : la tenue, en avril, d'un grand gala de charité au profit du Fonds de défense du Mayflower, au Limelight, une discothèque de Manhattan située dans une ancienne église épiscopale rénovée, avec buffet et attractions. Le prix du billet d'entrée serait fixé à quarante dollars.

1. Industriel qui s'était lancé, au début des années 80, dans la construction d'une voiture automobile de modèle sport. L'entreprise périclita, et il était acculé à la faillite quand il fut accusé d'avoir monté un important trafic de stupéfiants pour renflouer ses finances. Il fut acquitté à l'issue d'un procès qui fit sensation. *(N. d. T.)*

Notre première tâche fut d'établir la liste des invités. Je commençai par téléphoner à toutes les filles, ainsi qu'à tous mes amis, en leur demandant de constituer la liste de leurs relations dont ils auraient de bonnes raisons de croire qu'elles aimeraient participer à cette soirée. Les assistantes établirent, de leur côté, une liste de certains de nos clients favoris, que nous invitâmes également. Dès que les invitations furent prêtes, je demandai aux filles de venir chez moi pour m'aider à remplir les enveloppes et à écrire les adresses. Nous fûmes ainsi occupées pendant trois soirées et postâmes environ deux mille lettres.

L'invitation officielle se lisait comme suit :

Les Amis de Sydney Biddle Barrows
vous prient de leur faire le plaisir d'assister
au
Bal du Fonds de défense du Mayflower
le mardi soir, 30 avril,
au Limelight
Avenue of the Americas, à la Vingtième Rue

Les invités sont priés d'arriver entre
19 heures et 19 h 15 pour être présentés aux Amis de Sydney.
Le buffet sera servi à 21 heures
et sera ensuite suivi d'un bal.

Tenue de soirée facultative.
Les serveurs seront en tenue.
Le port d'un diadème n'est pas obligatoire pour les dames.

La dernière ligne – concernant le diadème – avait été rédigée à titre de plaisanterie mais, comme je l'appris plus tard, certaines de mes amies n'en étaient pas sûres. J'avais vu une fois cette formule sur une invitation à une réception de l'ambassade de Grande-Bretagne, et j'avais pensé qu'il serait amusant de l'employer ici. Une invitée – Ana Biddle, de Philadelphie – n'hésita pas cependant à venir coiffée d'un diadème. (Nous ne nous étions jamais rencontrées auparavant, mais nous étions sans aucun doute apparentées.) Comme elle était une Biddle authentique, portant un diadème authentique, le *Daily News* publia une grande photo d'elle en première page de son journal qui parut le lendemain matin.

Tout le monde ne fut pas transporté d'enthousiasme à l'idée d'un bal donné au profit du Fonds de défense du Mayflower. « Le Mayflower n'a pas besoin d'être défendu », proclama un membre de la Société du Mayflower. On me rapporta qu'un certain nombre d'avocats étaient furieux, car ils estimaient que nous traitions le problème de mes notes de frais judiciaires comme s'il s'agissait d'une cause charitable. Mon initiative fit aussi grincer des dents des organisateurs de bals de charité, qui estimaient en grand nombre que ce gala pourrait donner une mauvaise réputation à leurs réceptions.

Je me faisais une joie de cette soirée, mais je n'avais rien à me mettre. Le Bal du Fonds de défense du Mayflower aurait été pour moi une occasion parfaite de porter ma robe de taffetas noir au décolleté fantastique, mais elle figurait parmi les articles qui avaient été volés dans le bureau aussitôt après la perquisition. Sachant que ma garde-robe était plutôt restreinte, une de mes amies, qui travaillait pour Tracy Mills la maison de couture renommée, demanda à M. Mills de me laisser porter l'une de ses robes en échange de la publicité ainsi assurée. Il accepta, et j'en fus ravie.

Le jour de la réception approchant, le *Daily News* et le *New York Post* revendiquèrent chacun hautement l'exclusivité d'un article. Mon attitude à l'égard de ces deux journaux avait beaucoup évolué depuis le mois d'octobre, époque où les reportages qu'ils publiaient sur moi et mon agence étaient truffés de fausses informations. Depuis que mon histoire relevait surtout de la chronique judiciaire, ces journaux travaillaient en liaison étroite avec Risa et Mark pour bien s'assurer de l'exactitude des faits qu'ils rapportaient, et m'avaient en outre toujours bien traitée. Les lecteurs étaient évidemment intrigués par le fait qu'une Madame pouvait être de grande classe, ce qui explique pourquoi le *News* et le *Post* n'épargnèrent aucun effort pour insister sur cette particularité.

Nous décidâmes de remettre à l'avance au *Post* une photo de la robe – il s'agissait d'une robe de soirée longue, en taffetas rose, sans bretelles, qui s'accompagnait d'une étole de paillettes de perles et de diamants et de longs gants blancs en chevreau couvrant mes avant-bras, qui faisaient déjà partie de ma tenue de débutante, quatorze ans auparavant. Nous promîmes en retour au *Daily News* une photo exclusive prise pendant la réception de ma personne et de mon cavalier – au sujet duquel les spéculations allaient bon train.

Les invités étaient d'abord accueillis par les organisateurs de la réception. Risa ayant fait valoir que la plupart d'entre eux ne venaient que pour rencontrer la Madame du Mayflower, j'avais décidé que le moyen le plus pratique de répondre à leur désir était de les faire présenter à notre groupe. Dès qu'un invité s'approchait de nous, son nom était annoncé – selon la procédure suivie lors d'un bal très officiel. Les invités étaient accueillis d'abord par Mark Denbeaux, qui me les présentait ensuite et que je présentais, à mon tour, à Risa.

Un certain nombre de mes amis qui n'habitaient pas New York, de nombreux inconnus et une centaine de journalistes au moins accourus des quatre coins du pays se joignirent à nous ce soir-là. Parmi les invités figuraient des éditeurs de livres, des producteurs de cinéma (dont plusieurs vinrent par avion de Californie spécialement pour l'occasion), des amis d'amis, des curieux et les propriétaires de trois autres agences d'hôtesses venus pour marquer leur solidarité. Il y avait aussi quelques clients : ils n'avaient pas tous donné leur nom, mais je les reconnus à leur voix, car j'avais très souvent parlé au téléphone avec certains d'entre eux.

Nombre de mes amis personnels auraient bien voulu venir également, mais n'avaient pas osé pour des raisons évidentes : les femmes parce qu'on aurait pu les prendre pour mes hôtesses et les hommes parce qu'on aurait pu voir en eux d'anciens clients. Les colocataires de Westhampton s'abstinrent en masse : figurer sur une photo à mes côtés avait déjà été pour eux un épisode assez pénible à vivre et à faire oublier, et il leur aurait été encore plus difficile d'expliquer pourquoi ils s'étaient prêtés, une deuxième fois, à la prise de clichés en ma compagnie.

Un groupe de cousins vinrent du Vermont et du New Jersey avec des ballons sur lesquels on pouvait lire l'inscription suivante : « Nous ne l'approuvons pas, mais elle fait toujours partie de la famille. » Trois de mes amis vinrent par avion exprès de Los Angeles, un autre de Dallas, et deux autres de Floride.

Toute la soirée, des gens m'adressèrent des propos aimables et encourageants : « Vous êtes très en beauté. » (Risa avait eu la bonne idée de me conseiller de confier ma coiffure et mon maquillage à des professionnels.) « Nous vous admirons vraiment. » « Nous parlions de vous au travail, et nous sommes tous avec vous. » Plusieurs hommes m'invitèrent à danser, mais je ne pus jamais accéder à la piste tant étaient nombreux autour de moi les gens qui voulaient me parler. Ce fut une expérience exaltante et magique que d'être l'invitée d'honneur à une réception où des centaines de personnes – la plupart de parfaits inconnus – étaient venus pour me manifester leur appui.

A la fin de la soirée, le compositeur et chanteur Richard Currier interpréta une chanson intitulée « Mayflower Maiden » (la Demoiselle du Mayflower) qu'il avait composée spécialement pour l'occasion avec le parolier Jim Piazza.

Après la chanson, je me levai et remerciai publiquement mes avocats, mes amis, mes anciennes hôtesses et tous ceux qui s'étaient rangés de mon côté au cours des six derniers mois.

La réception fit couler beaucoup d'encre dans la presse aux quatre coins du pays. Mon passage préféré était le début du compte rendu qui parut dans *Newsday :* « Sydney Biddle Barrows est venue hier soir pour sentir la chaleur des contacts humains. Et des gens ont payé pour cela – comme pour le genre d'activités qui lui ont valu tous ses ennuis. »

L'article se terminait par la citation d'une déclaration d'un membre du comité du Bottin mondain : « La première Biddle depuis des générations qui savait comment faire de l'argent. »

Comme nombre des invités étaient des membres de la presse qui avaient été admis gratuitement, nous ne fîmes pas la recette que nous avions espérée, mais cela était secondaire. Du point de vue des relations publiques, la réception avait été sans conteste un succès. Le parquet s'efforce toujours de présenter l'accusé comme un personnage odieux qu'il faut mettre sous les verrous mais, après cette réception et tous les articles de presse qu'elle suscita, il lui était devenu encore plus difficile de me peindre sous les traits d'une délinquante. Nous étions parvenus à rendre mon affaire banale, au plein sens du terme.

Contrastant fortement avec mes interminables démêlés avec la justice, le Bal du Fonds de défense du Mayflower avait été pour moi la chose la plus divertissante que j'eusse jamais connue. J'avais toujours grandi dans l'idée que mon mariage serait l'événement le plus important de ma vie, mais il m'est difficile d'imaginer maintenant que l'éclat de cette réception puisse jamais être surpassé.

16

J'ai toujours été une lectrice assidue du *New York Times* et du *Wall Street Journal* et, jusqu'à l'événement qui causa ma perte, j'ignorais quasiment l'existence du *Daily News* et du *New York Post.* Bien sûr, lorsque je passais devant le kiosque à journaux de mon quartier, je jetais souvent un coup d'œil sur leurs manchettes, mais je n'avais jamais lu le premier et n'avait acheté qu'une seule fois le second – des années auparavant, le jour où l'assassin « Fils de Sam » [1] avait été arrêté.

De prime abord, il semblait déconcertant que le *New York Times* et le *Wall Street Journal,* où nos clients lisaient régulièrement le compte rendu détaillé de leurs activités, ne fassent aucun cas de mon affaire alors que la presse à scandales ne pouvait apparemment s'en rassasier. A la réflexion, cependant, il n'y avait pas de quoi s'étonner : une affaire comme celle d'une jeune Madame de Manhattan, à l'ascendance illustre, dont les hôtesses élégamment vêtues rendaient visite à des hommes riches et importants à des fins « immorales », et dont la carrière avait brutalement pris fin à la suite d'une descente spectaculaire de police, justifie l'existence des feuilles à sensation.

Rien n'aurait pu néanmoins me préparer au battage que la presse fit autour de moi et de « Cachet ». A un certain moment, nous figurâmes en première page du *New York Post* et du *Daily News* tous les jours pendant deux semaines – à l'exception d'un intervalle de trois jours au moment de l'assassinat d'Indira Gandhi.

Chaque fois que j'étais convoquée au tribunal, une vingtaine ou

1. Psychopathe que poussait un besoin irrésistible de surprendre de jeunes amoureux dans leurs rencontres et de les assassiner. Prétendant que ses crimes lui étaient dictés par des démons, il en commit de nombreux avant d'être finalement mis hors d'état de nuire. *(N.d.T.)*

une trentaine de reporters faisaient le pied de grue à l'entrée du Palais de Justice et, immanquablement, ma photo était à nouveau publiée en première page. Lorsque Mark et Risa, ou l'un d'eux seulement, m'accompagnaient, ils ne cessaient de bougonner « Pas de commentaires » en réponse aux questions qui fusaient. (Même *ça,* je n'avais pas le droit de le dire.) Devant nous, marchant à reculons, les photographes de presse et les opérateurs de télévision nous mitraillaient. Parfois, l'un d'entre eux faisait une chute ou heurtait un lampadaire, ce qui ajoutait un élément comique à la scène.

Dans le *New York Times,* Russell Baker rédigea une chronique où il déplorait le fait que son journal passât sous silence le fait divers le plus piquant du moment. « Au *New York Times,* faisait-il observer, nous ne sommes pas censés porter de l'intérêt aux Madames du Mayflower, mais ne nous laissons pas abuser par cette apparence affectée. Derrière cette façade, des foules de lecteurs, qui se délectent autant d'histoires scabreuses que ceux du *Daily News* ou du *New York Post,* sont aux aguets. »

Quelques paragraphes plus loin, il écrivait : « J'envie les gens du *New York Post* et du *Daily News.* Ils ont là matière à une bonne petite histoire, et il n'est rien qu'un journaliste aime plus, sauf passer à la caisse le vendredi soir. »

Le scandale – ou l'apparence du scandale – alimente les feuilles à sensation et, dans la période ayant immédiatement suivi la perquisition, la presse publia des titres aussi classiques que : « D'après la police, une blonde discrète gérait un bordel chic » *(New York Post)*, et « de la classe, toutes les filles en avaient, déclare l'entremetteuse » *(Daily News).* Ces deux journaux employèrent fréquemment les termes « bordel » et « lupanar », et suivirent cette pratique longtemps après qu'il fut bien évident que les seuls hommes à avoir jamais mis les pieds dans les lieux étaient des monteurs du téléphone et les garçons de course. Il leur était tout simplement impossible d'admettre que notre agence n'était qu'un bureau.

Je ne sais pour quelle raison les articles publiés par ces feuilles ne m'offensaient pas vraiment. Je lisais les comptes rendus avec intérêt, mais considérais qu'ils ne me concernaient pas : j'ai toujours eu l'impression qu'ils traitaient d'une autre personne.

La presse focalisa tout d'abord son attention sur l'importance et la réputation de notre agence. Comme l'écrivit le *Daily News* après que je me fus présentée au parquet : « Une directrice blonde et discrète, que la police a qualifiée de “ la Madame la plus professionnelle qu'elle eût jamais rencontrée ”, s'est présentée hier au procureur pour répondre aux accusations selon lesquelles elle dirigeait un richissime réseau de call-girls qui tenaient compagnie à des cheiks arabes et à des P-DG du monde entier. »

Plus tard, l'un des journaux publia les noms de plusieurs célébrités en affirmant qu'ils figuraient sur les registres de nos clients. Je ne reconnus pas ces noms-là, mais cette initiative m'apparut dangereuse, et je m'inquiétais de ses suites. Comme j'avais la carte du lieutenant Bayer, je l'appelai pour lui faire part de mes préoccupations.

Il se trouva que j'eus Elmo Smith au bout du fil.

– Ici, le sergent Smith.

– Puis-je parler, s'il vous plaît, au lieutenant Bayer?

– Il est occupé. C'est à quel sujet?

– C'est au sujet de la Madame du Mayflower.

Ce n'était pas le moment de faire connaître mon identité.

– Ah oui? Dans ce cas, nous pouvons très bien en causer tous les deux.

– Non. Il faut que je parle au lieutenant.

– Et pourquoi pas à moi? s'exclama-t-il. C'est moi qui ai joué le principal rôle dans cette affaire. C'est moi qui l'ai fait « tomber ».

– *Navrée,* fis-je sur le ton le plus hautain et le plus aristocratique, mais je n'ai jamais entendu parler de vous. Et puis, vous n'êtes que sergent alors que lui est lieutenant. Il n'y a qu'à *lui* que je puisse parler.

– Qu'est-ce que cela signifie? me répliqua-t-il. N'avez-vous pas vu mon nom dans les journaux?

Il finit par me mettre en communication avec le lieutenant.

– Ici Sheila Devin, annonçai-je. Que vous m'arrêtiez et fassiez publier mon nom en gros caractères dans les journaux, je veux bien, mais qui vous a donné le droit de briser la vie de mes clients? C'est méprisable, et je ne peux pas croire que c'est légal!

Les excuses de Bayer me parurent sincères. Il m'affirma ne pas comprendre comment cette fuite avait pu se produire, et m'assura que son service s'en préoccupait également. Je le crus, et n'aurais été nullement surprise d'apprendre qu'il avait reçu quelques coups de téléphone furibonds de la mairie. Je connaissais la personnalité de certains de nos clients, et étais sûre que ces « divulgations » dans la presse les avaient suffisamment inquiétés pour qu'ils fassent intervenir leurs amis bien placés.

Pendant les premières semaines, la presse fut prise d'un très vif intérêt pour les registres des clients. Le *New York Post* affirma : « Ces registres contiennent les noms et les préférences sexuelles des clients présumés de la descendante au sang bleu du Mayflower, accusée d'avoir dirigé un réseau de prostituées de grande classe pour des milliers d'hommes au portefeuille bien garni. » La mention des « préférences sexuelles » de nos clients était plutôt fallacieuse, car nos notes se bornaient à indiquer si un client préférait un type de fille à un autre et, dans certains cas, s'il aimait « jouer au bridge » à l'occasion.

Malheureusement pour lui, ce journal ne put révéler aucun nom, mais il tenait les lecteurs en haleine et les incitait à suivre l'affaire dans l'attente de détails croustillants, comme le donnait à entendre la phrase suivante : « L'identité des célébrités et des play-boys qui auraient payé pour avoir des relations sexuelles avec de belles hôtesses est toujours un secret étroitement gardé – mais qui peut encore être levé pendant le procès. »

Bien sûr, on rappela plusieurs fois que la divulgation des noms de nos clients créerait des situations embarrassantes pour de nombreux couples – perspective qui, certainement, me préoccupait, mais dont la presse faisait ses choux gras. L'un des journaux publia un dessin humoristique qui représentait une femme assise dans sa salle de séjour en train de lire le journal. Elle tournait le dos à la cuisine, où l'on pouvait voir son mari à genoux, la tête dans le four. « T'as vu ça! s'exclamait la femme, ces types du Mayflower vont peut-être devoir témoigner devant le tribunal. Ça va être drôle, tu ne trouves pas, mon lapin? »

Un autre dessin humoristique mettait en scène un homme dissimulant derrière son dos un journal dont on pouvait tout juste lire le titre suivant : « Des gens connus dans les registres de la Madame du Mayflower? »

« Qu'est-ce que tu voulais, chérie? demandait-il à sa femme. Le journal? Cette fois encore, il n'est pas arrivé, mon chou! »

La façon dont je m'habillais pour me rendre à mes diverses comparutions devant le tribunal passionnait également. Rendant compte de mon arrivée au parquet pour me présenter au procureur, le *New York Post* me décrivait, assez spirituellement à mon sens, comme « une blonde, mince, d'un mètre soixante-dix... impeccablement vêtue d'un tailleur gris, portant des chaussures grises et un corsage de soie beige discret boutonné jusqu'au cou – la vision de cette tenue chic n'étant gâchée que par les bracelets de métal offerts gracieusement par l'État ».

Même le journaliste fort respecté Murray Kempton, dont l'esprit est généralement occupé par des sujets plus élevés, fut amené à parler de mes toilettes. Dans un article paru dans *Newsday,* il fit de moi la description suivante : « Mlle Barrows portait un tailleur qu'une experte se trouvant sur les lieux identifia comme étant de couleur " bleu pervenche ". Elle aurait été fort séduisante si la ligne de ses épaules n'avait évoqué pour nous le style de vêtement porté habituellement par Jeane Kirkpatrick [1], ce qui montrait bien que cette personne, qu'elle appartînt ou non à l'espèce des Madames, a sans conteste un port directorial. »

1. Ancienne ambassadrice des États-Unis à l'Organisation des Nations Unies. *(N.d.T.)*

Il devint bientôt évident que l'histoire de la Madame du Mayflower faisait l'objet, à New York, d'une compétition entre deux journaux concurrents, le *New York Post* et le *Daily News.* Je préférais en gros les articles du *Post,* qui étaient généralement plus exacts. Cette feuille avait certainement publié sa part d'erreurs, mais j'étais par moments convaincue que le *Daily News* donnait vraiment dans le roman.

Un jour, une femme reporter du *Daily News* sonna à ma porte.

– Qui est-ce? demandai-je.

Elle se fit connaître.

– Désolée, lui criai-je à travers la porte. Je n'ai rien à vous dire.

Comme je ne l'avais pas entendue s'éloigner, je regardai par l'œil de la porte et constatai qu'elle était encore là. Je retournai à mes occupations mais, quelques instants plus tard, procédai à une nouvelle vérification et vis qu'elle faisait toujours sentinelle. La prenant alors en pitié, j'ouvris et lui répétai aussi poliment que possible qu'il était hors de question que je lui accorde un entretien.

Elle me posa cependant quelques questions, qui provoquèrent de ma part un nouveau refus.

– Je sais bien que vous essayez de faire votre travail, lui dis-je, mais mes avocats m'ont absolument interdit de parler à qui que ce soit. Leurs conseils me coûtent trop cher pour que je ne les suive pas.

A ce moment-là, le téléphone sonna et, refermant la porte derrière moi, je me précipitai pour le décrocher.

J'avais toutefois oublié que l'acoustique de mon appartement est telle qu'en se tenant devant l'entrée, on peut entendre pratiquement tout ce qui se dit à l'intérieur. Le jour suivant, le *Daily News* publia en manchette à la une : « Interview exclusive avec la Madame du Mayflower. »

Naturellement, les reporters du *New York Post* étaient furieux de voir que j'avais accordé une interview à leur concurrent, jusqu'au moment où Risa leur expliqua que cette prétendue interview n'avait jamais eu lieu. Le lendemain, le *New York Post* publia sa propre histoire en affirmant que l'article du *Daily News* écrit à partir d'une « interview exclusive » avec la Madame du Mayflower était mensonger.

Un ou deux jours plus tard, le *Daily News* titra en gros caractères : « Un prince, une Madame et une folle partie : un Saoudien fait prendre à des femmes un bain au champagne. » D'après l'article, une histoire inventée de toutes pièces, plusieurs des hôtesses et moi-même avions une fois participé, au Waldorf Towers, à une partie au cours de laquelle notre hôte, un prince saoudien dont le nom n'était pas révélé, avait fait prendre un bain au champagne à un certain nombre de filles.

Le lendemain, le *Post* riposta avec le titre suivant : « Le prince et sa partie au Waldore : inconnu au bataillon. » Deux jours après, le *Daily News* s'en tint à sa version : « Le prince et son bain pétillant? Ça coule de source! »

Dans la plupart des cas, les magazines donnent une relation plus exacte des événements que les quotidiens. On n'y travaille pas sous pression comme dans un journal qui doit tomber chaque jour à heure fixe, les enquêtes sont plus approfondies – ce qui veut généralement dire plus proches de la vérité.

C'est pourquoi je fus particulièrement irritée par une page entière publiée par le *Time,* dont le titre : « Fermeture d'un lupanar pour aristocrates » montrait que ce magazine, à l'instar de la presse à scandales, se moquait des faits comme de l'an quarante. L'article était accompagné d'une photographie du petit immeuble où était situé notre bureau, sous la légende « Le lupanar de Barrows ». (Pour mémoire, mon dictionnaire définit le terme « lupanar » comme « une maison de prostitution; un bordel ».) Ici, également, le nom des clients suscitait un grand intérêt, car on faisait allusion à « une liste où abondent tant de noms de cadres supérieurs, d'athlètes, de cheiks arabes, de dignitaires étrangers, de vedettes de cinéma et de personnalités éminentes qu'intimidé par sa lecture, un policier l'a qualifiée de *Bottin des célébrités* ». Le magazine signalait en outre que « les penchants vicieux de chaque client étaient clairement mentionnés en regard de son nom ».

L'article paru dans *Newsweek* avait fait l'objet de recherches beaucoup plus sérieuses et se montrait également plus aimable : « Dans un domaine où pullulent les souteneurs dans des Cadillac tapageuses, Sydney avait apparemment apporté les vertus supérieures de la bienséance, du bon goût et de l'hygiène. » Le magazine citait même cette déclaration du sergent Elmo Smith : « On ne pouvait s'empêcher d'être impressionné. »

De tous les articles, celui que je préférais avait été rédigé par Gigi Mahon pour *Barron's,* l'hebdomadaire financier, qui le publia en première page dans sa fameuse chronique intitulée « Du côté de Wall Street ».

« Il faut vraiment admirer une entreprise bien gérée, quel que soit son domaine d'activité », débutait ainsi cet article. Après avoir noté que « Sydney était une sacrée femme d'affaires », et qu'elle dirigeait l'agence « d'une main de fer dans un gant de velours », Mme Mahon poursuivait en commentant de façon inhabituelle et amusante mon « infraction » et le châtiment qu'il méritait :

« Nous ne voulons nullement nous immiscer dans la bonne

marche de la justice, mais il nous semble que cette agence correspond exactement au genre d'entreprises auxquelles rêvent l'administration Reagan et tous les théoriciens de l'offre quand ils nous disent que ceux qui les dirigent sont l'âme des affaires en Amérique et doivent être encouragés par des réductions d'impôt et des mesures analogues.

« Après tout, pensez à ce que faisait Mlle Barrows pour notre économie et notre société capitaliste. Des hommes fortunés payaient pour un service, dont la rétribution avait ensuite des retombées dans tout le système... Les filles gagnaient de l'argent, ce qui veut dire que Bloomingdale's en gagnait sans doute aussi, et Dieu sait combien pouvaient gagner les hôtels de luxe de New York qui, actuellement, prennent deux cent vingt dollars la nuit pour une de leurs chambres *les plus petites*.

« C'est pourquoi, bien que nous n'ayons aucun pouvoir en la matière, nous demandons instamment que la présumée Madame, si elle est reconnue coupable, soit condamnée à accomplir des travaux d'intérêt général. Nous irions jusqu'à nous aventurer dans le domaine du cruel et de l'insolite en suggérant quelque chose de *vraiment* désagréable : Mlle Barrows devrait être contrainte à faire cours pendant un semestre à la Harvard Business School, ou peut-être même à suivre le programme de formation chez McKinsey & Co, consultants d'entreprises. Très certainement, elle apprendrait alors que le crime ne paie pas, même s'il lui fallait en même temps oublier les enseignements pratiques qu'elle a tirés quant à une saine gestion. »

L'article de *Barron's* me plaisait non seulement parce qu'il était flatteur, mais aussi parce qu'il parlait finalement de notre agence *comme d'une affaire.* On nous acceptait pour ce que nous étions et on n'essayait pas de formuler un jugement moral ou de nous faire apparaître sous un jour affriolant ou scandaleux. Nous appartenions vraiment au monde de la finance puisque les messieurs qui y jouaient un rôle éminent étaient si nombreux à nous appeler avec régularité.

Le 10 décembre, le magazine *New York* publia un long récit intitulé : « L'histoire de la Madame du Mayflower. » Je n'étais toujours pas autorisée à donner des interviews, mais j'acceptai de poser pour la page de couverture après que les rédacteurs eurent vérifié avec moi, avant la publication de l'article, la véracité des faits.

Entre autres sujets, l'article évoquait le côté collet monté, qui surprenait toujours, de la Madame du Mayflower : « Sheila semblait détester le vocabulaire habituel de la profession – pour elle, les clilles, michés et michetons étaient toujours appelés des clients –, et elle abordait les questions sexuelles avec une grande délicatesse. » Quelles qu'aient été leurs sources d'information, je suis heureuse que les journalistes de ce magazine aient résisté à la tentation de faire apparaître nos activités sous un jour plus salace que ce n'était le cas.

Pour moi, la citation la plus intéressante reproduite dans cet article était celle d'une déclaration de Robert Morgenthau, le procureur de Manhattan : « Ce n'est pas nous qui avons monté toute cette affaire en épingle, c'est la presse. Nous ne savions pas que nous arrêtions la Madame du Mayflower. »

A notre connaissance, c'était la première fois que les autorités parlaient publiquement de l'affaire. Cela confirmait ce que nous soupçonnions : le procureur était grandement embarrassé par mon cas et aurait souhaité ne plus en entendre parler. Bernard Goetz avait récemment été arrêté pour tentative de meurtre, plusieurs autres actes de violence et de brutalité policière avaient fait l'objet d'une grande publicité, et tout le monde pouvait donc se rendre compte que la police aurait eu mieux à faire – encore que ce fût moins excitant – que de s'en prendre à des call-girls de haute volée. C'était elle qui avait mis la presse dans le coup, et elle en payait maintenant le prix.

Quinze jours après la parution de cet article, le magazine *New York* publia plusieurs lettres de lecteurs. L'un d'eux écrivit : « Je peux maintenant marcher dans la rue en me sentant davantage en sécurité et dormir plus tranquille depuis que je sais que la Madame du Mayflower, de triste notoriété, sera bientôt traînée en justice. Après l'arrestation de criminels endurcis tels que Sydney Biddle Barrows, peut-être que nos agents du maintien de l'ordre public pourront s'en prendre à des délinquants moins dangereux, tels que les assassins, les violeurs et les bandits armés. »

Une autre lectrice écrivit qu'elle avait récemment reçu un numéro du *B'nai B'rith Star* et fit le commentaire suivant : « Et devinez qui faisait de la publicité dans cette publication vieux jeu et irréprochable? Le culot n'a vraiment pas de limites! »

Pas si vite, chère lectrice. Vous seriez peut-être surprise d'apprendre que le personnel zélé du service des ventes du *B'nai B'rith Star* m'avait téléphoné pour solliciter cette annonce. Tout cela m'amusa beaucoup, et je fus contente de constater que cette publication traitait notre agence comme elle l'aurait fait de n'importe quelle autre entreprise.

Naturellement, il me vint à l'esprit que l'employé du *Star* n'avait peut-être aucune idée de la nature véritable de nos activités.

– Vous savez que nous sommes une agence d'hôtesses, lui avais-je expliqué, avec toutes les conséquences que cela implique.

– Je sais, m'avait-il répondu.

J'étais ravie, car une annonce dans ce périodique pouvait nous ouvrir un marché entièrement nouveau. Malheureusement, nous n'avons jamais eu la possibilité de le vérifier, car notre agence fut fermée avant sa parution.

Les personnages en vue m'avaient toujours semblé manquer de sincérité lorsqu'ils se plaignaient des inconvénients de la célébrité, mais j'avais maintenant la révélation brutale du bien-fondé de leurs jérémiades. Comme je l'appris rapidement, la notoriété est une arme à double tranchant.

Je sais bien que j'avais acquis ma renommée de façon assez peu usuelle. A la différence de la plupart des gens qui deviennent soudainement célèbres, je n'avais vraiment pas cherché à retenir l'attention. Je n'avais ni espéré ni souhaité connaître un jour la célébrité et n'avais rien fait pour l'acquérir. En fait, je m'étais surtout attachée à l'éviter.

Quand un personnage connu parle des sacrifices que lui impose sa popularité, on a tendance à penser : « Cause toujours. Tu ne vas pas me dire que tu passes à la caisse en pleurnichant sur ton sort. » J'aurais aimé être l'objet de ce commentaire, car s'il en est que la renommée fait passer du taxi à la voiture de maître, celle-ci m'avait, quant à moi, fait reprendre tout droit le chemin du métro.

La célébrité peut, bien entendu, revêtir divers aspects, mais on ne peut mettre sur le même plan le fait d'être connu et celui d'être simplement reconnu. Bien que je fusse loin d'être ravie d'avoir été retirée des affaires, cela me consolait un peu de savoir que des millions de personnes n'ignoraient plus maintenant que la Madame du Mayflower était une femme d'affaires aussi exemplaire que notoire.

Cependant, être *reconnu* est encore tout autre chose. J'étais habituée à l'être dans des réceptions, des restaurants et d'autres occasions où je me montrais sous mon meilleur jour, mais je n'étais nullement préparée à découvrir que les gens me reconnaissaient même lorsque je sortais sans maquillage, le nez chaussé de lunettes et vêtue d'un survêtement. Cela me déconcertait dans une ville comme New York, peuplée de millions d'inconnus, d'être souvent remarquée dans la foule du métro, au supermarché ou simplement dans la rue.

Je suppose que je n'aurais pas dû être étonnée. Outre que mon visage occupait régulièrement les écrans de télévision pendant la diffusion des nouvelles locales, il avait droit chaque jour à la une des journaux à sensation. Même si je ne lisais pas ces publications, je ne pouvais éviter de voir que d'*autres* personnes les lisaient, en particulier dans les autobus et le métro. Quand on circule à pied dans Manhattan, on passe à côté d'un kiosque à journaux toutes les trois minutes – mon visage ne pouvait donc passer inaperçu! Comment s'étonner dès lors que certains de mes amis se mirent à me taquiner en me disant qu'ils commençaient à se lasser de le voir? Mais les affaires sont les affaires, et la première règle du journalisme est de faire des bénéfices. Un ami me confia un jour : « Je savais qu'on parlait de toi dans la presse quand tous les numéros du *New York Post* avaient déjà été vendus lorsque j'allais chez mon marchand de journaux. »

La plupart des gens qui me reconnaissaient dans la rue m'adressaient un sourire complice et poursuivaient leur chemin, mais d'autres me dévisageaient avec insistance et, si je me trouvais dans un magasin ou dans le métro, m'abordaient pour me demander si j'étais bien la Madame du Mayflower. Un certain rituel semblait présider à ce genre de question : on estimait apparemment qu'il était maladroit de demander tout de go : « Êtes-vous la Madame du Mayflower? », et on préférait s'enquérir moins directement en me disant par exemple : « Excusez-moi, mais personne ne vous a-t-il jamais dit que vous ressembliez, de façon frappante, à Sydney Biddle Barrows? »

Souvent, surtout pendant les deux ou trois mois qui s'écoulèrent après la perquisition, des gens s'approchaient de moi pour me dire : « Vous ne l'avez pas volé! » ou « De tout cœur avec vous! » ou « Tenez-leur la dragée haute! ». Des automobilistes me criaient des encouragements de leur portière, et certaines personnes voulaient tout simplement me serrer la main pour me montrer qu'elles étaient de mon côté.

Un jour, cette évidence me frappa : j'avais maintenant un public. Auparavant, l'idée d' « avoir un public » m'avait toujours paru grotesque. Cette expression me fait penser à Erica Kane, le personnage malfaisant de l'émission « All my Children ». Depuis quinze ans que je regarde cette émission, Erica a été, tout au long de cette période, mannequin, femme d'affaires, mariée à l'homme le plus riche du monde et éditrice d'un magazine, mais quel que soit le personnage qu'elle incarne, sa principale préoccupation reste son « public », au nom duquel elle justifie toutes sortes de manœuvres égoïstes et infâmes.

Je commençai alors, pour la première fois, à comprendre que les gens occupant des situations en vue *ont vraiment* un public. Quand j'y pensais, je devais admettre que certaines célébrités retenaient mon attention, ce qui voulait dire que je faisais partie de leur public. Et, dans une certaine mesure du moins, ceux qui suivaient mon histoire dans les journaux faisaient partie du mien.

Le fait d'être reconnue me mettait souvent dans des situations embarrassantes, mais celui de ne pas l'être était parfois tout aussi désagréable. Je me souviens que, invitée à une réception de mariage, j'avais été placée à une table où tous les convives savaient qui j'étais, à l'exception d'une dame.

– Et que faites-vous donc? me demanda-t-elle.
– Pour le moment, j'ai perdu mon emploi et j'en cherche un autre, répondis-je.
– Et avant?
– Je travaillais dans le spectacle.

Elle continua à parler et à me poser des questions, et je m'efforçai de maintenir la conversation sur un registre anodin. A table, les autres invités s'en amusaient fort, mais il m'était difficile, dans ces circonstances, d'annoncer sans ambages : « Eh bien, en réalité, c'est moi la Madame du Mayflower. »

Une avalanche de courrier est un autre phénomène qui accompagne la célébrité. Ma lettre préférée émanait d'un habitant de Philadelphie dont j'extrais quelques passages :

« Je tiens premièrement à vous dire ceci : gardez la tête haute, comme vous l'avez fait jusqu'à maintenant. Vous ne pouvez pas savoir combien sont nombreux ceux qui sont de votre côté, consciemment ou non. Deuxièmement, cette affaire tombera bientôt dans l'oubli et ne sera plus qu'une petite anecdote dans l'histoire de la société. Bien sûr, elle fournira matière à conversation, mais le temps aidant, on en parlera plus pour évoquer son aspect amusant que son côté grotesque.

« La vérité est que les hommes qui ne goûtent jamais aux ortolans voudraient vous connaître et que les femmes " honnêtes " sont jalouses ou émoustillées. C'est pourquoi je vous dis : continuez. »

Et cette autre lettre émanant également d'un descendant du Mayflower :

« Je lis assidûment les journaux depuis quelques semaines, et j'en suis venu à croire que *vous* êtes maintenant la victime de ce qui est considéré comme étant un " délit " sans victime. De plus, en violant votre vie privée, en vous tournant en ridicule et en révélant votre adresse, les autorités ont tout fait pour crier haro sur votre personne. Je tiens à ce que vous sachiez que je suis à fond pour vous. »

« Donnez-leur du fil à retordre jusqu'au bout! », m'écrivit un médecin de Suffern, État de New York, sur une feuille d'ordonnance à en-tête.

« Ces quelques mots pour vous exprimer mon admiration, m'écrivit un homme de Manhattan. Ne laissez pas ces salauds vous avoir à l'usure! »

Un autre de mes partisans me disait dans sa lettre : « Pourquoi devriez-vous, en plus, être punie pour avoir fourni un service à des gens qui préfèrent se servir de leur carte de crédit plutôt qu'affronter l'horreur d'un bar de célibataires? »

A ma grande satisfaction, quatre lettres seulement sur les centaines que je reçus étaient hostiles. Celle que je préfère émanait d'un citoyen anonyme, bouillant d'indignation, qui ne pouvait évidemment pas savoir si j'étais Sheila Devin ou Sydney Barrows :

« Chère Mademoiselle qui que vous soyez » : ainsi commençait sa lettre. « Une putain est une putain et encore une putain. Vous avez violé la loi, espèce de traînée. Croyez-vous vraiment que le tribunal doive vous donner une médaille? Culture ou pas culture, la prison est bien trop bonne pour vous! Savez-vous que des épaves humaines, des détenus et des clochards sont venus à bord du Mayflower? Inutile donc d'annoncer la couleur, salope! »

Pendant toute l'épreuve que je traversais, j'eus un correspondant fidèle : un homme de Brooklyn qui signait ses lettres : « Frankie le Gros, votre garde du corps à jamais, jusqu'à la mort. » Il se montrait plein d'indulgence et de sympathie dans ses lettres et m'assurait à satiété que Dieu était avec moi et que tout se passerait bien. Frankie le Gros ayant finalement révélé son nom patronymique et son adresse après que mon affaire eut été finalement réglée, je lui téléphonai immédiatement pour le remercier de ses marques de sympathie. Plus tard, lorsqu'il lut dans les journaux qu'un film racontant mon histoire allait être tourné, Frankie m'écrivit encore une lettre. Il y avait joint une photo de lui qu'il me demandait de faire suivre au producteur, dans l'espoir qu'il pourrait jouer le rôle d'un « clille » – un client – dans ce film.

Il est toujours difficile de savoir ce que pense l'autre partie mais, à l'époque où le printemps fait place à l'été, alors que je n'avais toujours pas indiqué si j'avais l'intention de plaider coupable, il devint apparent que le parquet s'inquiétait de plus en plus de la venue possible de l'affaire à l'audience. Le 4 juin, les choses se compliquèrent encore pour l'accusation lorsque le juge Brenda Soloff lui intima d'avoir à déposer des conclusions plus complètes, c'est-à-dire une liste circonstanciée des faits qui m'étaient reprochés. Autrement dit, le parquet devait non seulement fournir des détails pour *chaque* fait présumé de prostitution – notamment la date, l'heure, le lieu, le nom de la fille et celui du client – mais également établir un lien entre chacun de ces faits et moi-même.

Cependant, Risa et Mark s'efforçaient de faire classer l'affaire sans suite. Ils avaient déposé, dès le début, des conclusions détaillées, en soutenant que l'accusation n'avait pu produire aucune preuve de nature à étayer ses affirmations. « Votre Honneur, dit Mark au juge, qu'une montagne aussi grosse ait pu accoucher d'une souris aussi petite, cela ne s'est jamais vu. En dehors de New York, personne ne comprend dans le pays pourquoi des poursuites ont été intentées dans cette affaire, mais les New-Yorkais le savent, car ils ont un sens aigu de la chicane. »

La campagne électorale se profilant à l'horizon avec la perspective d'un procès fort embarrassant, le parquet me fit finalement une offre que je ne pouvais guère refuser : je pourrais plaider coupable d'avoir commis le délit de proxénétisme et j'aurais à payer une amende de cinq mille dollars. Je me verrais également accorder un certificat établi par la Cour, proclamant que, bien que j'eusse reconnu avoir commis un acte illicite, mes « infractions » étaient jugées si mineures qu'aucune peine civile ne devait m'être infligée et qu'aucune possibilité d'emploi ne devait m'être refusée en raison de mon casier judiciaire.

A partir de ce moment, la présidente n'eut de cesse que mon cas fût réglé. En m'expliquant l'alternative qui s'offrait à moi, elle m'avait avertie en ces termes : « Si l'affaire vient en jugement et si vous êtes reconnue coupable, vous pourrez fort bien vous retrouver en prison pour un an, avec une période de trois ans de mise sur le trottoir... euh... je veux dire, bien sûr, de mise à l'épreuve. »

Le vendredi 19 juillet, je retournai au tribunal pour la dernière fois, accompagnée d'un certain nombre d'hôtesses, de Jimmy Roe, de David et de divers autres amis. Lors de la première comparution au mois de novembre, j'avais plaidé non coupable, mais cette fois, je me présentais pour plaider différemment.

– Mlle Barrows, demanda la présidente, plaidez-vous maintenant coupable?

– La mort dans l'âme, Votre Honneur, répondis-je.

Le choix que je venais de confirmer officiellement n'était pas de nature à me mettre dans les meilleures dispositions d'esprit. Il m'était déjà assez pénible de devoir abandonner ma ligne de défense, même à mon corps défendant.

La présidente était prête à m'accorder une « décharge inconditionnelle » si je payais l'amende le jour même. (Une « décharge sous condition », qui exige le règlement de l'amende, ne fait jamais bonne impression.) Une fois de plus, David vint à la rescousse en se rendant tout droit à sa banque pour en retirer un chèque approvisionné. Combien j'apprécie d'avoir un ami tel que lui!

La veille au soir, lorsque le *New York Post* demanda à Risa ce que nous voulions obtenir, elle avait répondu : « Une légère caresse sur les doigts. » Cette expression apparut dans l'édition du matin, et fit bientôt partie du vocabulaire juridique. J'avais plaidé coupable, et mon humeur s'en ressentait, mais nous estimions tous que nous avions remporté une victoire importante. Risa et Mark tinrent d'ailleurs à festoyer le reste de la journée comme si nous avions bénéficié d'un acquittement. Nous avions commencé la journée par un petit déjeuner chez Ellen's et, après avoir plaidé coupable, nous tînmes une conférence de presse chez Wood's, un restaurant élégant, tout en offrant le champagne pour célébrer la victoire. Ensuite, nous déjeunâmes chez Forlini's, où les accusés se rendent traditionnellement après leur acquittement, car c'est le restaurant favori des membres du parquet et des juges du tribunal correctionnel et de la Cour suprême.

Tout le monde se réjouissait, mais j'éprouvais toujours un sentiment d'amertume pour avoir été contrainte d'abandonner la lutte. Je voulais protéger les filles et les clients, mais j'aurais bien aimé aussi faire face à mes accusateurs et découvrir ce dont était capable Elmo Smith. D'après Mark et Risa, le dossier de l'accusation ne tenait guère car, outre l'insuffisance de preuves et le caractère sélectif des poursuites que nous avions fait ressortir, il était fort possible que des écoutes téléphoniques illégales aient eu lieu, que le mandat de perquisition ait été mal rédigé et que les pouvoirs publics aient commis d'autres agissements répréhensibles. Le parquet n'avait pas d'atouts dans son jeu, et nous le savions. J'avais flairé la victoire, que ne pouvait remplacer la « légère caresse sur les doigts ».

Au beau milieu de ce repas italien raffiné, je m'aperçus tout à coup que des larmes coulaient le long de mes joues. Je m'excusai et rentrai chez moi : j'étais bouleversée à l'idée d'avoir renoncé au combat, et j'avais besoin d'être seule.

Cette nuit-là, nous organisâmes une réception de dernière minute dans une salle privée du Limelight. Elle réunit beaucoup moins de monde que le Bal du Fonds de défense du Mayflower, mais il y eut presque autant de journalistes. Toutes les assistantes vinrent, ainsi que de nombreuses hôtesses, dont certaines avaient travaillé pour moi des années auparavant. Kate saisit cette occasion pour refaire surface après s'être tapie pendant des mois. Aussitôt après la perquisition, elle avait disparu de la circulation, et j'appris, à cette réception, qu'elle avait vécu en Californie chez un de nos clients, qui lui avait dit de lui faire signe si jamais elle avait des ennuis.

A minuit, je quittai la réception avec Susan et Tom Eley, deux vieux amis qui m'avaient invitée à passer le week-end dans leur résidence du nord de l'État. Ce fut un week-end magnifique, paisible, au bord du lac, où nous passâmes notre temps à faire de la chaise longue et à prendre des bains de soleil. Nous étions complètement isolés; il n'y avait ni reporters, ni flashes, ni sonneries de téléphone. Ma longue épreuve était enfin terminée – ou du moins, je le croyais.

Depuis quelque temps, je songeais à écrire un livre relatant mes expériences. En fait, j'y avais pensé même avant notre fermeture, encore qu'il eût fallu le publier anonymement, car il m'apparaissait que cette agence était fascinante et que certaines de nos histoires assez savoureuses seraient, j'en étais sûre, du goût d'un bon nombre de lecteurs. J'avais même un titre en tête : *Nous sommes trois au Waldorf*, expression qu'utilisaient comme entrée en matière certains de nos clients arabes lorsqu'ils nous interrogeaient au téléphone.

Pendant les semaines ayant suivi la perquisition, Risa et Mark avaient été contactés par un certain nombre d'écrivains, d'éditeurs et d'agents, mais je ne voulais pas prendre hâtivement la décision de choisir un coauteur et un éditeur.

Au printemps, un ami de Risa me recommanda William Novak, écrivain de Boston, qui avait collaboré avec Lee Iacocca à la rédaction de l'autobiographie de cet industriel de l'automobile, qui s'est vendue à des milliers d'exemplaires. Après le succès sans précédent de *Iacocca*, Novak avait été assailli de demandes et était en pourparlers avec l'entourage de Tip O'Neill, le *speaker* de la Chambre des représentants, pour la rédaction commune de son autobiographie. Bill William Novak vint à New York pour nous rencontrer, Risa et moi. Pendant que je lui racontais mon histoire, il vit aussitôt quels étaient les aspects importants et uniques de l'affaire que j'avais dirigée, et me dit :

– Si on a trouvé intéressantes les mémoires d'un industriel de l'automobile, que va-t-on dire alors quand on aura lu *ça*!

Sur un certain nombre d'éditeurs qui auraient aimé acheter les droits de mon livre, deux envisageaient sérieusement de mettre ce projet à exécution : l'un était une importante maison d'édition que j'appellerai Type & Hype, et l'autre était Arbor House, maison beaucoup plus modeste, mais qui prenait de l'expansion. Bien entendu, avant de s'engager, les deux éditeurs voulaient me rencontrer.

Les éditeurs de Type & Hype me demandèrent de les rejoindre dans un restaurant chinois élégant. Dès que nous arrivâmes, Risa et moi – car, jusqu'à la conclusion de l'affaire, je n'allais nulle part sans être accompagnée d'un avocat –, deux hommes dynamiques commencèrent à me bombarder de questions. En quelques minutes, il devint évident que le livre auquel ils pensaient était beaucoup plus salace que celui que j'envisageais – ou que j'étais capable – d'écrire. Il me tardait de rompre cet entretien, et je dis à Bill et à Steve Axelrod, notre agent, que, quel que soit le montant de l'offre de Type & Hype, je n'étais pas disposée à écrire ce genre de livre.

Ma réunion avec les gens d'Arbor House eut lieu dans leur salle de conférence. Je remarquai en entrant que la table avait été garnie de coupes de champagne.

– Je vois que vous croyez déjà que l'affaire est dans le sac! m'exclamai-je.

J'en fus pour mes frais, car ils firent apporter du Perrier et des gâteaux secs.

Le groupe d'Arbor House me posa quelques questions difficiles, mais je voyais qu'ils prenaient sérieusement mon agence pour ce qu'elle était : une *affaire.* Il était certain qu'ils tenaient à avoir une histoire qui soit à la fois amusante et dénuée de fioritures, mais il s'avéra d'emblée qu'un ouvrage graveleux était la dernière chose à laquelle ils pensaient.

Il fut convenu entre Bill et moi qu'il se chargerait d'interviewer les filles. Certes, je pouvais moi-même fournir suffisamment d'informations sur le côté commercial de mes activités, mais c'étaient elles qui connaissaient les bonnes histoires.

Au début, la plupart des hôtesses se montrèrent réticentes pour rencontrer Bill car, après avoir lu toutes les histoires nous concernant dans les feuilles à scandales, elles craignaient que le livre ne donnât une allure trop sensationnelle à notre agence et ne déformât la vraie nature de nos activités. Mais quand je leur eus assuré que je me proposais de raconter notre histoire telle qu'elle s'était réellement passée et que Bill, le coauteur de *Iacocca,* avait la réputation de respecter l'obligation de réserve, elles changèrent vite d'avis.

Pendant tout le printemps et l'été 1985, Bill fit un certain nombre de déplacements à New York pour interviewer les hôtesses et moi-même. Quand ses amis apprirent ce qu'il faisait, ils se portèrent tous volontaires pour lui fournir leur assistance. « Êtes-vous *sûr* que vous n'avez pas besoin d'aide pour vos recherches? » demandaient-ils.

Chaque fois qu'il venait à New York, j'invitais quelques filles à venir passer la soirée chez moi et à converser autour d'un verre de vin. Outre qu'elles nous aidaient à rédiger le livre, ces interviews en groupe leur donnaient l'occasion de rester en contact et de parler du bon vieux temps. Nos activités avaient pris fin si brutalement que nous n'avions pas eu le loisir de nous réunir pour parler de ce que toute cette expérience avait représenté pour nous. Nous avions commencé à nous appeler par nos véritables noms, ce qui montrait que nous avions, hélas, reconnu que la belle époque était révolue.

Puisque j'avais été leur patronne et que je voulais qu'elles parlent à Bill en toute franchise, je trouvais habituellement quelque prétexte pour quitter la pièce pendant la plus grande partie de la soirée. Il n'était cependant pas facile, croyez-moi, de laisser les conversations se poursuivre en mon absence alors que les filles donnaient leur version personnelle de leurs activités, en racontant à Bill comment elles étaient venues la première fois à « Cachet », ce qu'elles pensaient de leur travail dans mon agence, et combien elles regrettaient l'atmosphère de chaude camaraderie qui régnait entre nous.

J'assistai cependant à une partie de ces entretiens, et je n'ai pas oublié certains des commentaires des hôtesses. Par exemple, ceux de Tricia : « Regardez-moi. Je suis gentille, je suis jolie, je suis douce. J'étais présidente de ma classe au lycée. Si mes amies apprenaient que j'étais une call-girl, elles en seraient malades. »

Ou ceux de Melody : « Vous pouvez avoir des millions de dollars, ce qui était le cas de certains de nos clients, mais si vous n'avez personne à qui les faire partager, quel est l'intérêt? Il y a des hommes qui essaient d'avoir une compagnie en l'achetant. Je ne dis pas que c'est aussi bien que des liens véritables, mais ça vaut cent fois la solitude. Et puis, parfois, une vraie liaison ne s'avère pas tellement heureuse. »

Ou ceux de Sunny : « Au début, je ne trouvais guère enthousiasmant de voir tous ces hommes mariés courir le guilledou, mais j'ai appris à les comprendre en me mettant à leur place. Pour la plupart de nos clients, qui sont des hommes toujours surmenés et surchargés de travail, une soirée passée en notre compagnie était un petit extra qu'ils s'accordaient de temps à autre, tout comme je me récompense moi-même d'avoir suivi un régime strict en m'offrant une glace aux fruits, nappée d'un coulis au chocolat. »

Ou ceux de Liza : « C'était un vrai plaisir que d'être dans le bureau un soir où les téléphones sonnaient sans arrêt et où les affaires marchaient bon train. Les filles étaient heureuses de partir et les clients ravis de les rencontrer. Le sexe faisait certainement partie de l'ensemble des services que nous vendions, mais j'ai toujours su que nous n'en faisions pas vraiment le commerce. J'eus un soir cette révélation : nous faisions le commerce du bonheur. La Constitution garantit le droit à la vie, à la liberté et à la poursuite du bonheur, et tout ce que nous faisions était d'aider les gens à trouver un peu de bonheur. »

Dès que le contrat fut signé avec Arbor House, nous fûmes assaillis d'offres émanant de sociétés de production qui voulaient acheter les droits pour la télévision. Je rencontrai un certain nombre de gens du monde cinématographique qui m'assurèrent tous, avec la plus grande sincérité, qu'ils feraient le genre de film auquel je tenais vraiment. Nous finîmes par conclure un accord avec Robert Halmi, producteur de films respecté de Manhattan, un gentleman européen qui n'arrivait pas à croire que la juridiction criminelle de New York perdait son temps et son énergie à poursuivre une personne telle que moi.

Alors que j'écris ces lignes, le tournage du film pour la télévision n'a pas encore commencé. Peu après la signature de l'accord, je fus navrée d'apprendre que la chaîne se proposant de diffuser le film avait interdit au scénariste de montrer que nous nous donnions du bon temps ou qu'il existait une réelle camaraderie entre les hôtesses. Apparemment, les annonceurs redoutaient que nous ne fassions apparaître la prostitution sous un jour trop séduisant. Autrement dit, les filles qui travaillaient pour moi ne pouvaient, en raison de la nature de leurs activités, être dépeintes comme étant heureuses et saines. Il est fort bien vu de glorifier la guerre, la violence et les agissements de la police, mais non de faire apparaître les call-girls sous un jour favorable.

J'étais exaspérée de découvrir que la télévision est assujettie à des interdits aussi sévères et tend à se soumettre aux vœux d'une petite minorité dont la susceptibilité est particulièrement chatouilleuse. Je ne vois pas pourquoi les programmes de télévision ne peuvent se voir attribuer une cote comme pour les films afin que les téléspectateurs puissent faire leur choix en connaissance de cause. La télévision commerciale est déjà suffisamment mauvaise sans qu'il soit encore besoin de la réglementer pour la ramener au plus petit dominateur commun.

L'examen prolongé de mon affaire avait pris fin un vendredi. Le lundi suivant, j'étais à peine revenue de ce week-end de détente à la campagne que j'eus à affronter une nouvelle série de problèmes. Risa avait été contactée par la Commission des victimes de la délinquance de l'État de New York, qui demandait à voir des exemplaires de tous les contrats que les éditeurs de livres et les producteurs de cinéma avaient passés avec moi.

Pour bien comprendre cette demande, il nous faut remonter à 1977. Après que David Berkowitz, l'assassin connu sous le nom de Fils de Sam, signa un contrat pour un livre où il faisait le récit de sa vie et de ses assassinats, l'État de New York adopta une loi stipulant que tout profit qu'un individu convaincu d'un crime tire d'un livre ou d'un projet de film relatant les circonstances de son acte criminel serait versé à un compte spécial bloqué pendant cinq ans. Toute victime d'un crime dont l'auteur a été reconnu coupable peut intenter, au cours de cette période, une action pour obtenir des dommages et intérêts qui seront réglés par prélèvement sur ce compte spécial. S'il n'y a pas de victime, ou si les victimes ne triomphent pas dans leur action, les fonds bloqués sont alors versés, au bout de cinq ans, à l'auteur du crime.

La loi « Fils de Sam » poursuit évidemment un but très louable, et ses dispositions ont été judicieusement arrêtées pour diverses catégories de crime, mais dans une affaire de prostitution, qui sont les victimes? Ni les clients ni les filles ne peuvent présenter une demande, car ils ont eux-mêmes participé à l'infraction. Aucune victime n'était nommément désignée dans mon inculpation, et le procureur aurait été également bien en peine d'en trouver une seule, ce qui n'a rien d'étonnant puisque la prostitution est, par excellence, une infraction qui ne cause pas de victime. Même le président de la Commission des victimes de la délinquance déclara lui-même à un reporter que « la loi ne vise vraiment pas ce genre de situation ».

A ce jour, une seule « victime », se décrivant comme telle, s'est manifestée. Dans une lettre en date du 29 août 1989 (!), une femme résidant autrefois à Manhattan écrivit à la Commission dans les termes suivants :

Messieurs,

Le crime a malheureusement payé pour Sydney Biddle Barrows, la Madame du Mayflower.

Sur l'ordre de mon médecin, j'ai dû quitter l'appartement où je résidais depuis dix-neuf ans parce que le bordel de Mlle Barrows faisait la sarabande toute la nuit dans l'appartement d'à côté. Je suis à... [le lieu était omis dans la copie de la lettre que nous avait transmise la Commission], où je me remets des affres que m'a fait endurer le vacarme des rugissements de plaisir et des turpitudes sexuelles encouragés par la drogue.

Mes frais de réinstallation temporaire et mes frais médicaux ont été excessifs, et j'ai la nostalgie de New York.

Puis-je vous présenter une demande, car je suis toujours sous surveillance médicale après un an?

Le 19 juillet, j'avais été informée, en sortant du tribunal, que j'étais désormais une femme libre. J'avais plaidé coupable pour un délit et j'avais payé une amende forfaitaire, mais je constatais, à ma très grande déception, que l'on continuait à dépenser inutilement de l'énergie et à gaspiller l'argent du contribuable. Alors que, pour me poursuivre, les services de police avaient mobilisé des inspecteurs au préjudice des enquêtes qu'ils menaient sur des affaires graves et que le parquet avait occupé des procureurs et encombré le rôle du tribunal, la Commission des victimes de la délinquance de l'État de New York ne faisait maintenant aucun cas des innombrables victimes de vrais crimes mais se lançait, en revanche, dans une véritable course au trésor pour rechercher des victimes qui n'existaient pas et ne pouvaient exister.

Une fois de plus, la presse s'en donna à cœur joie. Un dessin humoristique paru dans le *New York Post* montrait un groupe d'avocats dans le bureau de la Commission des victimes de la délinquance, où ils soumettaient à un interrogatoire croisé un groupe d'hommes dont les bras et les jambes étaient recouverts de plâtre et de bandages. Un homme, bandé de la tête aux pieds, se tenait devant le juge qui lui demandait : « Mais à quelle date votre femme a-t-elle découvert que vous figuriez dans le Livre noir de Biddle Barrows? »

De même que leurs homologues dans les autres professions caritatives, nos filles apportaient de la tendresse et du réconfort dans la vie de nos clients. Nous étions là pour eux. Nous les écoutions. Nous les faisions se sentir mieux dans leur peau. Nous leur faisions un don sur le plan affectif et sur le plan physique. Le sexe en soi peut être rédempteur, mais les attouchements et les étreintes figurent dans ce monde parmi les activités qui apportent le plus d'apaisement et donnent le plus de valeur à la vie.

Notre société doit encore apprendre à tolérer l'idée que des femmes gagnent leur vie en ayant des relations intimes avec des hommes. Certains disent que la prostitution est dégradante. Certes, elle peut l'être, mais non pas dans l'agence que je dirigeais. Il y a une foule d'emplois considérablement plus dégradants que celui qui consiste à passer une soirée avec un homme séduisant, ayant réussi dans la vie, qui est ravi de vous avoir à ses côtés et est prêt à payer une fortune pour le plaisir de passer un moment en votre compagnie.

Cependant, la prostitution étant toujours illégale, la gestion commerciale de ce genre d'activité a attiré certains individus peu recommandables. Chaque fois que la société frappe d'illégalité certaines activités, elle crée en même temps des infractions connexes. Comme nul ne l'ignore, le caractère illégal de la prostitution en fait un champ d'activité séduisant pour le jeu, la drogue, la violence et même le crime organisé.

Comment procèdent les villes américaines qui consacrent des sommes faramineuses à la lutte contre la prostitution pour atteindre ce noble objectif? Eh bien, en arrêtant un grand nombre de femmes, en les mettant en prison et en les jetant à la rue le jour suivant, alors que, pendant ce temps, les clients et les souteneurs ne sont, bien entendu, pas inquiétés.

Dans notre système actuel, les policiers en civil dupent les femmes en leur faisant miroiter du bon temps pour mieux les arrêter ensuite. Ces femmes représentent-elles un danger tel pour la société que la police doive gaspiller ainsi son temps avec elles? Bien sûr que non. Plus tôt ses lois seront réformées, et mieux notre société se portera.

Je me demande parfois ce que mes ancêtres du Mayflower auraient pensé de ma situation. Je reconnais qu'ils ne sont pas passés à la postérité pour leur esprit de tolérance à l'égard du sexe. Du moins, ayant échappé aux persécutions religieuses, ils vouaient une véritable passion à la liberté et auraient compris, s'ils avaient vécu à une époque plus éclairée, que les relations intimes entre adultes consentants ne sont pas du ressort de l'État. Et puis, très certainement, ils savaient qu'il y a toujours eu des hommes prêts à payer pour la compagnie et les faveurs du sexe opposé. Ce n'est pas pour rien que l'on appelle ce genre de commerce le plus vieux métier du monde.

Achevé d'imprimer
le 3.10.88
par Printer Industria
Gráfica S.A.
08620 Sant Vicenç dels Horts 1988
Depósito Legal B. 35448-1988
Pour le compte de
France Loisirs
123, Boulevard de Grenelle,
Paris

Numéro d'éditeur : 14352
Dépôt légal : novembre 1988
Imprimé en Espagne